ГОСПОДИН
АДВОКАТ
ФРИДРИХ
НЕЗНАНСКИЙ

МЕСТЬ ПРЕДАТЕЛЯ

УДК 882
ББК 84(2Рос-Рус)6
Н 44

Серия основана в 1998 году

Серийное оформление А.А. Воробьева

В оформлении обложки использованы фотоматериалы Николая Лымаря

Эта книга от начала до конца придумана автором. Конечно, в ней использованы некоторые подлинные материалы как из собственной практики автора, бывшего российского следователя и адвоката, так и из практики других российских юристов. Однако события, место действия и персонажи, безусловно, вымышлены. Совпадения имен и названий с именами и названиями реально существующих лиц и мест могут быть только случайными.

ВЗРЫВ НА БУЛЬВАРЕ ГЕНЕРАЛА КАРБЫШЕВА

Гордеев любил это место в Серебряном Бору. Когда-то, в очень даже памятные времена, часть москворецкого пляжа принадлежала дому отдыха Управления делами Московского горкома партии. И по этому случаю была обнесена плотным трехметровым забором — от посторонних, беспартийных, купающихся. Времена изменились, но забор остался, охраняя удобный кусок пляжа теперь уже от нашествия нудистов.

Относительно недалеко находился и домотдыховский теннисный корт, хозяином которого была не менее серьезная организация, поскольку, как известно, недвижимость партии не испарилась, подобно пресловутым партийным средствам, а плавно перешла в ведение президентской администрации. Точнее, ее не менее могущественного Управления делами. Изменились времена, изменился и подход к делу. Плати — и расчехляй ракетки, пользуйся закрытым теперь только для безденежных лиц пляжем, наслаждайся покоем.

Адвокат Юрий Петрович Гордеев хоть и был молод, но безденежным лицом себя не считал. К тому же вовсе не собирался ронять свое реноме на корте перед давним приятелем и сокурсником по юрфаку Андрюшей Ветровым.

Андрей в кругу знакомых считался достаточно сильным игроком в этом привычном для английских аристократов и модном среди «новых русских» виде спорта. А Юра лишь год назад впервые взял в руки ракетку. Но, будучи человеком азартным и спортивным, когда брался за что-то новое для себя, старался достичь если не профессионализма, то, во всяком случае, уровня много выше среднего. Так, кстати, было и в боксе. Начал заниматься еще на юрфаке, поскольку был уверен, что толковому следователю необходима отличная физическая подготовка, а завершил свои выступления на ринге мастерским значком.

Вот и теперь менее чем за год Гордеев добился таких результатов, что самоуверенный Андрюша Ветров проиграл ему в трех сетах.

Друзья обменялись традиционным спортивным рукопожатием.

— Благодарю за доставленное удовольствие! — добродушно улыбнулся Гордеев.

— Взаимно. — Вероятно, Андрею почудилась ирония, и он торопливо добавил: — Надеюсь, у меня появится возможность реванша?

— А как же! В ближайший же выходной к твоим услугам. А теперь купаться!

Они выбрали место поудобнее, расстелили полотенца. Ветров повалился на землю, раскинув руки и сообщив, что он должен остыть. Вода еще не набрала привычной летней температуры.

Юрий же, разбежавшись, оттолкнулся от высокого берега, красиво взмыл ласточкой и почти без всплеска вошел в воду. Знай, мол, наших.

Купающихся, несмотря на жаркий день, было немного, вода действительно более чем прохладная. Что, впрочем, никак не касалось детей — те с визгом бултыхались у берега под строгим присмотром родителей. Подальше качались лодки с загорелыми уже гребцами и дамами под зонтиками. Да еще двое коротко стриженных «качков» на гидроциклах носились по фарватеру, демонстрируя публике массивную «голду» на мощных шеях и запястьях.

Гордеев поплыл наискосок, против течения, на противоположный берег, но на середине реки передумал и лег на спину, отдавшись реке. Густой кустарник скрыл от него «свой» берег. Тихо покачивала бегущая вода. Неожиданно до его слуха донесся треск быстро приближающегося двигателя. Гордеев встрепенулся и увидел несущегося прямо на него водного мотоциклиста. Он что, не видит, куда несется?

Хорошая реакция спасла Юрия. Он нырнул, но ему показалось, что мотоциклист даже задел его днищем. Вынырнув, Гордеев увидел, что никакой ошибки или неосторожности тут нет — на него несся второй мотоциклист. Ну на этот раз застать его врасплох им не удалось.

Вынырнул Юра у самого берега, на который накатывались волны от прошедшего мимо речного трамвайчика. Нигде не было видно и мотоциклистов. Скорее всего, появление пассажирского судна поломало их планы. А что планы были очень нехорошие, Гордеев уже не сомневался. И тому были веские причины. Но сейчас, успокаивая дыхание, он постарался об этом не думать. Не брать в голову. До поры до времени...

Когда солнце начало уходить из зенита и землю прижала сильная, густая жара, друзья поднялись, окунулись еще по разику и стали собираться. Прежде чем вернуться в раскаленный город, они хотели перекусить. Ветров знал удобное место. Кафе «Минутка» на бульваре Карбышева имело место для парковки машин, было прохладным, спокойным, а главное, здесь готовили вкусную пиццу, которая хорошо шла под безалкогольное пиво.

Друзья сели в гордеевский «жигуль»-«шестерку». Собственно, это была машина не Юрия, а его отца. Свою старую Гордеев продал, а новой обзавестись не успел, поэтому и ездил по доверенности на отцовской.

Хвост Юрий заметил, когда они сворачивали с проспекта Жукова на бульвар. Это был зеленый «фольксваген-гольф».

Юрий въехал на стоянку при кафе и втиснулся между двумя своими собратьями, такими же «Жигулями». «Фольксваген» на стоянку заезжать не стал, а остановился поодаль. За его темными стеклами ничего видно не было.

В кафе Гордеев сел так, чтобы видеть свою машину. Проигравший, естественно, платил. Ветров отправился к стойке сделать заказ и принести пиво.

— Принимай, — сказал он, ставя на столик четыре темные бутылки и пару высоких стаканов. — Пицца будет готова позже.

Было жарко, вентилятор, похоже, не справлялся со своими обязанностями, и ледяное пиво оказалось более чем кстати.

Сделав несколько жадных глотков, они удовлетворенно выдохнули, откинулись на спинки стульев и вытянули под столом ноги. Казалось, каждый ушел ненадолго в себя, чтобы затем с новыми силами приступить к прерванному занятию. Однако такое могло прийти в голову только тому, кто абсолютно не был знаком с Гордеевым. Два года работы следователем в Генпрокуратуре, да еще под руководством такого высокого профессионала, как «важняк» Александр Борисович Турецкий, научили его ничем внешне не выдавать напряженную работу мысли и готовность в любую минуту к разного рода неожиданностям, в том числе и к опасным. Даже переход из прокуратуры в юридическую консультацию, где теперь работал адвокат Гордеев, не стер в его памяти фразу, сказанную однажды университетским профессором, читавшим курс гражданского права: «Работа настоящего, добросовестного юриста — как в известной всем песне — и опасна и трудна. И лучшие из вас скоро ощутят это на собственной шкуре». Гордеев и теперь не считал себя лучшим, однако предпочитал, чтобы всю опасность работы юриста чувствовал на себе не он, а его противник — тайный или явный. Именно поэтому, пока Андрюша Ветров рассматривал полусонным взглядом немногих посетителей кафе, Юрий Петрович держал в поле зрения зеленый «фольксваген-гольф», который по-прежнему находился в полусотне метров от автомобильной стоянки.

Неожиданно раздавшийся женский голос напомнил им о цели посещения кафе.

— Две пиццы с грибами! Кто заказывал? — донеслось со стороны буфетной стойки.

— Это для нас, — сказал Ветров, вставая. — Ты, как мне кажется, не станешь возражать против грибов, ветчины, сыра и хрустящей корочки под кетчупом?

— Да, если ты все это называешь пиццей, а грибами окажутся шампиньоны, — поддержал треп приятеля Гордеев, наполняя свой стакан безалкогольным пивом. — В противном случае будешь лопать за двоих.

— Тогда уж лучше за троих. За себя, за тебя и за... вон ту девочку... — подмигнул Ветров, отправляясь к стойке, за которой миловидная девушка в белом кокошнике держала в руках тарелки с жаркой пиццей.

Двое давешних «качков», один из которых был водителем машины, а второй, судя по всему, «техником», сидя в зеленом «фольксвагене», колдовали над не очень громоздким, но непонятным для непосвященного устройством, окутанным разноцветными проводами.

— Замечай, — говорил водитель, — здесь левый, желтый, провод идет на правую клемму, а правый, зеленый, наоборот, на левую. Не перепутай. А лучше вообще выйди-ка из машины. От греха!

— Не боись! — бодро откликнулся «техник»,

сопя над устройством. — А на хрена нам дали новую штуковину? Что, старые уже не годятся, что ли?

— Эти, говорят, помощнее. Слушай, ты бы снял свои побрякушки! Замкнешь контакты... к едрене фене...

— Ноу про́блем! Все будет тип-топ! Это сейчас у тех проблемы начнутся... А где тут присоска? Каким боком-то?

— Клеммы снизу, я ж сказал! Слушай, аккуратней!

— Не первый раз... Все под контролем!.. Я сейчас пойду, а ты давай отвлеки их...

Когда Ветров вернулся наконец с двумя пиццами к столику, Юрий выливал в свой стакан остатки пива из последней бутылки.

— Тебя, смотрю, хорошо за смертью посылать, — нарочито ворчливым тоном заговорил Гордеев. — Долго проживем. А вот пицца, поди, остыла. И пиво кончилось. И я не могу с уверенностью сказать, хочу ли я теперь холодную пиццу на сухое горло.

— С пивом мы дело поправим, — парировал Андрей. — А в тебе, адвокат, говорит элементарная зависть. Сознайся, что девочка тоже нравится.

— Так чего ж теперь сознаваться! Ты наверняка с ней уже договорился! Не отбивать же у товарища... Ладно, давай мою порцию, вали за пивом, а заодно закажи и мороженое. Хороший повод продолжить охмуреж. Я теперь понял, почему тебя тянет именно в это кафе.

— Ну вот, уже и поговорить нельзя с хорошей

девочкой, чтоб не нарваться на критику! — деланно обиделся Ветров, возвращаясь к стойке и беря в охапку очередную порцию пивных бутылочек. — Если вы, друзья мои дорогие, станете вот так реагировать на мои похождения, я, пожалуй, не смогу жениться... в очередной раз.

— Да неужто у тебя столь высокие цели? — изумился Гордеев.

— Однозначно! — сказал Андрей, садясь. — Как говорит один известный политик и при этом постоянно врет.

— Ха-ха! — серьезно ответил Юрий, принимаясь за еду. — С вами все понятно, молодой человек. Вы ловкий ловелас, а вовсе не потенциальный жених!

В течение всего этого ничего не значащего разговора он постоянно поглядывал в сторону «фольксвагена». Вот опять кинул взгляд на подозрительный автомобиль. Однако вместо зеленого эмалевого кузова вдруг увидел быстро растущий огненный шар. Его можно было бы принять за большую шаровую молнию, но небо над Москвой было безоблачным, грозой и не пахло.

В следующее мгновение раздался оглушительный взрыв. Треск разбитых стекол, людские крики и вой сирен автомобильных сигнализаций ворвались в открытые окна и двери кафе «Минутка». К этим звукам добавились звон рухнувшей на пол посуды, столовых приборов и грохот опрокинутого столика: какой-то военный, заслышав взрыв, по привычке бросился на пол. Других разрушений в кафе не было — сказалась его удаленность от эпицентра взрыва. Однако многие посетители спешно покинули заведение, чтобы собственными глазами увидеть последствия происшествия.

— Опять наверняка мафиозные разборки. Все никак, засранцы, не поделят чужую собственность. И когда ж это кончится? — нарушил тишину Ветров.

— Или неосторожное обращение со взрывчатыми веществами, — в тон ему ответил Гордеев. — Что случается при перевозке или хранении.

— Ты думаешь?

— Иногда.

— Да, сейчас и такое тоже бывает. Боеприпасов в нашей стране развитого бандитизма хватает. Одни глушат ими рыбу...

— Другие — друг друга. И чем их меньше, тем легче дышится работникам правопорядка. Верно говорю?

— А вот и они! Едут, родимые, — прокомментировал приближающийся лающий крик сирены Ветров. — Интересно, что же там на самом-то деле произошло?

— Хочешь пари? Если твое утверждение верно, то в следующее воскресенье я даю тебе возможность отыграться. И соответственно кормлю и пою. Хоть и здесь. Если же прав я — никаких реваншей, ты организуешь рыбалку и варишь уху.

— Согласен. А версии узнаем из газет. Но предупреждаю: если я проиграю — рыбу ловим на спиннинг. Никакого динамита.

— Договорились. Готовь снасти.

— И все-таки это — бандитская разборка.

— Поглядим, — криво усмехнулся Гордеев, берясь за ледяную бутылку с безалкогольным пивом.

СТРАННЫЙ ГАИШНИК

Юрий Гордеев, как обычно, принимал посетителей в юридической консультации номер десять.

Здесь, на Таганке, он бессменно работал с тех самых пор, как ушел из прокуратуры. Его рабочий день был в разгаре. Близился обеденный перерыв, час, когда можно было покинуть душное помещение и выйти на свежий воздух, хотя свежим его назвать было крайне трудно — жара в Москве не спадала, и единственным способом укрыться от городской духоты являлась возможность посидеть в каком-либо ресторанчике с хорошо работающими кондиционерами.

Гордеев перебирал свои бумаги, когда в его кабинку вошел Вадим Райский, как всегда с трубкой в руках, которую набивал только высокосортным табаком. Его почти облысевшая голова была покрыта испариной, дорогой шелковый галстук ослаблен, а верхняя пуговица на модной рубашке расстегнута.

— Как начало новой трудовой недели? — деловито осведомился Райский, доставая из кармана пиджака шелковый кисет.

— Начало... жаркое! В самом прямом смысле. Как, впрочем, и окончание прошлой.

— И не говори. Я, кажется, вот-вот погибну от какого-нибудь удара. Либо от солнечного, либо от теплового. — Райский стал вытирать носовым платком вспотевшую шею. — А кто тогда будет вести дела моих клиентов? Кстати, как у тебя сегодня с ними?

— Да так, ничего интересного. Алименты, бракоразводные процессы, принятие гражданства и восстановление на работе.

— Кстати о работе. Для поддержания трудового процесса на должном продуктивном уровне следует время от времени давать себе отдых. Ты вообще сегодня намерен обедать?

— Перекусить, пожалуй, следует. Минут через пять буду готов — разберу бумаги.

— Давай съездим в один новый ресторанчик. Это поблизости. Кухня — приличная, обстановка — прохладная. В самом прямом смысле.

Ресторанчик, в который Райский привез на своей машине Гордеева, действительно был из новых, только что открывшихся, где запах недавно законченного ремонта соседствовал с ароматами хорошей европейской кухни. Стильный дизайн придавал залу элегантность и уют, которые дополняли мягкое освещение, негромкая музыка и прохлада, создаваемая бесшумно работающими кондиционерами.

Подозвав официанта и сделав заказ, Райский привычно достал из кармана зажигалку, кисет и трубку, которую стал набивать своим дорогим табаком. Вскоре его ароматный дым уже щекотал ноздри Гордеева.

— Как провел выходные? — выпуская очередной клуб дыма, поинтересовался Райский.

— В субботу ездил на дачу к родителям. Помог старикам с урожаем клубники. Чуть ли не целое ведро заставили съесть. Думал, начнется диатез, но обошлось, — хмыкнул Гордеев. — Еще и с собой дали. Не знаю, куда девать. Тебе не надо?

— Свари варенье или компот, — подсказал Райский. — Летом холодный компот очень кстати. А у меня на участке ничего не растет.

— Ну ты же строишь дачу. А там, где строят одно, другое разрушают.

— Да, все вытоптали или закатали колесами. Не думал, что столько хлопот будет с этим строительством. Не одно, так другое. Да и жена еще. Все никак не может решить, что ей нужно. Архитектору плешь проела. Тот уже столько изменений внес в проект. И со строителями проблема. В Подмосковье этот бизнес поделен между шабашниками из независимой Молдавии и самостийной Украины, но, видно, не до конца. Вот они друг другу и вставляют палки в колеса. А в последнее время пытаются оказывать давление и на заказчиков. Уже бывали случаи. Они это называют борьбой за подряд. Прежде было соцсоревнование, а теперь — бандсоревнование.

— Кстати о соревнованиях. В воскресенье играл в Серебряном в теннис с Ветровым. Одолел-таки нашего чемпиона. Правда, пришлось попотеть. Силен пока для меня, но тем приятней победа.

— Выиграл? У Андрея? Ну ты даешь! Он же, я слышал, был чемпионом МГУ и входил в студенческую сборную Москвы. И сейчас играет как бог! А ты, по-моему, специализировался на другом виде спорта. На этом... на мордобое?

— Нет, старик, предела совершенству. Даже в боксе.

— Это твоему нет предела, а мой уже давно настал! — удрученно закивал Вадим. — Я старый, толстый, лысый и ленивый. Мне даже зарядку лень делать. Не то что в ваш теннис играть. Не говоря о... боксе, — опасливо хихикнул он. — Мои виды спорта спокойные и домашние. Шахматы, преферанс... — Но тут же печальные глаза его оживились — Вадим Андреевич заметил официанта, несущего заказ. А еще через минуту Райский и Гордеев уже ловко орудовали столовыми приборами и обменивались впечатлениями.

Когда с едой было покончено и оставалось выпить по чашечке кофе, за спиной Гордеева неожиданно раздался знакомый мужской голос:

— Вот уж кого не ожидал здесь увидеть!

Райский улыбался, он видел говорившего. Обернувшись, Гордеев понял, что не ошибся: перед ним стоял Ветров собственной персоной, который, как показалось Гордееву, был чем-то слегка разочарован.

— И мы тебя тоже! Легок на помине! — ответил Райский на восклицание Ветрова. — Ты-то здесь какими судьбами?

— Деловое свиданис. С владельцем этого ресторанчика. Вернее, с его владелицей. У нее проблемы со страховой компанией. Ну а вы здесь как оказались?

— Голод и жажда, Андрюша, выгнали нас из чащи, — сказал Гордеев и пожал руку Ветрову. — Присядешь или спешишь?

— Присяду. У меня еще есть немного времени, хотя я пришел вовремя. А вот хозяйка заведения горячо извинялась и просила немного подождать.

Какие-то срочные телефонные переговоры. Благо здесь прохладно и...

Андрей Ветров не успел договорить, так как к столику подошел официант и поставил перед ним высокий стакан с каким-то напитком, сопроводив свои действия лишь словом «пожалуйста», однако, увидев, что Ветров полез в карман, добавил:

— Это за счет заведения.

— Запиваешь горечь поражения? — спросил Ветрова улыбающийся Райский. — Чемпионы не любят проигрывать?

— Ах вот в чем дело! Уже нахвастался? — с иронией кивнул в сторону Гордеева Ветров. — Это случайность. Неблагоприятные для меня погодные условия, магнитные бури и прочие уважительные причины. Посмотрим, что скажут работники юридической консультации номер десять после матча-реванша, который, к моему сожалению, не состоится в ближайшие выходные.

— А что должно состояться в ближайшие выходные? — с интересом спросил Райский.

— Ловля рыбы и приготовление из нее ухи вот этими руками, — печально ответил Ветров и повращал в воздухе своими ладонями. Повернулся к Гордееву: — Юра, ты выиграл пари.

— Еще бы, — снисходительно усмехнулся Гордеев, — мы, профессионалы, знаем, что почем. Практически не ошибаемся.

— Какое пари? — вмиг загорелся Райский. — Мужики, ну-ка колитесь!

— Это тебе будет дорого стоить, — самодовольно ухмыльнулся Гордеев. — За посвящение в тайну с тебя бутылка «Камю де Мокс». Знаешь такой коньяк? Французский. И недорого, всего сорок баксов. Я в каталоге видел.

— Что такое французский коньяк, я знаю отлично. И чаще, чем ты думаешь... — обиделся Райский. — Но котов в мешке на коньяк не меняю.

— Жаль, — вздохнул Гордеев, — так, значит, и проживешь в неведении... К тому же тебе известно: скупой платит дважды.

— Что за намеки? — удивленно вскинул брови Райский. Едва речь заходила о деньгах, чувство юмора покидало Вадима Андреевича и он уже не мог адекватно реагировать на шутки.

— Ладно, ладно, не коньяк, — стараясь замять неловкость, вмешался Ветров. — Давай полегче: нам с Юрой по бутылке «Жигулевского», и мы раскрываем тебе страшную и кровавую тайну, — и, достав из кармана пиджака, который висел на спинке его стула, свеженький номер «Московского комсомольца», помахал газетой перед самым носом Райского. — Здесь именно та информация, за которой ты охотишься. А цена ей — две бутылки «Жигулевского», — текстом из американских боевиков продолжил Ветров. — Берешь или будешь торговаться? Промедление сам знаешь чему подобно.

— Знаю — смерти от любопытства. Надо подумать. Я так понимаю, что в этой газете лишь подтверждение правоты одного из вас. А мне хотелось бы узнать и условия заключенного вами пари. Судя по ставке, спор нешуточный. А незнание сути лишает меня удовольствия в полной мере насладиться победой сослуживца.

— По-моему, Вадим прав, — вступил в разговор Гордеев. — Господина Райского, для скорейшего получения от него «Жигулевского», просто необходимо ввести в курс воскресных событий.

— Приступим, — поддержал Ветров. — Итак...

Выслушав историю заключения пари, Райский тут же забрал «Московский комсомолец», быстро нашел нужную заметку в разделе «Срочно в номер» и жадно впился в нее глазами.

«КРОВАВОЕ МЕСИВО В СПАЛЬНОМ РАЙОНЕ

Вчера в 15.30 на бульваре Генерала Карбышева, что недалеко от Серебряного Бора, где любят отдыхать не только простые москвичи, но и избранные — их дачи расположены там же, — произошел взрыв. Припаркованный рядом с кафе «Минутка» «фольксваген-гольф» зеленого цвета и два человека, находившиеся в его салоне, были буквально разорваны на части неизвестным взрывным устройством. Они находились внутри автомобиля. По счастливой случайности других человеческих жертв не оказалось. Близлежащим зданиям нанесен небольшой урон — выбиты стекла.

Найденные в радиусе тридцати метров две оторванные кисти рук с золотыми украшениями на обугленных пальцах позволили экспертам сделать заключение, что взрыв, скорей всего, произошел от случайного замыкания ювелирными изделиями контактов неустановленного взрывного устройства, что говорит о халатности или неопытности подрывника. Мощность взрыва, по подсчетам специалистов, равняется четыремстам граммам тротилового эквивалента.

Для чего или кого предназначалось взорвавшееся устройство, предстоит определить следственным органам».

Отложив газету, Вадим Райский щелкнул пальцами, подзывая официанта.

— Два пива, пожалуйста. «Жигулевского». И один апельсиновый сок, — сделал заказ Райский.

— Извините, но «Жигулевского» у нас в данный момент нет, — виновато ответил подошедший официант. — Может, чешское, немецкое, американское, голландское? — предложил он.

— Значит, ребята, в другой раз! — хитро улыбаясь, сказал Райский Ветрову и Гордееву. — Но пока, в качестве компенсации, могу предложить то же самое, что заказал себе, — сок. В нем полно витаминов. Которые очень помогут вам в предстоящем матче-реванше, — и, вновь обратившись к официанту, сказал: — Три сока, пожалуйста.

Когда официант удалился, Райский продолжил:

— Андрей, как же ты мог попасться на крючок? Разве ты не знал, с кем имеешь дело? — Вадим Андреевич укоризненно покачал головой. — Надеюсь, ваша уха будет вкусной.

— А пиво холодным, — улыбаясь, добавил Гордеев.

— Да, да, — как бы начиная раздражаться, пробурчал Райский. — Я слов на ветер не бросаю. Однако хотя ты, Юра, и угадал причину взрыва, но само по себе это событие не из ряда вон выходящих. Такое сейчас не редкость. И происходит чуть ли не каждую неделю. Поэтому, зная, можно легко прийти к определенному выводу. Так что об этом событии можете забыть.

— Согласен. Забыть-то можно. Если, конечно, не знать, что именно этот «фольксваген» отъехал за нами с пляжной стоянки в Серебряном Бору и именно он взлетел на воздух недалеко от того места, где мы с Андреем собирались перекусить.

— Ну, это очередная случайность.

— Когда случайности повторяются, это уже закономерность. К тому же именно этот «фольксваген» я дважды видел на прошлой неделе.

— Где? — быстро спросил Ветров.

— Почему ты уверен, что то была именно взорванная машина? — добавил Райский. — Мало ли в Москве зеленых «фольксвагенов»?

— Автомобилей-то много, да вот с определенным номерным знаком один.

— А откуда тебе известно, что номер взорвавшегося «фольксвагена» и номер той автомашины, которую ты видел, один и тот же? — подозрительно спросил Ветров. — Между прочим, в «Московском комсомольце» номер не указан. Или ты и ранее уже что-то подозревал, а вчерашние события стали для тебя лишь следствием, причину которого ты столь бесчестно от меня утаил? Если так, то это жульничество. И наше пари я считаю разорванным.

— Андрей, мы же тебя спрашиваем, как ты мог попасться на такой жалкий крючок? — подлил масла в огонь Райский.

— Ну, во-первых, — примирительно сказал Гордеев, — заметку в «МК» я действительно читал. Еще вчера. Купил вечером у распространителей возле метро. И потом сопоставил информацию. Вспомнил, что уже видел этот автомобиль дважды в течение одной недели.

— Андрей, — не унимался Райский, — ты ему веришь?

— Придется поверить, — ответил Юрий.

— И когда же ты ее встретил впервые? — Ветров по-прежнему недоверчиво смотрел на Гордеева.

— В прошлый вторник «фольксваген» был припаркован возле нашей юридической консультации. И именно на моем обычном месте. Это причинило вашему покорному слуге определенные неудобства. Какое-то время мне пришлось искать свободное место. В такой ситуации волей-неволей обратишь внимание на нахала. А их в машине было трое — молодые парни. С бритыми затылками, крепкими бицепсами и с якорными цепями высшей пробы на бычьих шеях. А быки всегда выделяются на фоне овечек. Единственное, что меня тогда удивило, так это машина. Обычно эти предпочитают «БМВ» или «мерседесы», а в последнее время — и джипы. Теперь я понимаю, почему «качкам» пришлось тесниться: они не хотели привлекать лишнего внимания. Но мое внимание эти нахалы все-таки привлекли. Потом они уехали. Кстати, их отъезд совпал с уходом моих клиентов.

— С чего ты это взял? — слегка оттаяв, поинтересовался Ветров.

— Место, на которое я обычно ставлю свою машину, хорошо просматривается из окна. Сами понимаете: береженого Бог бережет. А автомобиль, на котором я нынче катаюсь, — родительский. Не хотелось бы доставлять старику неприятности. Так вот, увидев, что нахалы освобождают мое место, я вышел переставить свои «Жигули». Оказалось, что «фольксваген» с «быками» лишь немного отъехал и стоит с работающим двигателем, а клиенты, которые пять минут назад покинули мою кабинку, о чем-то разговаривают на тротуаре, стоя рядом с белой «Волгой». За ее рулем сидел пожилой водитель. Поговорив, мои клиенты сели в машину и уехали. За ними тут же укатил и «фольксваген».

— Ну а во второй раз? — допытывался до истины Ветров.

— Что — во второй раз?

— Андрей спрашивает, когда ты видел «фольксваген» во второй раз, — присоединился к Ветрову Райский. — Ведь ты его видел дважды за неделю, не так ли?

— Да. Потом я его увидел вечером того же дня. Рядом с домом, где снимаю квартиру. Когда выбрасывал в мусорный контейнер всякий хлам. Мусоропровод в стояке забился, и пришлось спускаться во двор. Как раз в это время кто-то садился в машину, стоявшую между контейнерами и входом в мой подъезд. Освещение в салоне включилось, и я сумел разглядеть пассажиров. Это были все те же утренние нахалы — их нетрудно было запомнить. Уходя, я взглянул на номер. Цифры оказались те же: «161» и буквы — «а», «е» и «у». Ну а в последний раз мы с тобой, Андрюша, видели его вчера. Пылающим на бульваре Генерала Карбышева.

— Что было, то было, — подтвердил Ветров, обращаясь к внимательно слушающему Райскому, который за время рассказа занимался своей трубкой.

— Выходит, что автомобиль ты видел во вторник и в воскресенье. Юра, а ты эту историю с «фольксвагеном» с чем-нибудь связываешь? — выпуская клуб дыма, спросил Райский. — С какими-нибудь своими старыми делами. Или с новыми? Например, с клиентами, вслед за которыми отправился этот «фольксваген»? С каким, кстати, делом они приходили?

— Да я уже думал над этим. А пришли они вот с чем...

Но рассказать о цели их прихода Гордеев не успел.

К их столику стремительной и легкой походкой подошла молодая, уверенная в себе женщина. Ее стройная фигура была элегантно упакована в светлый, но строгий деловой костюм из тонкой ткани, созданный явно известным европейским дизайнером. Выбор такого костюма говорил и о достатке его владелицы, и о тонкости ее вкуса. То же можно было сказать и о модельной обуви, подчеркивающей стройность длинных ног и тонкость лодыжек. Женщина, окинув быстрым, внимательным взглядом сидящих за столиком, поздоровалась и обратилась к Ветрову:

— Андрей Борисович, извините, что заставила вас ждать. Неожиданные телефонные переговоры. Они немного затянулись.

— Ничего-ничего, Елена Петровна, — сказал, вставая, Ветров. — У меня всегда найдется для вас необходимое время. К тому же я не скучал. Встретил своих друзей, — и он жестом показал на Райского и Гордеева. — Нам было интересно поговорить. —И тут же, укоризненно пригрозив Юрию пальцем, закончил: — Без меня не рассказывай больше никаких историй. Вечером позвоню тебе.

— Я рада, что ваша встреча произошла именно в нашем ресторане. — И женщина, слегка склонив голову, еще раз окинула взглядом сидящих за столиком. На Гордееве ее взгляд задержался чуть дольше. — Андрей Борисович, мы можем для разговора пройти в мой рабочий кабинет, — предложила она Ветрову, а остающимся сказала: — Извините, что прервала ваш разговор. Приятного отдыха.

— Мы еще успеем наговориться. — Гордеев кивнул на прощание.

То же, чуть привстав, вежливо повторил и Райский.

Когда Ветров и Елена Петровна ушли в глубь ресторана, Гордеев сказал посасывающему потухшую трубку Райскому:

— Ну что, закончил? Продолжим как-нибудь в следующий раз.

— Да, пора, — ответил Райский, посмотрел на свои золотые швейцарские часы и подозвал официанта.

На улице их ожидала неприятная неожиданность. Около новенького красного «форда» Райского стоял лысоватый пузан в милицейской форме с погонами капитана и помахивал регулировочным жезлом. На его намокшей от пота рубашке блестела номерная бляха московского гаишника. Рядом крутились какие-то люди в черно-синих спецовках с инструментами в руках. Подойдя ближе, Вадим Андреевич увидел, что колеса его автомобиля заблокированы специальными металлическими захватами, не позволявшими машине тронуться с места.

— Я что-то нарушил? — спросил удивленный Райский и показал рукой на заблокированные колеса.

— Неправильно поставили машину на стоянку, — ответил равнодушный гаишник и жезлом указал на запрещающий знак.

— Но сорок минут назад его здесь не было, — ответил пораженный Райский. — Я это точно помню! Я не мог его не заметить!

— Все так говорят, когда нарушают.

— Ну хорошо! Нарушил! Но зачем заблокировали колеса? Выписывайте квитанцию... Я, в конце концов, заплачу штраф и уеду. — Вадим Андреевич знал по опыту и по рассказам других автомобилистов, что спор в аналогичных ситуациях бесполезен.

— Не могу отпустить. Постановление правительства Москвы, — пояснил гаишник и, махнув жезлом, крикнул одному из людей в спецовках: — Подгоняй эвакуатор.

Тот стал что-то говорить в переговорное устройство.

— Сейчас подъедет спецмашина. Погрузит вашу иномарку и отвезет на охраняемую стоянку, — продолжил сильно потеющий капитан, свободной от жезла рукой промокая носовым платком пот на своей шее. — Там она и будет находиться до тех пор, пока вы не уплатите штраф за неправильную парковку и не оплатите время нахождения на стоянке. Она поблизости. За кольцевой дорогой. Оплата за стоянку — посуточная. Кстати, обычно через определенный срок невостребованные автомобили продаются с аукциона. Но вам, — гаишник насмешливо посмотрел в глаза Райскому, — это, кажется, не грозит.

— Надеюсь, что так оно и будет, — сказал понимающий Райский и попросил гаишника отойти с ним в сторону.

Гордеев, хорошо знавший о существующей в Москве неразберихе с парковкой, причиной которой были незаконные действия столичного правительства, молча наблюдал за ситуацией со стороны. Он не вмешивался в происходящий диалог гаишника и Райского, но внимательно наблюдал за рабочими, которые в ожидании прибытия эвакуатора пытались заблокировать заодно и соседние машины. Они показались ему новичками в своем деле. А их действия — какими-то неловкими. Отсутствовал у них навык обращения с блокираторами колес, который Юрий видел не раз у других работников этой сферы, проезжая по московским улицам. Да и черно-синие их спецовки выглядели неестественно свежими и чистыми для середины рабочего дня.

«И это в такую-то жару», — подумал Гордеев.

Он еще немного постоял на краю тротуара и отошел в тень ближайшего здания.

Вскоре вернулся Райский.

— Сейчас поедем, — сообщил он.

— На своих двоих или на такси? — поинтересовался Гордеев.

— Петрович, ты меня обижаешь...

— И не думал. Я так понимаю, что и капитан на тебя не в обиде?

— Пришлось...

— Номер бляхи запомнил?

— А зачем?

— Может пригодиться.

— Запомнил, — невесело ответил Райский, глядя, как снимают блокираторы с колес его «форда». Настроение у него было испорчено.

Лишь на Таганской улице упорно молчавший Райский словно очнулся:

— Юра, но ведь знака там действительно не было?

— Не было, — подтвердил Гордеев. — Но появился.

— Черт знает что творится! У меня такое впечатление, будто гаишники возят запрещающие знаки в багажнике и вывешивают их, где им захочется. Левый заработок!

— Может быть, — усмехнулся Гордеев. — На эту тему даже есть анекдот. Рассказать?

— Нет.

Райский надавил на акселератор. Двигатель «форда» прибавил оборотов, и Гордеева вжало в спинку анатомического кресла. Машина рванулась к зеленому глазу светофора. Впереди был перекресток, который Вадим Андреевич надеялся проскочить до желтого света.

— Не успеешь, — верно оценил дорожную обстановку Гордеев — он обладал большим водительским стажем.

— Пожалуй, — согласился Райский и, чтобы не выскочить на перекресток, сбросил газ и стал прерывисто нажимать на педаль тормоза.

И вовремя это сделал. Так как через несколько секунд после начала торможения неожиданно послышался металлический скрежет. Иномарку тряхнуло и, резко уведя влево, вынесло на встречную полосу, где развернуло и, едва не опрокинув после удара о бордюрный камень, выбросило на тротуар. Машину остановил коммерческий киоск.

К счастью для Райского и Гордеева, транспорта на встречной полосе в этот момент не было — горел красный свет.

— Вадик, теперь ты смело можешь участвовать в гонках на выживание, — сказал, снимая левую руку с руля, Гордеев. Юрий с первых же мгновений происшествия помогал удерживать контроль над автомобилем. — Слышал, наверное, о таких? Их еще и по телевизору показывают. Получишь всероссийскую известность.

Бледный как мел Райский молчал.

— А я буду рядом с тобой... в качестве штурмана.

Но Райский по-прежнему молчал и смотрел перед собой невидящими глазами. Его ухоженные руки в светлых лайковых перчатках крепко сжимали рулевое колесо. Сквозь узорные вырезы перчаток были видны побелевшие суставы пальцев.

— Андреич, все кончилось, — уже серьезно сказал Гордеев и отстегнул ремни безопасности — свой и Вадима. — Ты жив.

Однако вновь не увидел никаких изменений.

«Что ж, словом делу не поможешь», — подумал Гордеев и наклонился в сторону оцепеневшего водителя. Он несколько раз ощутимо пошлепал ладонью по щекам Райского и вскоре увидел его осмысленный взгляд.

— Приехали, — напомнил Гордеев Райскому и вышел из машины.

...Зеваки, как всегда, обменивались возможными версиями.

Бледные мальчики с восторгом в глазах обсуждали, что все это было покруче, чем в американских боевиках.

Сухие старушки истово крестились и, посматривая на чистое небо, шептали: «Спаси, Господи».

Алкаши с фиолетовыми носами, обдавая друг друга перегаром, спорили, кто виноват, а кто прав — то ли автозаводы, выпускающие такие быстрые машины, то ли водители, которые покупают иномарки вместе с правами.

Пьяный бомж двухметрового роста сообщал, что все беды в России, естественно, от дорог.

Какие-то работяги гадали, во сколько встанет владельцу ремонт и отберут ли у него права.

Покинув рабочее место, продавец коммерческого ларька кавказской наружности вслух интересовался, кто возместит ему ущерб и закрасит ссадину на стене.

Две пожилые толстые тетки с авоськами в руках негромко кричали, что в этом мире все куплено, и призывали к походу на Кремль, где засел такой же алкоголик, как и водитель.

Невысокая девушка в простеньком платьице, держа над глазами ладонь козырьком, всматривалась сквозь лобовое стекло в водителя и сообщала всем: «Жив, жив».

Райский действительно был скорее жив, чем мертв. Он уже окончательно пришел в себя и вскоре покинул автомобильное кресло. Аплодисментов не последовало.

Вместе с Гордеевым Райский обошел «форд». У

машины отсутствовало левое переднее колесо и была повреждена ступица, на которой оно держалось. Слегка была помята облицовка и разбита правая задняя габаритка — от соприкосновения с торговой точкой.

— Ремонт влетит тебе в копеечку, — подвел итог предварительного осмотра Гордеев.

— А ведь я только лишь неделю назад прошел «ТО-2», — сокрушенно покачал головой Райский. — И как же такое могло случиться? Сегодня утром на заправке мне подкачивали передние баллоны, и я собственными глазами видел, как слесарь заодно подтянул все гайки на колесах.

— Ты застрахован?

— Да.

— Я имею в виду машину.

— И машина. И гараж... Но он-то пока цел, — встрепенулся Райский.

— Значит, пусть страховая компания и разбирается, в чем дело. Они деньги просто так не выплатят. Семь раз отмерят... Но станцию техобслуживания советую сменить. Благо есть широкий выбор.

— Я подумаю. Может, ты и прав, — ответил Райский и, достав мобильный телефон, стал вызывать техническую «неотложку».

Вскоре к месту происшествия подъехали белые «Жигули» с большими синими буквами на капоте — «ГАИ».

Дав показания для протокола, Гордеев пешком отправился в юридическую консультацию — она находилась поблизости, — а Райский, подобрав колесо и разбросанные крепежные детали, остался ждать приезда техпомощи.

ПОСИДЕЛКИ

Вечером того же дня в квартире Гордеева зазвонил телефон.

— Привет, — сказал Ветров. — У меня есть классная рыба. Родственники привезли из Астрахани.

— Вяленая или копченая? — поинтересовался Гордеев, так как хорошо знал, к чему Ветров клонит.

— Вяленая... и копченая.

— Бери вяленую. Когда ждать?

— Минут через сорок.

— Отлично. Пиво успеет охладиться.

— Бери темное.

— Знаю.

— Это я так, на всякий случай.

— Выезжай, — закончил многозначительный диалог Гордеев.

Вернувшись из гастронома, он сунул купленное бутылочное пиво в холодильник и включил телевизор — шел матч чемпионата мира по футболу. Трансляция велась из Франции. Игра была интересная и красивая — на зеленом поле двадцать два человека в цветной форме попеременно демонстрировали особенности европейской и латиноамериканской футбольной школы. Юрий увлекся.

В спортивном азарте Гордеев не сразу расслышал звонок. Наконец оторвался от телевизора и, на ходу говоря «иду-иду», пошел открывать дверь. Однако на полпути Юрий изменил направление движения, так как понял, что звонит телефон.

Звонившим оказался Райский. Он только что

закончил дела с ремонтом своего «форда» и находился недалеко от дома Гордеева. Больше у него на сегодня забот не было — все изменила дневная авария. В Москве он один, жена руководила строительством дачи и жила за городом. Дети где-то отдыхали. Настроение было паршивым, и ему хотелось снять стресс.

— Приезжай, — сказал Гордеев. — Ветров тоже должен подъехать. Будем соображать на троих.

В квартиру они вошли вместе: встретились на лестничной клетке у лифта, когда один из них уже нажимал кнопку вызова. К принесенной Ветровым рыбе Райский выставил на стол пиво «Гиннесс».

— А где наше «Жигулевское»? — поинтересовались в унисон Ветров с Гордеевым.

— С вашим «Жигулевским», пока моя машина в ремонте, я все подошвы сотру. Не было его. Дефицит какой-то...

— Не в тех местах искал, — улыбнулся Гордеев.

— Возможно, — уклончиво ответил Райский.

— А что с «фордом»? — поинтересовался Ветров.

— Сегодня, Андрюша, мы с Вадимом родились во второй раз, — опередил Райского Гордеев.

— Юра, а ты ведешь хронологию своих дней рождений? — задал каверзный вопрос Ветров. — Тех, что я знаю, наберется побольше десятка. А сколько их было на самом деле?

— Не считал. В этом вопросе я как та девушка, очень желавшая выйти замуж. Для нее каждый новый мужчина всегда был только вторым — после того, единственного, который погиб космонавтом или сгорел пожарником на работе...

— Ага, а еще замерз полярником в Антарктиде, — подхватил Ветров.

Райский тяжело вздохнул.

— Так что же с твоим «фордом», Вадим? — обернулся к нему Ветров.

Райский стал коротко рассказывать о случившемся, опустив лишь те детали, которые могли охарактеризовать его не в лучшем свете. Например, о своем оцепенении.

— Да, количество чрезвычайных происшествий в Москве растет день ото дня, — подвел черту под услышанным Ветров. — Значит, ты сейчас прямо со станции техобслуживания?

— Да.

— Они хоть как-то объяснили причину?

— Сказали, что им нужно время.

— Интересно, чем мог быть вызван отрыв переднего колеса? Юра, а у тебя есть какие-нибудь версии? Ты же все время находился рядом с ним.

— Скорей всего, халатность слесаря, — высказался Гордеев.

— Я уже говорил и тебе, и майору, составлявшему протокол происшествия, — поморщился Райский, — что собственными глазами видел, как сегодня на автозаправке слесарь, подкачавший мне баллоны, заодно и подтянул гайки на колесах. Вряд ли бы он на моих глазах рискнул схалтурить. Здесь что-то другое. А что — не знаю. Я не специалист.

— Тем более если ему заранее известно, чем это может закончиться. И для водителя машины, и для слесаря, — поддержал Ветров.

— Следствие продвигается, — улыбнулся Гордеев. — Но с пивом, да еще под хорошую рыбу, оно неминуемо пойдет по верному следу. Вадим, доставай стаканы. Они в том узком шкафчике. А ты, Андрей, займись рыбой. Я за пивом.

С кухни Гордеев вернулся с небольшой плетеной корзинкой в руках. Из нее, как ружейные стволы, торчали бутылочные горлышки.

— Чтоб хоть какое-то время не отвлекаться. Остальное в холодильнике, — ответил Юрий Петрович на вопросительные взгляды приятелей. — Мне кажется, что нынешний вечер будет посвящен анализу событий дня. — Он поставил корзинку на журнальный столик. — Разбирайте пиво.

Затем вставил кассету в видеомагнитофон, запрограммировал его на запись футбольного матча и выключил телевизор, но, подумав, включил радиоприемник и настроил на какую-то волну.

— Посмотрю позже, — объяснил он свои манипуляции с техникой и подсел к остальным. — Вы же футбол не любите. Будем слушать радио.

— Вадим, а после заправки ты еще куда-нибудь заезжал? — спросил Ветров, после того как выпил несколько стаканов подряд и утолил жгучую жажду. — Может, где-то оставлял машину без присмотра. Колеса в Москве воруют не только ночью. Днем тоже.

— Нет. Времени не было. Сразу же после заправки — на работу. Машину поставил под окном своего кабинета.

— Пример господина Гордеева оказался заразительным?

— Береженого Бог бережет, — подтвердил, усмехаясь, Гордеев. — Мне тоже, можно сказать, повезло: жив остался.

— Потом мы с Юрой поехали обедать в тот ресторанчик, где ты нас встретил. Затем опять в контору. Ну а по пути туда все это и случилось.

— Машина оставалась без присмотра минут сорок. Столько мы находились в ресторане, — подытожил Гордеев. — Плюс к этому какая-то бригада эвакуаторов прямо на наших глазах возилась с колесами «форда».

— Они навесили свои блокираторы на колеса и собирались транспортировать мою машину на какую-то платную стоянку, — обиженно произнес Райский.

— Постановление правительства Москвы? — риторически спросил Ветров.

Райский кивнул.

— Пришлось договариваться с гаишником, — продолжил Вадим.

— И что, Андрей, самое интересное в этой ситуации, — заметил Гордеев, — это то, что сначала, когда Вадим парковал машину, никакого знака, запрещающего стоянку, не было, а потом, когда мы вышли из ресторана, он вдруг появился... Вместе с бригадой эвакуаторов...

— И гаишником, — добавил Райский. Ему было жаль денег, ушедших на взятку блюстителю дорожного порядка.

— И если версия об ослабленных гайках подтвердится, — продолжил свою мысль Гордеев, — это значит, нельзя исключить, что кто-то из них и мог над ними поработать.

— Представитель страховой компании этим уже занимается, — сделав глоток пива, сказал Райский. — Кстати, он забрал гайки — для экспертизы.

Хочет проверить качество металла. Говорил, что сейчас часто встречается некондиционный крепеж. Везут из Азии, а продают как европейский. Чаще всего выдают за германский...

— Надо бы и пузана гаишника проверить. Что-то тут не то, — задумчиво произнес Гордеев.

— Не плохо бы. А то мимо этих хапуг в форме ни пройти ни проехать. Номер его бляхи я пока не забыл, — оживился Райский. Он вновь вспомнил о зря потраченных деньгах.

— Придется просить помощи у Турецкого. Если Александр Борисович в Москве, он поможет. Но по пустякам к нему обращаться не стоит. Подождем немного. — Юрий стал складывать в корзинку пустые пивные бутылки и отправился на кухню. Погремел в холодильнике посудой. А когда вернулся в комнату, из плетеной корзинки опять торчали стволы непочатых пивных бутылок, покрытых испариной.

— Да, остается дожидаться результатов экспертизы, — откупоривая очередную бутылку, проговорил Ветров. — До чего ж люблю холодненькое!

— А я — отличную рыбу! — заслуженно оценил Райский гостинцы из Астрахани.

— Ну а мне, — заключил Гордеев, — нравится и то и другое.

— Так. Поехали дальше. На чем мы в ресторане остановились? — напомнил Ветров. — Ты говорил о каких-то клиентах, из-за которых в Москве взлетают на воздух зеленые «фольксвагены-гольфы».

— Точно! — подтвердил Райский.

— А приходили они вот с чем... — начал Гордеев.

Но тут глухие, тяжелые удары прервали его рассказ. В дверь квартиры Гордеева стучали. Сильно, настойчиво и без перерыва. С каждым разом удары становились все сильнее и сильнее. Казалось, что дверь вот-вот будет разнесена в щепки.

— Что это? — спросил встревоженный Райский.

— Пойду посмотрю, — недоуменно пожал плечами Гордеев.

— Может, лучше позвонить по 02? — не успокаивался Райский.

— Или еще лучше — 911, — то ли шутя, то ли всерьез предложил Ветров.

Удары не прекращались, и нужно было что-то решать.

Гордеев пошел к входной двери.

— Я с тобой, — сказал Ветров и направился за ним.

— А как же я? — удивился Райский. — Как пиво пить — так втроем, а как к дверям идти — так вдвоем?

Пока Райский шел к дверям, все уже закончилось. Стук прекратился. Он услышал, как дверь распахнулась и в квартиру Гордеева ворвалась отборная смачная ругань. Однако тут же прекратилась. В дверном проеме он увидел двухметрового амбала. Тот покачивался из стороны в сторону и удивленно таращил мутные глаза. В левой руке у него была авоська. Из ее ячеек торчали листья ананаса и две бутылки водки. Одна из них была заткнута куском газеты.

— А где Маня? — зловеще спросил он. — Вы чего, гады, хором здесь делаете?

Гордеев, Ветров и подошедший к ним Райский молчали. Они рассматривали гостя.

— Фраера, где Маня? Маня, сука, убью! Выходи! — грозно приказал он, но в квартиру войти почему-то не решился.

Гордеев, Ветров и Райский по-прежнему молчали, уставясь на него.

— Вы что, мужики, глухонемые? — все больше удивлялся и одновременно с этим успокаивался амбал. — Пить будем?

Он засунул свободную руку в авоську и вытащил из нее початую бутылку водки. Зубами вытащил бумажную затычку и, пробурчав что-то невнятное — газета оставалась в его зубах, — протянул бутылку. Однако тут же отдернул руку. Визгливый женский голос, донесшийся с нижнего этажа, матом сообщил амбалу, где находится его Маня...

— А приходили они вот с чем... — уже в третий раз за день начал продолжение своего рассказа Юрий Гордеев.

В прошлый понедельник к нему пришли двое посетителей. Один из них назвался Владленом Раппопортом, другой — Владимиром Чупровым. Оба бывшие сотрудники фирмы «ВДП». Фирма названа в честь Владимира Дмитриевича Перетерского — доктора химических наук, который всю жизнь работал над идеей создания самого крепкого в мире волокна. И он создал это химическое волокно и назвал его «перлар». Теперь это волокно уже известно. Оно действительно считается самым крепким в мире. Инициалы изобретателя перлара и составляют название фирмы — «ВДП», которая в настоящее время занимается не только производством и сбытом этого волокна, но и является почти монопольным поставщиком спецформы для Российской армии. Форма, естественно, шьется из перлара. В перспективе поставки для армий стран СНГ, а может быть, — кто знает? — и для армий западных стран.

Основателем фирмы является Невежин Федор Евгеньевич, 1954 года рождения. Кандидат экономических наук. Окончил Институт народного хозяйства имени Плеханова. Именно он нашел Перетерского и предложил тому открыть совместное дело. Они разделили обязанности. Перетерский занимается разработкой и усовершенствованием химического волокна. Невежин берет на себя организацию производства и сбыт готовой продукции.

Владлен Раппопорт и Владимир Чупров, которые явились в юридическую консультацию на той неделе, тоже стояли у истоков создания фирмы «ВДП». Они одни из первых, кого привлек тогда Невежин. Позже, когда понадобились большие деньги, Невежин обратился с просьбой о финансировании создаваемой им фирмы к некоему Эдуарду Владимировичу Поташеву. Они ровесники и знают друг друга с детства, друзья. Поташев учился с Невежиным не только в одном классе, но потом и в одном институте. Он, как и Невежин, кандидат экономических наук. Но, в отличие от Невежина, у Поташева были необходимые деньги. Он раньше Невежина перешел от теории к практике и уже успел хорошо подзаработать. Поташев дал Невежину согласие участвовать в бизнесе, но выставил одно условие: пятьдесят один процент акций предприятия будет принадлежать ему. Невежин согласился на условие друга, по-видимому не особо вникая в суть проблемы. Короче, дело закипело. Поташев занял пост президента компании, Невежин — вице-президента, а Перетерский стал руководить лабораторией, которая к настоящему времени выросла до размеров небольшого института, и остался единственным владельцем формулы перлара. Формула этого волокна является ноу-хау, то есть его собственным секретом.

— Так вот. Теперь о самом главном, — продолжил свой рассказ Гордеев. — Недавно Перетерский, изобретатель перлара, был найден мертвым в своей лаборатории. Он был убит. Несколько пулевых ранений. Все являются смертельными. Два в грудь, одно в голову — контрольный выстрел. Последнее говорит о заказном убийстве. В организации убийства подозревается Невежин. Следователь, который ведет это дело, добился у прокурора санкции на его арест. Невежин сейчас сидит в Бутырках.

Гордеев сделал несколько жадных глотков и продолжил:

— Приходившие в консультацию Чупров и Раппопорт просили взять на себя защиту Невежина.

— Ты согласился? — спросил Ветров.

— Я пока не дал окончательного ответа. Просители утверждают, что он не виновен. Считают, что дело сфабриковано Эдуардом Поташевым и его окружением... Но кто знает?.. Хотя это, по-моему...

— Для адвоката это, кажется, не должно иметь значения?.. — напомнил Ветров Гордееву.

— Да. Знаю. Но я все-таки не тороплюсь с ответом. Хотя если воскресный взрыв «фольксвагена», что крутился у консультации, а позже у подъезда моего дома, как-то связан с этим делом, то оно обещает быть чрезвычайно интересным...

— И наверно, денежным? — подхватил Райский вечную для него тему. — Гонорар-то они обещают приличный?

ПРОФЕССИОНАЛЬНЫЙ ИНТЕРЕС АДВОКАТА

Несмотря на посиделки, Юрий Петрович Гордеев проснулся раньше обычного и позволил себе немного поваляться в постели. По утрам, когда на то было время, он любил слушать гомон городских птиц, который через распахнутое окно проникал в его спальню. Это помогало собраться с мыслями и правильно распланировать предстоящий день. О начале очередного рабочего дня ему вскоре и напомнил своим комариным писком электронный будильник.

Первая чашка кофе привела Гордеева в нужное состояние, а контрастный душ и жесткое махровое полотенце добавили бодрости. Легкий завтрак и еще одна чашка кофе придали организму дополнительные силы.

На работу Юрий Гордеев приехал вовремя и в хорошем расположении духа. Упругой походкой он прошел от стоянки, где оставил синие «Жигули», в двери юридической консультации номер десять. Внутри, у входа в его кабинку, уже сидели люди. Они ожидали начала приема. Среди посетителей он заметил знакомое бледное и густо усыпанное веснушками лицо. Это был Владлен Раппопорт, не сводивший с Гордеева напряженного взгляда. В его голубых глазах читались немой вопрос и надежда. Гордеев бегло осмотрел остальных клиентов.

— Пожалуйста, прошу первого, — на ходу сказал Гордеев и вошел в кабинку.

Первым посетителем как раз и оказался Раппопорт.

Это был упитанный мужчина среднего роста и среднего же возраста. На его большой голове сквозь рыжеватые курчавые волосы можно было разглядеть намечающуюся плешь.

— Добрый день, Юрий Петрович, — поздоровался вошедший.

— Здравствуйте, Владлен... — Гордеев слегка помедлил, стараясь вспомнить отчество клиента.

— Семенович, — подсказал Раппопорт.

— Прошу, Владлен Семенович, — Юрий рукой указал на стул.

— Спасибо.

Стул под весом Раппопорта жалобно скрипнул.

— Вы сегодня один? Без вашего товарища?

— Да, — грустно и со вздохом ответил Раппопорт. — Чупров в больнице.

— Что с ним? Наверное, плохо переносит такую жару? Синоптики обещают в ближайшее время похолодание и дожди.

— Нет. С этим у него все в порядке. К жаре он привык, родился в Самарканде. Летом там столбик термометра ниже тридцати не опускается.

Раппопорт замолчал.

Гордеев вопросительно смотрел на клиента. Тот молчал, и пауза затягивалась. Наконец сказал:

— Владимира избили.

— Как это произошло?

— Поздно вечером выгуливал свою овчарку в скверике рядом с домом. Поблизости остановилась легковая машина. Вышли трое. Что-то спросили или попросили — Владимир не помнит. Короче, привязались.

— Может, резко ответил?

— Он никогда никому не грубил. Со всеми разговаривал вежливо.

— И собака не помогла? Это же сторожевая порода.

— Овчарке прыснули в нос слезоточивый газ. Из карманного баллончика. Сейчас такие у многих... Носят для самообороны... — Раппопорт горько усмехнулся, — и, как оказывается, для нападения тоже. К тому же собака была в наморднике. Все произошло столь неожиданно... Владимир не успел отдать никакой команды.

— Жаль... Как он себя чувствует?

— Уже поправляется. У него средние телесные повреждения.

— Когда это случилось?

— На прошлой неделе. В тот же день, когда мы с Владимиром приходили к вам на прием. Если вы о нем помните, конечно.

— Прекрасно помню. То было в позапрошлый понедельник... — Гордеев задумался. — Скажите, Владлен Семенович, — продолжил Юрий, — ваш товарищ не запомнил машину, из которой вышли нападавшие?

— О том же Чупрова в больнице спрашивал и милиционер. Но Владимир ничего, кроме цвета машины, не помнит. Он плохо разбирается в современных автомобилях. Сказал лишь, что была иномарка темного цвета.

— Темного?

— Да. Володя нарисовал ее очертания — насколько сумел вспомнить. Об этом его тоже попросил работник милиции.

— Это что-то прояснило?

— Представитель милиции называл какую-то марку. Сказал, что очень похоже.

— Вы присутствовали при этом?

— Нет. Володя мне пересказал разговор.

— Он вам не сказал, что предположил работник милиции?

— Говорил, что какое-то длинное двойное название, связанное с иностранной спортивной игрой.

Гордеев задумался. В его голове заработал компьютер, прокручивавший на экране памяти логотипы и названия автомобильных заводов.

— Чупров сказал, что милиционер еще усмехнулся и добавил: игра богачей.

— Игра богачей... игра богачей... Интересные ассоциации у работников правоохранительных органов.

— Володя сказал, что это слово напомнило ему о географии. Оно созвучно названию какого-то теплого течения.

— А мне это напоминает разгадывание кроссвордов. Только там отгадывающему точно известно количество букв, составляющих неизвестное слово.

— Может, Гольфстрим?.. — предположил Рапопорт и замолчал. После секундной паузы он продолжил: — Но я, Юрий Петрович, к вам пришел не за этим.

— Я понимаю. Вы хотите услышать мой ответ на ваше предложение? Могли бы просто позвонить и не тратить времени на дорогу.

— Мог бы... Но мне почему-то захотелось видеть при этом ваши глаза.

Раппопорт вопросительно замолчал.

— Я берусь за ваше дело, — сказал Гордеев, который не любил зря тянуть время. — Вернее, не за ваше, а за дело Невежина Федора Евгеньевича. Детали мы обговорим позднее.

— Федор Евгеньевич пока еще является вице-президентом, и сорок девять процентов акций фирмы «ВДП» принадлежат ему. Думаю, что гонорар вас не разочарует.

— Я берусь за это дело не только ради денег, но и еще по одной причине. Не скрою, оплата моих трудов стоит для меня не на последнем месте. Но в данном случае затронуты не только мои материальные интересы... Здесь присутствует и профессиональный интерес. Люблю, знаете ли, трудные дела.

— Спасибо, что не отказались.

— Буду рад помочь.

— Сделайте все возможное... Невежин человек честный. Я в этом уверен. Его просто подставили. Узнать кто — это в ваших силах... и в наших интересах.

— Я постараюсь сделать даже невозможное.

— Защитите невиновного. Он призывает вас на помощь.

— Вы знаете латынь?

— Этот мертвый язык сейчас знают только немногие филологи и специалисты-медики...

— Иногда и юристы!

— Почему вы об этом спросили?

— Потому что вы попали в самое яблочко. Слово «адвокат» происходит от латинского advocare и означает — «призывать на помощь».

— Не знал...

В этот момент за шторкой кабинки, в которой Гордеев вел прием, кто-то громко закашлял, напоминая беседующим, что сегодня есть и другие посетители, что здесь очередь.

— Итак, Владлен Семенович, я берусь защищать Федора Евгеньевича. Детали мы с вами еще обговорим — не сегодня, если это возможно. — Гордеев хотел дать понять посетителю, что время, отпущенное на него, у адвоката истекло, там, за шторкой, ждут другие. — Вы меня извините, просто какой-то наплыв клиентов! А наше соглашение я официально оформлю чуть позже, во второй половине дня. Нам же необходимо еще и согласие Невежина. Вот я и подъеду завтра с утра в Бутырки.

Раппопорт поднялся и понимающе покивал:

— Еще раз спасибо, что не отказались. Всего вам доброго.

Гордеев тоже ободряюще кивнул ему вслед.

Но когда Раппопорт отодвинул шторку кабинки, Гордеева осенило:

— Гольф! — неожиданно выкрикнул он.

— Что? — обернулся Владлен Семенович.

— Теплое океанское течение называется «Гольфстрим»?

— Да.

— Значит, игра аристократов и богачей называется «гольф»!

— Тогда как же называется автомобиль?

— Я бы сказал, что он так назывался. Теперь и у меня есть основания думать, что это груда обугленного металла.

— Не понял.

— Машина была марки «фольксваген-гольф». Это одна из последних моделей известного германского концерна.

— А-а, народный автомобиль?

— Слышали о таком?

— Естественно!

— «Немецкий концерн «Фольксваген» скупает заводы английского «Роллс-ройса», «Будет ли народ Германии ездить на машинах аристократов из Англии?» — процитировал газетные заголовки Гордеев.

— Все верно, — невесело улыбнулся Владлен Семенович. — Вот вы уже и идете по следу... Но не буду более занимать ваше время.

Раппопорт еще раз попрощался с Юрием, уже кивком, и покинул кабинку, рядом с которой, нетерпеливо ерзая на жестких стульях, ожидали приема несколько человек.

— До свидания, — в свою очередь попрощался Юрий Петрович. — Следующий, пожалуйста.

После обеденного перерыва Гордеев оформил соглашение на защиту Невежина, но приступить к работе решил с завтрашнего утра, с посещения СИЗО № 2, как официально именовалась Бутырская тюрьма, где содержался Невежин. Тот должен был дать свое официальное согласие на защиту. А сегодня вечером должна была прилететь из Болгарии, где проводила свой ежегодный отпуск, Стелла

Рогатина — подруга Юрия, или, как говорят в Штатах, его герл-френд. Стелла почему-то любила отдыхать в этой небольшой бывшей братской стране. Черное море там, как ей казалось, было теплее. Сервис, по сравнению с нашим Черноморским побережьем, был намного выше, а цены за те же услуги — ниже. Не было там пока еще в массовом исполнении постсоветского жлобства. Правда, в последние годы и оно было частично привнесено бывшими советскими гражданами, заработавшими свои первые большие деньги на торговле турецким или китайским ширпотребом. Но все это наличествовало на широко известных курортах, типа «Золотых песков» или «Албены». Стелла же выбирала места потише. Она сняла комнату со всеми удобствами в небольшой рыбацкой деревушке, удаленной от хорошо разрекламированных международных зон отдыха. Деревня эта находилась на берегу моря и по российским понятиям напоминала маленький поселок. Дороги в ней были заасфальтированы. Двух- и трехэтажные домики выбелены мелом. По вечерам на открытых террасах этих домов сидели жители деревни и, попивая прохладную ракию, обсуждали жизненные проблемы со своими городскими родственниками или редкими здесь квартирантами. Отдыхали в поселке в основном представители болгарской богемы: актеры, певцы, литераторы, которым хоть на время хотелось отдохнуть от своей известности. Об этой деревушке Стелла Рогатина узнала от своей болгарской подруги Роксаны, с которой когда-то училась в Московской консерватории. Именно она и пригласила Стеллу в это тихое местечко. Подруги из-за частых гастролей и прочих жизненных обстоятельств не виделись со дня окончания консерватории, но регулярно перезванивались. Сейчас Роксана пела главные партии в софийском оперном театре. Карьера же Стеллы не сложилась, хотя ей и пророчили блестящее будущее. На оперной сцене Стелла пробыла недолго. Первая ее любовь оказалась бурной и непродолжительной, после чего у Стеллы остались дочь и два штампа в паспорте. Один — о замужестве, второй — о разводе. Голос у певицы пропал — результат нервного шока. Стелла ушла из театра, вообще покинула оперную сцену. Однако надежда на то, что она вновь будет петь, оставалась. Врачи обещали ей: «Через два-три года голос может восстановиться». Стелла стала преподавать вокал в одном из музыкальных училищ Москвы. Она не хотела уходить из профессии, да и делать что-либо иное она не умела — в пении была вся ее жизнь. А после рождения ребенка — и в дочери.

Через три с половиной года после нервного срыва, повлекшего за собой потерю голоса, Стелла опять начала петь. Сразу возвращаться на оперную сцену она не решилась, но потребность петь перед слушателями осталась. И Стелла стала петь в ресторане. Репертуар ее включал и классические оперные партии, и джазовые импровизации, и шлягеры попсовых певцов — звезд современной российской эстрады. Классику и джаз Стелла пела в первом отделении, а во втором, когда уже хорошо подвыпившим клиентам ресторана желалось танцев, — попсу. Причем последнее она пела значительно лучше самих звезд.

Обо всем этом Юрий Гордеев знал от самой

Стеллы, в жизнь которой он нечаянно вошел год назад и, как призналась ему сама Рогатина, в очень непростой для нее жизненный период.

По дороге в аэропорт Юрий Гордеев, сидя за рулем старенького отцовского «жигуленка», размышлял о том, кем для него является Стелла Рогатина и какое место в его жизни она занимает. Однако так и не пришел ни к какому выводу. Времени, потраченного на дорогу, явно не хватило для решения такого непростого вопроса.

Подъезжая к бетонно-стеклянному зданию, на крыше которого маячили трехметровые синие буквы «Шереметьево-2», Гордеев понял, что место для парковки будет найти нелегко. Сотни легковых автомобилей и микроавтобусов разных марок и расцветок стояли, прижавшись к обочине. Просвета между ними, куда мог бы втиснуться «жигуленок», не было. Так здесь бывало всегда, когда ожидался прилет большого количества самолетов из разных стран мира.

Однако Юрий Гордеев все же решил попытать счастья и медленно покатил вдоль вереницы припаркованных автомобилей, ища свободное место. И ему повезло. Впереди, метрах в пятидесяти, выпустив из себя сизые клубы дыма, отъехал от обочины красный «опель-кадет». Юра нажал на газ и воткнул свой автомобиль в образовавшуюся брешь.

— Кто ищет — тот всегда найдет! — радостно произнес он и, прихватив купленный по пути букет, вышел из машины.

Вскоре он уже стоял в зале прилета и глазами

искал на черно-желтом табло номер рейса, которым должна была прилететь Стелла Рогатина. В этот раз она отдыхала без дочери. Бывший ее муж взял ребенка с собой на гастроли, решил показать дочери мир. Театр, в котором когда-то пела с мужем Рогатина, этим летом гастролировал в Европе.

Приземление Ту-154, следовавшего по маршруту Варна —Москва, ожидалось с минуты на минуту. И Юрий подошел к плотной толпе встречающих. Пройти сквозь нее было невозможно. Народ прилип к стеклянной перегородке, отделявшей зону таможенного и паспортного контроля от зала ожидания, кто-то, вытягивая шею и становясь на цыпочки, пытался высмотреть родных и близких, у других в руках находились таблички с надписями, сделанными на разных языках. И вся эта людская масса перемещалась с места на место, дышала и потела.

— Какой самолет прилетел? Какой самолет? Вы не знаете какой? — услышал прямо за своей спиной чей-то взволнованный голос Гордеев.

Ответа не последовало.

— Какой самолет прилетел? Какой?.. — послышался тот же вопрос, но уже где-то слева от Юрия.

Гордеев обернулся. В пяти метрах от себя он увидел невысокого полноватого человечка с лысиной на затылке. Тот растерянно озирался. По его виду можно было легко догадаться, что он впервые встречает кого-то из-за границы и то ли от волнения, то ли от радости, а может, и от жары забылся и не знает, что делать дальше.

— Сюда все прилетают, — смилостивился кто-то из толпы. — В центре зала есть табло. На нем все написано.

— И справочная есть... — добавил кто-то другой.

Человечек открыл было рот, но, так и не сказав больше ни слова, кивнул, развернулся и бросился к центру зала.

Гордеев проводил его глазами.

«Ошалел, наверное, от счастья», — подумал он, но уже через секунду другой голос, раздавшийся опять же у него за спиной, изменил течение его мысли.

— Вот уж не думала, что меня будут встречать, повернувшись спиной, пусть даже и очень-очень широкой, — услышал Юрий знакомый голос.

Обернулся и обомлел. Перед ним стояла Стелла. Конечно, она, но... немного другая.

Две недели, которые Рогатина провела на болгарском черноморье, изменили ее внешность. Она слегка похудела, покрылась ровным бронзовым загаром, ее длинные русые волосы выгорели и стали совсем светлыми. От ежедневных дальних заплывов улучшился мышечный тонус — Стелла постройнела, ее талия стала осиной. Последнее отметил не только восхищенный Гордеев, но и несколько человек ближневосточной наружности. Они рассматривали ее масленистыми, липкими глазками и звонко цокали языками: Стелла была в опасно коротком шелковом платье с открытой спиной.

— Или ты встречаешь кого-то другого? — спросила она, внимательно глядя на растерявшегося Юрия. В глазах была напускная строгость. Однако через секунду Стелла не выдержала и рассмеялась. Замешательство Гордеева ее позабавило.

— Это тебе, — сказал, улыбаясь, Гордеев и вручил Стелле букет.

Она звонко чмокнула его в щеку и повисла у него на шее.

— Тебе не тяжело? — поинтересовалась лукаво.

— Ты — ноша, которая не тянет...

— Пока... не тянет, — улыбнулась Рогатина.

В машине Стелла рассказывала о своем отдыхе, и ее рассказ был хаотичен. В нем нельзя было углядеть хотя бы какую-то последовательность. Случившееся с ней в начале поездки сменялось тем, что происходило в конце. Время от времени она повторяла: «Жаль, что ты этого не видел».

— Ну а как в Варне? — где-то уже на полпути к Москве поинтересовался Гордеев.

— Как в Одессе. Полно наших. Русская речь на каждом шагу...

— И русский мат... — рассмеялся Гордеев.

— И русский мат, — согласилась Рогатина.

— Куда ж без него!

Стелла уже собиралась продолжить начатый рассказ, но случилось неожиданное. Машину Гордеева, ехавшего в среднем ряду, нагнали два джипа — черный и красный. Вездеходы поравнялись с его автомобилем и стали как бы сжимать его с двух сторон, сближаясь бортами. Словом, взяли в «коробочку». Вот они уже приблизились почти вплотную. Их затемненные боковые стекла опустились, а из образовавшихся амбразур наружу высунулось по крупнокалиберной узколобой голове. Стриженные под ноль. Каждая из них по своей неокруглости могла запросто сойти за деформированный колобок. Ко всему прочему, «колобки» были в темных очках.

— Почем жестянка? — проорал тот, что высунулся из черного джипа. Он сильно постучал ладонью по крыше «Жигулей».

Гордеев неотрывно смотрел на дорогу. Он был сосредоточен и спокоен.

— Может, продашь?

Стучавший идиотски заржал, а потом повернулся и что-то возбужденно стал говорить внутрь салона.

— Садись к нам, красавица! — закричал «колобок» из красного джипа. — С нами быстрее!.. У нас длиннее!..

Он так же, как и предыдущий, постучал по крыше «Жигулей» и так же тупо и самодовольно изобразил дикое веселье.

Услышав повторный стук со стороны, где сидела Стелла, Гордеев сбавил газ и включил левый поворот.

Оба джипа, не снизив скорости, а может, даже и прибавив, стали удаляться. Вскоре они исчезли из виду.

— Да как же тут обойтись без русского мата?.. — сказал задумчиво Гордеев и вновь нажал на акселератор...

Поздно ночью в Москве, в квартире Гордеева, засыпая на широкой и мускулистой груди Юрия, Стелла сказала:

— А ведь я сегодня немного испугалась за нас.

— Спи, — тихо ответил ей Гордеев. — Ты просто устала от перелета.

— Да. Наверно, устала... — согласилась она. Блаженно улыбнулась, потерлась щекой о его плечо и добавила: — Но только совсем не от перелета...

РАЙСКИЙ ВХОДИТ В ДЕЛО

— О, кого я вижу! Кто к нам наконец пришел! — такими словами встретил Вадим Райский Гордеева, когда тот во второй половине дня появился в юридической консультации.

Райский столкнулся с Юрием в коридоре, он только что покинул кабинет заведующего консультацией.

— Зайдем ко мне? — предложил он и кивком показал на свою кабинку.

— Моя ближе, — выдвинул контрпредложение улыбнувшийся Гордеев.

— Не спорю.

— Так где ты пропадал? — начал Райский, когда шторка кабинки Гордеева была задернута, а Юрий уселся в свое кресло. — Я тебя с утра жду.

— Дела, — ответил Гордеев.

— Семейные? — с хитрой ухмылкой спросил Райский и, не дожидаясь ответа, продолжил: — Как Стелла? Встретил?

— Все хорошо. Загорела. Отдохнула. Прекрасно выглядит.

— Да и ты, вижу, неплох. Даже цвет лица изменился. Отоспался?.. Или это следы трудов праведных?

— Валяй смейся! А я, между прочим, с раннего утра на ногах.

— Я думал, что ты взял небольшой тайм-аут... ну в связи с приездом Стеллы.

— Это у нашего играющего тренера? Как же, возьмешь у него!

— Да, Генрих Афанасьевич — не сахар...

— У него на первом месте работа. А потом все остальное. В том числе и личное. К тому же сейчас, как бы ни хотелось, мне будет не до отпусков. В Бутырках был, — перевел Юрий разговор на другую тему, — встречался с Федором Невежиным.

Райский удивленно вскинул брови.

— Да я ведь уже рассказывал вам с Ветровым!

— Я помню, — ответил Райский и, немного помедлив, продолжил: — Ну и что решил? Ты взялся за это дело?

— Да.

— Гонорар, наверное, устраивает?

— Тебя интересует количество нулей?

— Только до запятой... только до запятой.

— Вадим, ты же знаешь, что не очень прилично интересоваться суммами чужих гонораров. А на Западе с тобой бы вообще перестали здороваться! — Гордеев хитро посмотрел на Райского.

Вадим Андреевич не выдержал взгляда Юрия и рассмеялся:

— Но мы же не на Западе. Это во-первых!

— А во-вторых?

— А во-вторых, ты не думал, что я могу тебе пригодиться? Если, конечно, ты считаешь, что мой опыт может оказать тебе определенную помощь. Мы же вели дела совместно! И если мне не изменяет память, ни одного не проиграли.

— Да, это так, но...

— А ко всему прочему, — перебил Райский возможное возражение коллеги, — ничего серьезного на текущий момент я не веду, а вот дачу хотелось бы закончить до осени. Поэтому, если гонорар приличный, мы с тобой могли бы... объединить усилия. Ты не против?

— Про машину свою забыл. Ее тоже надо ремонтировать, — напомнил Юрий.

— Ну вот видишь! — Райский сокрушенно развел руками. — Кстати о машине. Собственно, из-за нее я и искал тебя весь день.

— Случилось что-то еще?

— Да как сказать... Скорее прояснилось. Есть новости от страховой компании.

— Хорошие?

— Один из нынешних боссов отечественного телебизнеса как-то сказал: «Новости не могут быть хорошими».

— И все же?

— Давай лучше поговорим о твоем новом деле.

— Точнее, о гонораре? Это тебя больше всего интересует, не так ли?

— Хватит издеваться! — помрачнел Райский, известный своей страстью к деньгам, которых ему вечно не хватало. — Если ты полагаешь, что обойдешься без меня, — пожалуйста...

— Заметь, я еще не сказал «нет»! — И Гордеев примирительно рассмеялся. — Ты, Вадим, всегда как-то болезненно реагируешь, когда речь заходит о гонорарах. И потому не чувствуешь товарищеской шутки.

— Лишь когда речь идет о деньгах, которые могут стать... могут стать...

— Могут стать твоими, — миролюбиво подсказал Юрий. — И я думаю, что в данном случае часть из них может действительно стать твоей.

— Так «да» или «нет»?

Гордеев для большего эффекта выдержал нужную паузу.

— Ну хорошо, Вадим, пусть будет «да». Я и сам собирался предложить тебе взяться со мной за это дело. Одному, конечно, хорошо, но вдвоем быстрей. На то у меня тоже есть свои причины. Хочу поскорее закончить и, пока еще лето, успеть съездить куда-нибудь со Стеллой. Отдохнуть...

— Ну, так чего ж тогда мы тянем резину? — обрадовался ходивший из угла в угол Райский. — Приступим к делу?

Он наконец остановился и сел на стул.

— Приступим, — сказал Гордеев. — Суть этого дела ты помнишь?

Райский утвердительно кивнул.

— Так вот. Сегодня я был в Бутырках.

— Ты говорил: встречался с Невежиным...

— Да.

— Ну и как первое впечатление от клиента?

— Приятный, интеллигентный человек.

— У него самого есть какие-нибудь предположения? Он подозревает, кому было бы выгодно упечь его за решетку?

— Его уже упекли. И мое дело вытащить его оттуда.

— Наше, — напомнил Райский.

— Что? — переспросил Юрий.

— Я поправляю: это теперь уже наше дело.

— Ну да, и наше дело вытащить его оттуда, — согласился Гордеев.

— Так он кого-нибудь подозревает?

— Утверждает, что понятия не имеет, кому могло понадобиться его подставлять.

— Может, он что-то скрывает?

— Не думаю. Какой ему смысл?

— И то верно... Но тогда придется труднее нам.

Райский вытащил из кармана свою курительную трубку, но, повертев в пальцах, вновь вернул в карман.

— А что есть против Невежина? — спросил он.

— Основными доказательствами его виновности являются показания наемного убийцы по фамилии Котов. Он утверждает, что убил Перетерского по заказу Невежина.

Райский удивленно вскинул брови.

— Он что же, сам пришел в отделение милиции и заявил: «Ребята, я — тот, кто вам нужен».

— Нет, конечно, — ответил Гордеев. — Это было бы смешно! Раскаявшийся преступник помогает органам правосудия на почве тотального патриотизма.

— Да, похоже на американский детектив. Но у нас любят смотреть другое кино.

— Ты прав. Надо будет обязательно узнать, как он сделал свое признание. Что его побудило? На эту тему у нас с Невежиным разговора не было. Да, по-моему, он и сам этого не знает.

— Ты представь: самого себя подводить под «вышку»! Тут должна быть какая-то очень веская причина. Или непонятная нам логика поведения.

— Во всяком случае, тому же Невежину, которому было предъявлено обвинение, известно только одно: киллера взяли случайно. Во время паспортного контроля. Ты ведь знаешь, как это происходит в Москве?

— Вполне, уже стал свидетелем. После той нашей аварии приходится поневоле пользоваться общественным транспортом. Документы проверяют на каждом шагу. Особенно на вокзалах, у входов в метро и на остановках троллейбусов и автобусов. Но я вижу, что для многих наших доблестных правоохранителей все эти проверки — лишь способ подзаработать. Останавливают они какого-нибудь азиата или кавказца. Спрашивают документы и, если что у того не в порядке, предлагают пройти в отделение. Или намекают на то, что он может заплатить штраф. Но при этом никаких квитанций.

— Все верно, все верно... — Гордеев сделал паузу. — А у этого Котова при себе вообще не было никаких документов. И его задержали для выяснения личности. Оказалось, что он находится в федеральном розыске.

— Может, его признание в убийстве Перетерского является просто попыткой затянуть или запутать следствие по собственному делу, пустить его по ложному следу? Такая тактика не нова. Но откуда ему стало известно об убийстве Перетерского?

— В криминальных кругах своя почта и своя служба новостей.

— Например, телепередача «Дорожный патруль».

Гордеев улыбнулся удачной шутке Райского.

— Да, примерно.

— Юра, а почему этот Котов назвал именно Невежина?

— Еще один вопрос, — Гордеев усмехнулся. — Впору приглашать знатоков из «Что? Где? Когда?».

— Невежин знаком с Котовым? — спросил Райский.

— Нет. Он это категорически отрицает. Но Котову его фамилия очень даже известна, — задумчиво ответил Гордеев.

— Откуда?

Гордеев развел руками.

— Может... кто-нибудь подсказал? — спросил Райский.

— Придется поработать и в этом направлении.

— Я понял.

— Спасибо!

— Интересно, — продолжил Райский, — а на что надеется этот Котов?

— Надеялся... На побег.

— Поясни.

— Котов сбежал.

— Как — сбежал?

— Да вот так. Взял, да и убежал.

— Тогда его показания легко опровергнуть, в них же никто не поверит!

— Не все, оказывается, так просто. Кроме показаний Котова к делу приобщен и пистолет, из которого был застрелен Перетерский. Его «на стол правосудия», — усмехнулся Гордеев, — выложил сам Котов. Он указал место, куда после совершения убийства выбросил оружие. Экспертиза подтвердила, что выстрелы были произведены именно из него.

— На пистолете остались его отпечатки?

— Нет. Оружие нашли в коммуникационном люке, который к тому же был затоплен горячей водой. Поблизости прорвало трубу. Следователю пришлось ждать окончания ремонтных работ. Искать в кипятке было невозможно.

— Значит, отпечатки Котова нигде не обнаружены?

— Да. Ни на оружии, ни на месте преступления.

— Так-так. — Райский постучал пальцами по столу Гордеева. — Интересно-интересно.

— Зато есть отпечатки Невежина.

— Где?

— Они обнаружены на стодолларовых купюрах, которые извлекли из карманов Котова в отделении милиции. Котов еще настоял на том, чтобы все их номера были переписаны.

— Купюр много?

— Пятнадцать. И на всех есть отпечатки Невежина.

— Есть еще что-нибудь?

— Да... есть. Свидетельства Киры Бойко — жены Федора Невежина. Она заявила следователю, который ведет это дело, что лично присутствовала при резком объяснении Перетерского с Невежиным. Перетерский, по ее словам, якобы требовал у Невежина деньги для продолжения исследований по перлару. Невежин в довольно грубой форме отказал, руководствуясь тем, что запросы ученого становятся все обширнее и наглее. Словом, они крепко поссорились, а Перетерский, уходя, пригрозил, что в таком случае развалит фирму. Невежин тоже сорвался и пригрозил жестоко с ним разделаться.

— Странно для жены! Не так ли? — покачал головой Райский. — Давать столь убийственные показания против своего мужа... Хотя в нашей практике чего только не бывало!

— Но это не все. Кира Бойко заявила следователю, что вскоре совершенно случайно услышала, практически подслушала, осторожный разговор мужа по мобильному телефону, который он вел с каким-то человеком, называя его при этом майором. А может быть, это была кличка преступника. Речь шла о Перетерском, о распорядке его дня, о времени, когда тот засиживается в лаборатории, и других деталях. Перетерского следовало убрать. За это майор должен был получить аванс — пятнадцать тысяч долларов — и столько же после исполнения заказа. Затем была назначена встреча. А через несколько дней, уже после странного убийства Перетерского, Невежин сказал Кире, что к нему должен зайти один человек, который собирается работать в его фирме, пусть она приготовит им кофе и не мешает в разговоре. Фамилия этого человека, как опять-таки совершенно случайно, из обращения мужа, услышала Кира, была Котов. Разговор у них был короткий, и Кира бы ничего не заподозрила, если бы после встречи с этим Котовым настроение мужа резко не улучшилось. На всякий случай она дала подробное описание внешних данных Котова. Составленный с ее слов фоторобот оказался как две капли воды похож на киллера по кличке Майор, который по подозрению в убийстве одного известного бизнесмена числился с недавних пор в федеральном розыске.

— А что это за бизнесмен? — поинтересовался Райский.

— У меня просто не было времени заняться этим вопросом. Я лишь сегодня приступил к изучению дела Невежина.

— Выходит, что Кира Бойко является единственным свидетелем причастности Невежина к убийству Перетерского?

— Главным свидетелем, — поправил Райского Гордеев. — А после бегства Котова и единственным.

— Других свидетелей нет?

— Нет... пока.

— Но они могут и появиться, не правда ли?

— Все возможно... все возможно...

Райский опять машинально вытащил из кармана курительную трубку и кисет, но, посмотрев на Гордеева, который словно ушел в себя, передумал и стал засовывать табак обратно в карман пиджака.

— Кури уж, — разрешил ему Юрий.

Райский стал с удовольствием набивать трубку. Гордеев же поднялся из-за стола и подошел к окну. Какое-то время молча смотрел сквозь щели полуопущенных жалюзи на улицу, где был припаркован его запыленный «жигуленок». Рядом стояло еще несколько автомобилей, так же как и автомобиль Гордеева, давно нуждавшихся в мойке. Пара подростков на роликовых коньках и с повязанными на головах платками что-то рисовали пальцами на запыленных капотах.

«Машину даже некогда вымыть... Хоть бы дождь пошел, что ли», — подумал Юрий Петрович, но сказал другое:

— Нужно встретиться с женой Невежина. Выяснить, какие у них были отношения.

— Женщины — это по твоему профилю, — скромно напомнил Райский и улыбнулся. — Ты с ними быстро находишь общий язык.

— Если они не свидетельствуют против моих клиентов.

— Что ж, тебе придется немного потрудиться.

— Придется, — усмехнувшись, согласился с Вадимом Гордеев.

— Юра, когда мы с Андрюхой пили у тебя пиво, ты вроде бы сказал, что люди, просившие тебя стать адвокатом Невежина, кого-то подозревают?

— Эдуарда Поташева, президента компании «ВДП», и его ближайшее окружение. Кто входит в это окружение, мне неизвестно.

— Возможно, у него большие связи и высокие покровители?

— Не знаю. Но деньги, что крутятся в его руках, действительно большие.

— А как сам Невежин относится к этой версии?

— Отмахивается от нее двумя руками. Поташева он знает с детства и во всем тому доверяет. Уверен, что на такое он не способен.

— Но кроме Поташева могут быть и другие люди... о которых не подозревают ни Невежин, ни Поташев.

— Не исключено.

— Значит, на данный момент, — подытожил Райский, — в невиновности Невежина уверены лишь двое сотрудников фирмы «ВДП»?

— Да. И притом бывших.

Неожиданно раздавшаяся трель телефона прервала их разговор.

— Извини, — сказал Райский и вытащил из внутреннего кармана пиджака сотовый телефон.

Пока он разговаривал с женой, из-за шторки, которая прикрывала вход в кабинку Гордеева, показалась женская голова в ситцевом цветастом платке.

— Юрий Петрович, вы еще долго?

— Заканчиваем, Дарья Михайловна, заканчиваем, — ответил Гордеев.

— Я уже везде убрала. Вы одни остались, — сказала уборщица и скрылась за шторкой столь же неожиданно, как и появилась.

В коридоре послышалось звяканье оцинкованного ведра и удаляющиеся шаги.

В БОЛЬНИЦЕ У ЧУПРОВА

Лишь отъехав на приличное расстояние от метро «Таганская», где он высадил Райского, Гордеев вспомнил, что так и не узнал, зачем тот весь день искал его. Да и сам Вадим, занятый новой темой, почему-то не вспомнил об этом. А потом еще и неожиданный звонок жены вырвал его из окружающей действительности и перенес за город, где опять возникли какие-то разногласия между женой и строителями, отказавшимися что-то переделывать в очередной раз по желанию дорогой супруги. Дорогой в том смысле, что любые строительные изменения стоили Райскому дополнительных средств.

«Что ж, видно, ничего серьезного... Вадим не из тех, кто забывает о главном. Хотя, если что, он обязательно позвонит, напомнит о себе...

Гордеев протянул руку к магнитоле и нажал на клавишу «Play». Через мгновение зазвучала мелодия, хорошо знакомая Юрию. Запись была отличного качества, а динамики создавали стереоэффект. Юрий расслабился, положил голову на подголовник, прикрыл глаза и стал слушать. У него было несколько минут, так как в этот момент «Жигули»

Гордеева находились в плотном автомобильном потоке, застывшем у перекрестка на зеленом свете светофора. Путь преграждала стоявшая поперек движения белая иномарка с синими буквами «ГАИ». Рядом с ней находилось два человека в милицейской форме. Один — с переговорным устройством в руках, другой — с регулировочным жезлом. Видно, ожидали, когда проедет какой-нибудь шибко важный госчиновник. Иначе говоря, слуга народа.

Вслед за музыкальным вступлением, где ведущая партия принадлежала саксофону, зазвучал женский голос. Голос был очень чистый. Пела Стелла Рогатина.

Слушая новые песни из ее репертуара, Гордеев вспомнил, что сегодняшний вечер Стелла проведет у своих родителей. Старики скучали на пенсии, а внучка где-то путешествовала вместе с отцом. Вот они и хотели увидеть хотя бы свою непутевую дочь. Стелла, созвонившись с ними утром, сказала:

— Возможно, я останусь там ночевать.

Вспоминая сегодняшнее утро, Юрий Гордеев ощутил на губах ее поцелуй, улыбнулся и открыл глаза. Из динамиков зазвучала очередная ласкающая слух мелодия, но где-то на середине песни к музыкальным звукам присоединились постепенно нарастающие звуки приближающихся милицейских сирен. Эти служебные звуки пронеслись слева направо и так же постепенно стали стихать. Вскоре дорожное движение возобновилось.

Не меняя направления движения, Гордеев снял с поясного ремня сотовый телефон и набрал номер

Раппопорта. Трубку поднял сам Владлен Семенович.

— Добрый день. Это Гордеев, адвокат Невежина, — напомнил Юрий.

— Слушаю вас, Юрий Петрович.

— Владлен Семенович, в какой больнице находится ваш товарищ Владимир Чупров?

— В семьдесят первой. Я у него сегодня буду. Проведаю.

— Спасибо. Думаю, что и мне нужно его проведать.

— Может быть, мы с вами там пересечемся.

— Тогда до встречи.

Гордеев поднялся на третий этаж и пошел по коридору. Навстречу попадались больные в казенных полосатых пижамах и собственных спортивных костюмах. Дойдя до стола, за которым сидела женщина в белом халате — дежурная медсестра, Юрий спросил, в какой палате находится больной Чупров.

— Вы родственник или из милиции? — поинтересовалась дежурная.

— Я адвокат, — ответил Гордеев.

— Адвокат? — немного удивилась дежурная и задумалась. — Значит, по делу?

Гордеев кивнул.

— Только, пожалуйста, не утомляйте больного. Он еще слаб. Хотя идет на поправку.

— Я недолго, — успокоил ее Юрий.

— Идемте. Я провожу вас.

У входа в палату дежурная медсестра остановилась и еще раз напомнила о слабости больного.

— Я помню и буду краток, — ответил Гордеев.

В палате стояло шесть коек. Четыре из них пустовали, но по мятому постельному белью и по наличию на прикроватных тумбочках средств личной гигиены было видно, что три из них заняты пациентами, которые в данный момент отсутствовали. На двух находились больные. Один лежал без движения и то ли спал с открытыми глазами, то ли просто смотрел в потолок. Другой, облокотившись на подушки, сидел на кровати. На коленях у него лежала газета, в правой руке он держал карандаш.

— Слово из пяти букв, означающее сражение, — тут же обратился он к Гордееву.

— Не понял.

— Последняя буква «а».

— Битва, — немного подумав, ответил Гордеев.

— А может... и война, — высказал предположение любитель кроссвордов и уставился в газету. — Смысл вроде бы один, но разница между словами все-таки существует. — Он стал что-то подсчитывать.

— Надо проверить по вертикали... какое подходит, — предложил Гордеев.

— Потом проверю. Сначала закончу с горизонталями, — не отрываясь от своего занятия, ответил больной.

Гордеев посмотрел на вторую кровать, которая стояла у раскрытого настежь окна. Разглядеть лицо лежащего больного из-за повязки, которая покрывала всю голову, было невозможно. К тому же он по-прежнему не проявлял никакого интереса к происходящему в палате.

— Где мне найти Чупрова? — обратился Гордеев

скорее в пустоту, чем к кому-либо из обитателей палаты.

Сидевший на кровати любитель кроссвордов, не отрываясь от газеты, показал свободной рукой на своего соседа.

Приблизившись к больничной койке, Юрий узнал Владимира Чупрова. Тот по-прежнему лежал без движений и смотрел в потолок. В уши Чупрова были вставлены крошечные наушники. Провод от них тянулся к небольшому переносному магнитофону, стоявшему на подоконнике. Рядом с магнитофоном лежали газеты и журналы, а также с десяток аудиокассет. Гордеев медленно склонился над Чупровым и увидел, как у того от удивления стали расширяться глаза. Владимир не ожидал прихода Гордеева и потому, увидев над собой вместо белого потолка чье-то лицо, слегка растерялся. Поняв, кто к нему пришел, Чупров чуть приподнялся, подложил под себя подушку и принял полулежачее положение — так ему было удобнее вести разговор. Затем он снял наушники и поздоровался с Гордеевым.

— Здравствуйте, Владимир...

Гордеев сделал небольшую паузу, так как не помнил отчества Чупрова.

— Можно просто Владимир... Я ведь еще не настолько стар, не так ли? — нашел выход из создавшейся неловкости Чупров.

— Как вы себя чувствуете?

— Уже лучше, но, как сказали врачи, еще не настолько, чтобы можно было выписываться.

— Но кризис миновал?

— Да, худшее уже позади.

— Могу я с вами поговорить? Вернее, можете ли вы мне рассказать?..

— О чем? О том, что со мной произошло?

— Нет. Об этом мне рассказал ваш товарищ... Раппопорт.

— Тогда не будем больше об этом. Я хочу забыть. Да и все, что мог вспомнить, я уже рассказал милицейским работникам.

Гордеев согласно кивнул.

— Что же вы, Юрий Петрович, хотите узнать? — спросил Владимир.

— Расскажите мне о фирме «ВДП». О ее руководителях... Как она создавалась?.. В общих чертах я уже об этом знаю, но хотелось бы...

— Да мы с Владленом Семеновичем уже вам рассказывали кое-что...

— Мне необходимо знать все подробности. Насколько это возможно. — Гордеев помолчал и добавил: — Вы же уверены, что Невежина подставили?

— Да, — согласился Чупров. — Уверен... На все сто процентов. И не я один так считаю. И Раппопорт, и многие другие... из тех, кого Невежин привлек к работе.

— Почему вы ушли из «ВДП»? Вы ведь тоже стояли у ее истоков. На ваших глазах эта фирма крепла и расширялась.

— Да, в ее фундаменте есть и мои кирпичики. Я уложил достаточное их количество... Как, впрочем, и Раппопорт, и Перетерский — пусть земля ему будет пухом, — и многие, многие другие, кого зажег своими идеями Федор Евгеньевич Невежин. Мы делали одно дело.

— Мне интересно все, что так или иначе может

касаться дела Невежина. Даже то, что на первый взгляд вам покажется не имеющим к нему никакого отношения. Но поверьте, в суде, если он состоится, а дело идет именно к этому, даже самая незначительная деталь играет свою роль.

— Как в спектакле — ружье из первого акта, которое должно обязательно выстрелить в последнем?

— Увы, но это так, — развел руками Юрий.

Негромкий разговор Гордеева с Чупровым был бесцеремонно прерван.

— Эй, театралы! — обратился к ним сосед Чупрова. — Подскажите, как называется классическая пьеса, с которой связано первое произнесение слов «носовой платок» на французской сцене?

Воцарилась тишина.

Чупров, который, как видно, уже привык к подобному поведению соседа, никак не отреагировал на заданный непонятно кому вопрос, а неготовый к такой беспардонности Гордеев лишь удивленно приподнял брови и пожал плечами.

Но тут в палату вошла дежурная медсестра. В ее руках был металлический поднос, на котором стояли небольшие стаканчики из прозрачной пластмассы с разноцветными пилюлями и лежали ампулы со шприцами. Вслед за сестрой в помещение вошли еще три пациента. Они проковыляли к своим местам и, оголив ягодицы, улеглись на койках лицами низ.

— Тогда каким металлом средневековые медики лечили заворот кишок? — возобновил допрос любитель кроссвордов.

— Ртутью, Петрухин, ртутью, — ответила дежурная и добавила: — Вы уже все отделение достали своими кроссвордами. Попросите ваших родственников, пусть принесут вам словарь.

— Или Большую советскую энциклопедию, — предложил кто-то из пациентов.

— Лучше Брокгауза и Ефрона, — подключился к разговору следующий.

— Подходит, — радостно констатировал Петрухин и вписал слово.

— Тогда переворачивайтесь на живот, — приказала дежурная.

Раздав всем лекарства и сделав уколы, медсестра торопливо покинула палату. Вслед за ней так же торопливо проковыляли к выходу и все соседи Чупрова, включая и любителя кроссвордов.

— Куда это они все? — поинтересовался Гордеев.

— В столовую.

— Ужин так рано?

— Нет, смотреть телевизор, — пояснил Чупров. — А я не любитель, — Владимир указал рукой на подоконник, где рядом с портативной магнитолой лежали аудиокассеты. — Ну так что, вернемся к нашим баранам?

— Давайте.

— С Невежиным я познакомился в аудиторской фирме, — начал свой рассказ Чупров. — Мы вместе работали. В одной конторе, но в разных отделах. Занимались разными направлениями. До этого, насколько я знаю, Федор Евгеньевич сотрудничал с Егором Тимуровичем Гайдаром. Но когда Гайдара, как говорили в то время, вытолкнули на обочину новейшей истории, Невежин на какое-то время оказался не у дел. Стал безработным. В общем, хлебнул лиха.

— Чем же он занимался?

— Федор Евгеньевич не пал духом. Он по-прежнему изучал экономику. Поэтому в моральном плане проблем у него не было...

— Но в материальном — были?

— Да, победствовал.

— Долго это продолжалось?

— Я точно не знаю. Для кого-то ведь и день кажется вечностью, а для кого-то век — мгновение... Одно могу сказать с уверенностью: таких специалистов, как Невежин, немного...

Рассказывая о Невежине, Владимир часто делал короткие паузы. Юрию было видно, что Чупров еще слаб, ему трудно и говорить и вспоминать — перенесенное сотрясение мозга давало о себе знать.

— Владимир, если вам трудно говорить, мы можем прервать нашу беседу, — предложил Гордеев. — Поговорим, когда вы будете чувствовать себя лучше.

— Нет. У меня есть силы. Давайте продолжим.

— Хорошо.

— И еще... если я буду в чем-то повторяться, то вы уж, Юрий Петрович, простите меня.

— Не волнуйтесь, я очень внимательно буду слушать все, что вы мне расскажете.

— Вскоре, — продолжил Чупров, — Федору Евгеньевичу предложили работу. В аудиторской фирме. В той самой, в которой потом появился и ваш покорный слуга. Там мы и познакомились. Я был рядовым сотрудником. А Невежин возглавлял отдел. Он был ведущим аналитиком. Потом меня перевели в его отдел. На этом настоял сам Невежин. И я был ему за это очень благодарен. Работая с Федором Евгеньевичем, я понял, что такое настоящий хороший руководитель, и стал свидетелем того, как Невежин пытается использовать на практике некоторые законы западного бизнеса. До этого он уже давно изучал их, а изучив, открыл для себя истину, усвоенную его коллегами из зарубежных стран — стран с хорошо развитой рыночной экономикой. И об этой истине Федор Евгеньевич нам постоянно напоминал.

— А в чем же она заключается? — поинтересовался Гордеев.

— Эта истина заключалась в том, что, по мнению Невежина, успех в бизнесе сопутствует тем, кто умеет создать для людей такие условия, при которых они будут трудиться честно и с воодушевлением, а для этого необходимо внедрять в трудовой коллектив атмосферу психологического комфорта. К делу или, если хотите, к бизнесу необходимо в полной мере прилагать, как рычаг, так называемый человеческий фактор.

— Невежин сам-то следовал этой истине?

— А как же! И начал он со своего отдела. — Чупров перевел дыхание и продолжил: — Одновременно с этим Федор Евгеньевич стал присматриваться к людям, работавшим рядом с ним. По всей видимости, у него уже тогда зародилась идея создать собственное дело.

— Невежин стал собирать свою команду?

— Да. Но об этом никому ничего не говорил. Пока не определился с направлением, в котором собирался работать. Ведь правильно выбранная область коммерческой деятельности — это уже половина успеха.

— Невежин выбрал перлар?

— Да.

— А где Федор Евгеньевич познакомился с Перетерским? Тот ведь наверняка не давал объявления в газету «Из рук в руки» с примерным текстом: «Ищу перспективную область коммерческой деятельности».

— Конечно же нет, — усмехнулся Чупров. — У вас есть чувство юмора.

— Спасибо, — в свою очередь хмыкнул Гордеев.

— С Перетерским Невежина свела судьба, — продолжил рассказ Чупров. — Они познакомились, насколько я знаю, случайно. А как?.. Увы... Мне неизвестно.

— Но попадание было в яблочко?

— Да, в самую десятку. После того как сфера деятельности была определена, Невежин решил открыть собственное дело. Он взял где-то кредит и приступил к созданию фирмы, чтобы затем наладить как производство, так и сбыт волокна. Дело обещало стать своеобразным синтетическим Клондайком. Ткани, сделанные из перлара, обещали быть недорогими и очень практичными. Легкие и прочные, они могли применяться во многих областях жизни, в разных климатических зонах. Последнее могло заинтересовать военных... Впоследствии так оно и получилось...

Чупров ненадолго замолчал. Он опять переводил дыхание. Все-таки этот разговор давался ему нелегко, и не только из-за физических травм, но также из-за перенесенных ранее психологических. Гордеев, видя все это, терпеливо ожидал продолжения.

— Первое, что сделал Невежин, когда зарегистрировал фирму, он собрал хороших специалистов: экономистов, программистов, химиков и так далее. С химиками помог Перетерский. Большинство из них были его учениками... Короче, работа закипела. Но через какое-то время оказалось, что для дальнейшей успешной работы кредита, который взял Невежин, явно не хватает. Нужны были средства покрупнее. Причем срочно... Вот тогда и появился на горизонте Поташев. У него были деньги, так необходимые на тот момент... Фирма «ВДП» могла бы найти деньги и в другом месте, но время поджимало. К тому же Поташева Федор Евгеньевич знал давно.

— Да, мне известно, что они учились вместе и в школе, и в институте.

— В общем, Поташев стал одним из соучредителей фирмы «ВДП», а вскоре занял пост президента компании.

— Скажите, Владимир, если вы, конечно, знаете, Поташев сам вышел на Невежина или же Федор Евгеньевич обратился к нему с просьбой о финансировании проекта?

— Я не смогу ответить на ваш вопрос, — с сожалением сказал Чупров, — но вам на него и все связанное с этим может ответить сам Невежин.

— Мне просто хотелось узнать, какой именно информацией владеют люди, не входящие в высшее руководство фирмы. Я имею в виду информацию о финансовом положении компании и об истории ее развития. Продолжим?

Чупров утвердительно кивнул.

— С приходом Поташева дела фирмы пошли резко вверх. Эдуард Владимирович обладает не только большими деньгами, но и очень необходимыми связями. Притом в любых сферах деятельности, вплоть до самых высших. У него выходы на любого министра.

— Вы имеете в виду бывший кабинет министров или недавний нынешний?

— Я говорю о бывшем правительстве. Но думаю, что и на нынешнее тоже. Если не сейчас, то в ближайшем будущем будут обязательно. Люди меняются, но посты, которые они занимали, остаются.

— Н-да, — согласился Гордеев.

— Появление Поташева в фирме «ВДП» было естественным еще и по другой причине. Невежин пытался создать команду друзей-единомышленников, и Поташев для этого подходил идеально. Эдуард Владимирович с головой влез в финансовые операции, предоставив возможность Перетерскому сосредоточиться на совершенствовании своего волокна, а Невежину — создавать крепкую команду, так сказать, костяк компании, которая стала стремительно расширяться... Я уже говорил, что Невежин стал опробовать свою собственную методику руководства коллективом, еще будучи начальником отдела в аудиторской фирме. Те же методы он использовал и в «ВДП». Но здесь количество работающих под его руководством было намного больше, чем в то время, когда заведовал отделом. Однако ничего не изменилось. Федор Евгеньевич по-прежнему был уверен, что только бережное отношение как с рядовыми работниками, так и с руководящими, и внедрение самой передовой технологии приведут к успеху. Невежин создавал компанию как семейное дело. Он объединил всех сотрудников в единую семью — привил всем дух патернализма.

— Патернализма? — переспросил Гордеев.

— Да. Это от слова «патер»...

— Кажется, что на латыни оно означает «отец»?

— Именно, — подтвердил Владимир Чупров. — Кроме этого, Федор Евгеньевич выработал еще и несколько других принципов.

— Принципов построения своего дела?

— Вы понимаете меня с полуслова, — с улыбкой сказал Чупров.

Он приподнялся и изменил положение своего тела. Выглядел немного усталым, но все же довольным.

— Я очень способный, — пошутил Гордеев.

Чупров еще раз улыбнулся.

— На первое место, — продолжил он, — Невежин поставил задачу вдохнуть энтузиазм и энергию в тех, кто работает в компании «ВДП». На втором месте у него находилась забота об удовлетворении потребностей и запросов сотрудников. На третье место он поставил ответственность перед акционерами и инвесторами, которые вкладывали бы свои деньги в бизнес компании «ВДП». Таким образом, Федор Евгеньевич посчитал, что важнее всего чувство глубокого удовлетворения сотрудников фирмы, а уж потом прибыль, предназначенная акционерам... Невежин был глубоко уверен, что рыночная экономика оставляет далеко в прошлом разбойничий, так он говорил, этап накопления капитала, а также и жестокий, характерный для нынешнего времени период передела собственности, который — как многим известно — сопровождается выжиманием всех соков из наемных работников. Федор Евгеньевич выдвинул тезис. Он звучал так: «Я хочу, чтобы все, кто работает в нашей компании, являлись ее инвесторами...»

— «А те, — раздался голос за спиной Гордеева, — кто занимает руководящие посты в администрации, — крупными инвесторами». Конец цитаты.

Гордееву показалось, что это сказал вернувшийся в палату любитель кроссвордов, но когда он обернулся, то увидел улыбающегося Владлена Семеновича Раппопорта. В руках тот держал пластиковый пакет. Сквозь полупрозрачную пленку можно было разглядеть округлые бока полосатого арбуза.

— Астраханский, — сообщил Раппопорт о его происхождении. — Он огляделся по сторонам. — Куда его? — спросил у Чупрова.

— Спасибо вам, Владлен Семенович, — поблагодарил Владимир. — Наверное, на подоконник.

— Ну, Юрий Петрович, здравствуйте, здравствуйте. — Они обменялись рукопожатиями. — А ты как себя чувствуешь? — обернулся Раппопорт к Чупрову.

— Уже получше. Восстанавливаюсь, хотя и медленно.

— Лучше медленно, но верно, — весело заметил Раппопорт.

— Спасибо за поддержку, Владлен Семенович.

— Я не помешал вашему разговору? — поинтересовался Раппопорт.

— Ну что вы... Наоборот, очень кстати, — успокоил его Чупров.

— Значит, успел. А то боялся, что Юрия Петровича уже не застану.

— Мы говорили о вас по телефону, — пояснил Гордеев. — Я интересовался, в какой больнице вы находитесь.

Чупров понимающе кивнул.

— А я вот отвечаю на вопросы Юрия Петровича, — в свою очередь сообщил Владимир. — Если что забуду, поправьте меня, пожалуйста, Владлен Семенович.

— Конечно, конечно, — согласился Раппопорт.

— Тогда я, с вашего разрешения, продолжу.

Раппопорт взял ближайший стул, поставил его рядом с кроватью Чупрова и сел.

— Мы остановились на главном невежинском тезисе, — напомнил Чупрову Гордеев. — Кстати, как это происходило на практике?

— На практике это означало продажу акций компании «ВДП», причем на льготных условиях и только сотрудникам фирмы. Федор Евгеньевич хотел, чтобы личное благосостояние его сотрудников находилось в прямой зависимости от успехов компании и чтобы сотрудники заинтересованно следили за биржевым курсом своих акций и радовались его росту.

— Иными словами, — подключился к разговору Раппопорт, — Невежин пытался внедрить на своем предприятии модель «народного капитализма».

— Да. Это так, — согласился Чупров.

Из дальнейшего разговора, в котором, дополняя друг друга, принимали активное участие уже оба рассказчика, Гордеев узнал, что до конца идеям Невежина сбыться не удалось. Пока фирма «ВДП» набирала обороты, принося колоссальную прибыль, президент компании Эдуард Поташев лишь искоса поглядывал на вице-президента Федора Невежина и на его дела. Но в тот момент, когда Невежин начал распродавать акции сотрудникам компании, Поташева как подменили. Он во всем стал препятствовать делам и идеям Невежина. Странные события стали происходить в фирме и странные вещи твориться в коллективе. Внезапно несколько человек, ведущих сотрудников, по «собственному желанию», а на самом деле по непонятным никому причинам покинули фирму. Несколько человек вдруг выехали из Москвы в неизвестном направлении. Места этих сотрудников стали занимать новые люди, приглашенные Поташевым. Они проводили политику, совершенно противоположную той, за которую ратовал Невежин. Один из таких людей, Виталий Орлов, занял пост исполнительного директора фирмы. Он был первым, кого привел Эдуард Поташев. Вслед за Орловым появились и другие...

Однако конец этой истории Гордееву услышать не удалось. Их беседа была неожиданно прервана. В больничную палату с шумом вернулись все ее обитатели. Они были чем-то возмущены и не скрывали своего недовольства. По отдельным репликам, которые раздраженные больные отпускали в адрес администрации, Гордеев понял, что внезапно в отделении погасло освещение, из-за чего не удалось досмотреть очередную серию какого-то телевизионного детектива. Некоторые из больных, взяв сигареты и спички, сразу же вышли перекурить, а те, что остались в палате, улеглись на скрипящие койки и продолжали бурчать. Еще минут через пять или семь в палату вошла дежурная медсестра. Она напомнила Раппопорту и Гордееву о том, что время посещения закончилось.

«СИНЯЯ САЛАМАНДРА»

Гордеев предложил своему спутнику подвезти его до ближайшей станции метро. Однако Владлен Семенович, сославшись на желание пройтись перед сном, отказался от услуг Гордеева. Они попрощались. Гордеев направился к своему автомобилю, а Раппопорт пошел в противоположном направлении.

Двигатель завелся с пол-оборота, и Юрий выехал за ворота. И тут услышал звонок своего мобильного телефона. Однако самого аппарата на привычном месте не оказалось. Черный кожаный футляр, висевший на брючном ремне Юрия, был пуст. Чтобы найти телефон, Гордееву пришлось остановиться и обшарить весь салон. Аппарат, издававший мелодичную трель, валялся почему-то под водительским сиденьем. Каким образом он там оказался, Гордеев объяснить не мог. Но одно Юрий помнил точно: три часа назад, когда он выходил из «Жигулей», его мобильный аппарат находился на своем месте — в футляре на поясе. Что же случилось?

Гордеев переключил телефон на режим работы, но вместо привычного «алло» из трубки послышался длинный гудок.

«Не дозвонились», — подумал он, и через минуту его автомобиль, помигав левым подфарником, вновь тронулся с места.

Спешить Гордееву было некуда, дома его никто не ждал — Стелла была у родителей, и Юрий решил просто покататься по пустеющему городу, а заодно и попытаться найти ответ на интересующий его вопрос.

Вопрос же был все тем же: каким образом его мобильный телефон оказался под водительским сиденьем? Выпасть из футляра он не мог. Кто, как и зачем его туда положил, Юрий пока не знал. Ведь замки на дверях отцовских «Жигулей» были в порядке, да и противоугонная сигнализация была включена. В коридорах больницы он ни с кем не сталкивался и не разговаривал, кроме как с дежурной медсестрой отделения, где лежал Чупров. Может, все произошло в помещении приемного покоя? Пока он ожидал возвращения дежурной, которая должна была дать разрешение на посещение больного. Но это ожидание длилось минут пять... или семь. Там, в помещении, кроме него находилась лишь пожилая супружеская пара. У мужчины в обеих руках были авоськи с фруктами. Их он из рук не выпускал. Значит, оставалась женщина. Она еще все нервничала. Даже успела рассказать Гордееву об их сыне, который чем только не болел в детстве. Вроде бы обычный для больницы разговор обычных родителей. Женщина не могла найти себе места и потому все время двигалась, ходила. Ее нервозность передавалась и мужу, который довольно резким тоном пытался ее успокаивать. Но это лишь накаляло их отношения. До ссоры, однако, не дошло. Супругов примирил приход дежурной, но ненадолго, так как их перебранка возобновилась, но уже в коридоре, откуда какое-то время слышались их удаляющиеся голоса. Если это они, а кроме них больше некому, то сработано профессионально. Роли разыграны превосходно. Можно поаплодировать. Станиславский бы таким актерам сказал: «Верю, верю!» А вам, Юрий Петрович, спектакль понравился? Понравился. Хотя, может, это был лишь первый акт? Но все равно уже впору кричать: «Автора! Автора!» Кстати об авторе... и его пьесе. Интересно, сколько же всего в ней актов и сколько действий. И что это — драма, комедия, фарс или что-то еще?

Гордеев достал из футляра телефонную трубку. Он хотел повнимательней ее рассмотреть. Но быстро понял, что на ходу этого лучше не делать — начинало темнеть. Однако упрятать телефон в футляр он не успел. Вновь раздался звонок. На этот раз звонила Стелла. Она предупредила Гордеева, что остается ночевать у родителей.

После ее звонка Юрий почувствовал, что очень проголодался. Ехать домой и сидеть одному в квартире не хотелось, и он решил поужинать в каком-нибудь кафе или ресторане. Необходимо было побыть среди людей. Больница, в которой Гордеев провел около трех часов, оказала на него немного гнетущее впечатление. Так, впрочем, на него влияли все лечебные заведения — от зубоврачебных кабинетов до ведомственных санаториев. Поэтому и хотелось окунуться в иную, более жизнерадостную атмосферу.

Ресторан, в который приехал отужинать Гордеев, оказался тем самым, где несколькими днями раньше, за обедом, Вадим Райский и Гордеев неожиданно встретились с Андреем Ветровым. То, что выбор Юрия сегодня пал именно на это заведение, было исключительно делом случая. Просто никуда не спешивший Гордеев после посещения Чупрова поехал тем же путем, каким и приехал к больнице. По непонятной для себя причине он ехал по направлению к своей юридической консультации. Звонок Стеллы настиг его у «Таганской», недалеко от которой и находился вышеупомянутый ресторан.

Теперь, прежде чем покинуть свой припаркованный автомобиль, Юрий внимательно осмотрелся. Знака, запрещающего стоянку автотранспорта, нигде не было. Ни на том злополучном бетонном столбе, где он однажды внезапно появился, ни где-либо еще поблизости. Выйдя из автомобиля, Гордеев заметил лишь одно изменение в окружающей обстановке. Над входом в ресторан цветным неоном светилась вывеска. Прежде на ее месте, отметил он для себя, были только торчащие из стены металлические кронштейны. Тогда Юрия еще удивило отсутствие наружной рекламы, без которой не каждый мог догадаться, что эта резная дубовая дверь ведет в ресторан, какой, как оказалось, называется «Синяя саламандра». Название понравилось, хотя и напомнило отчасти о немецкой обувной фабрике, добротную продукцию которой высоко ценили жители бывшего СССР.

Внутри ресторана, как отметил для себя Гордеев, никаких изменений не произошло, если не считать того, что в глубине зала, на небольшой сцене, инструментальное трио — контрабас, ударные и фортепьяно — наигрывало вполне ностальгический джаз. Еще в свой первый приход в этот ресторан

Гордеев заметил эту сцену, но инструментов тогда на ней не было.

«Потихоньку обживаются», — констатировал он, проходя в дальний конец зала, где занял стоявший у стены столик, рассчитанный на двоих. Вскоре подошел официант и принял заказ.

Ожидая, когда принесут еду, Гордеев стал рассматривать посетителей. В зале их было немного. Но все они были ценителями джаза. Это Гордеев понял по тому, как они слушали музыку, ритмично покачивая головами в такт музыкальной теме. Некоторые из них уже были навеселе, но вели себя прилично, лишь иногда, забываясь, начинали тихонько постукивать вилками о края своих тарелок, сбивая своих соседей с такта.

Постепенно игра музыкантов захватила и Гордеева, и он машинально стал отстукивать ногой.

— Добрый вечер, — неожиданно услышал он.

Юрий обернулся. Рядом с его столиком стояла молодая женщина. Это была директор ресторана.

— Рада вновь видеть вас здесь, — улыбнувшись, сказала женщина. — Надеюсь, что вы приятно проведете время.

— Вы разве меня знаете? — удивленно спросил Гордеев.

— Да. Ведь вы уже были у нас!

— Верно.

— Ну... вот видите.

— Теперь вижу.

Гордеев показал рукой на второй стул.

— Может, присядете? — предложил он. — Если вам, конечно, позволяет ваша должность.

— Позволяет, — улыбнулась женщина. — Позволяет.

— Тогда...

Гордеев встал и придвинул ей стул.

— Скажите, а вы запоминаете всех посетителей?

— Почти.

— У вас, наверное, хорошая память?

— Ну, вас было нетрудно запомнить.

— Это почему же?

— Вы сидели за одним столом с Андреем Борисовичем Ветровым. Насколько я поняла, вы товарищи?

— Да, мы вместе учились. Ветров хороший и грамотный юрист. В делах можете смело на него полагаться.

— Спасибо за рекомендацию...

— Меня зовут Юрий Петрович, — подсказал Гордеев.

— Еще раз спасибо за рекомендацию, Юрий Петрович, — поблагодарила женщина и улыбнулась.

— А вас как зовут? — поинтересовался Гордеев.

— Елена Петровна. Я директор этого заведения.

— Елена Петровна, в вашем ресторане очень уютно.

— Спасибо.

— И музыка... такая приятная и ненавязчивая.

— Да, мне стоило немалых трудов заманить сюда этих ребят. Это настоящие музыканты. И они знают себе цену.

Неожиданно ее взгляд стал строгим.

— А почему на вашем столе не горят свечи? —

спросила она и сама же ответила: — Опять официант забыл!

В ее руках появилась зажигалка, и через несколько секунд над столом уже заколыхался язычок пламени.

— Скажите, Елена Петровна, вы подходите к каждому столику или выборочно?

— К каждому. Мы ведь открылись недавно и нам нужна клиентура... постоянная клиентура, а ее надо нарабатывать. Мы хотим, чтобы в нашем ресторане была домашняя атмосфера, чтобы к нам хотелось прийти снова и снова. Как к близким людям или хотя бы как к хорошим соседям. И для этого необходим контакт с клиентами, а достигается он лучше всего при личной беседе.

— Как, например, со мной?

— И с вами тоже.

— Я думаю, что вскоре с такой организацией дела в ваш ресторан будет трудно попасть.

— И я на это надеюсь... — Елена Петровна увидела идущего к их столику официанта. — А вот и ваш ужин. У нас отличный шеф-повар. Все, что он готовит, можно сразу заносить в Книгу Гиннесса.

— Я это уже оценил, — сказал Гордеев.

— Тогда... приятного вам аппетита. — Елена Петровна поднялась из-за стола.

Гордеев тоже поднялся.

— Один вопрос, Елена Петровна. Из вашего ресторана можно позвонить?

— Да. Телефон на барной стойке, но иногда бармен его убирает, чтобы не мешал работать. Идемте. Я провожу вас.

...Прежде чем набрать нужный номер, Гордеев посмотрел на часы. Звонить в детективно-охранное агентство «Глория» было уже поздновато, но, хорошо зная, что рабочий день Дениса Грязнова-младшего, директора этого агентства, ненормирован, Юрий все же решил, что надежнее будет позвонить именно туда.

Трубку поднял кто-то из сотрудников агентства, но вскоре к аппарату подошел сам Грязнов-младший.

— Алло, Денис? — спросил на всякий случай Гордеев.

— Здравствуй, Юра, — узнал тот.

— Добрый вечер!

— Какой, к черту, добрый! — возмутился на другом конце телефонного провода усталый голос. — Был бы он добрым, так я бы не торчал здесь в такое время, а сидел бы в каком-нибудь прохладном и уютном местечке. Так нет же — приходится дневать и ночевать.

— Все дела?

— И не говори... Сам-то как? Небось отдыхаешь перед теликом, пивко попиваешь и в ус не дуешь?

— В ус действительно не дую, так как не во что дуть. А сижу... — Гордеев усмехнулся, — сижу в ресторане. Ужинаю.

— Вот-вот, — с завистью сказал Грязнов-младший. — Что я и говорил.

Гордеев рассмеялся. Он представил себе, какое выражение могло быть в данный момент на лице Дениса.

— Смеешься? Ну-ну. Будет и на моей улице праздник.

— Считай, что он уже наступил.

— Что-то случилось? — Голос Дениса посерьезнел.

— Нужна срочная техническая консультация.

— Понял. Завтра в одиннадцать у меня. Можешь?

— Договорились.

Гордеев положил трубку на рычаг и вернул телефонный аппарат бармену. Тот ловко сунул его под стойку.

«Вот теперь можно и поесть», — сказал себе Юрий Гордеев и пошел к своему столику, где его ожидал горячий ужин.

«ЖУЧОК» В АППАРАТЕ

Частное детективное агентство «Глория» находилось недалеко от Сандуновских бань в старом, еще дореволюционной постройки здании на Неглинной улице. В цоколе этого шестиэтажного бывшего доходного дома оно занимало несколько комнат. На табличке у стеклянных дверей значилось только название агентства и номер лицензии. Без всяких пояснений — конфиденциальные услуги, охрана, розыск пропавших и прочего, чем занимаются нововявленные отечественные пинкертоны и секьюрити.

Ехать к Денису Грязнову Гордееву было недалеко. От Таганки до Неглинки рукой подать. Однако в час пик на это уходило гораздо больше времени. И потому Гордеев предусмотрительно выехал пораньше, и правильно сделал, так как добавленное им время было потрачено на стояние в уличных заторах.

Приехал Юрий к назначенному сроку. Однако Денис был занят — вел какие-то переговоры, и Гордееву пришлось подождать в приемной.

В «Глории» он был не впервые. Оглядевшись, констатировал, что со времени его последнего посещения здесь ничто не изменилось. Интерьер детективного агентства не бил в глаза показушной роскошью, однако и бедным его вряд ли можно было назвать: на стенах хорошие белые обои, полы покрыты ковролином, черные и белые столы и кресла, фирменная оргтехника. Небольшой холл, служивший и приемной. Кабинет директора, отделенный от холла высоким, во всю стену, матовым стеклом, украшенным кашпо с какой-то развесистой зеленью. В глубине помещения находилась комната, набитая спецсредствами: связь, прослушка и еще масса каких-то электронных штучек, о назначении которых Гордеев мог только догадываться. Самая большая комната была отведена группе компьютерного обеспечения. Компьютеры в агентстве были сверхмощные. За ними всегда находились люди — специалисты высокого класса, для которых взломать любой код что трактористу щелкать семечки.

Прежде агентство «Глория» оказывало любые детективные услуги, но постепенно переориентировалось только на услуги финансовым структурам. Охраной оно практически не занималось, хотя в штате агентства и находились, на всякий случай, три человека для приезжих VIP, особо важных персон.

Учредителем и первым владельцем «Глории» был нынешний начальник МУРа, генерал-майор милиции Вячеслав Иванович Грязнов, который, уйдя на короткое время из правоохранительных органов, организовал это индивидуальное частное предприятие в 1994 году. Но через два года владельцем агентства стал Денис Андреевич Грязнов, племянник Грязнова-старшего, проживавший до того в Барнауле. А произошло это в связи с тем, что полковник Грязнов тогда вернулся на службу, заняв пост начальника МУРа.

С Денисом Гордеев познакомился еще в ту пору, когда работал в Генеральной прокуратуре под началом старшего следователя по особо важным делам Александра Борисовича Турецкого — старинного друга Вячеслава Ивановича. Вот в ходе их совместной работы над многими уголовными делами Гордеев и подружился с Денисом, который иногда оказывал некоторые детективные услуги старшему советнику юстиции Александру Борисовичу Турецкому. А уж подружились Юрий с Денисом после ухода Гордеева в адвокатуру. Нередко встречались как по служебным, так и по личным делам.

Наконец Денис вышел из своего кабинета, чтобы проводить посетителей. Увидев Гордеева, жестом его поприветствовал и сказал:

— Проходи. Я сейчас буду.

Гордеев вошел в кабинет и сел в стоявшее рядом с директорским столом черное кожаное кресло. Сидеть во вращающемся кресле было удобно, и Юрий, пока Дениса не было, резко оттолкнулся ногой от пола. Кресло несколько раз прокрутилось вокруг своей оси. За это время Гордеев и успел осмотреть кабинет Грязнова-младшего. В нем тоже ничего не изменилось.

Денис показался в дверях неожиданно.

— Эй-эй, — весело сказал он Гордееву, — поосторожней с инвентарем. Ты не в луна-парке. Кресло — не карусель.

— Я из инспекции по техническому надзору. Проверяю изделие на отсутствие скрипа и мягкость скольжения.

— Ну и как скольжение? — серьезно поинтересовался директор агентства.

— Плавное, — дал оценку Гордеев.

— Ты меня успокоил, — сказал довольный Грязнов и сел за стол.

Денис был копией своего дяди. Только моложе — лет на двадцать пять — и полегче — килограммов на пятнадцать. Такой же высокий, с рыжей шевелюрой и хитроватой физиономией. Ежедневной рабочей одеждой Дениса были синие джинсы, туго облегавшая торс футболка и кроссовки.

— Чай, кофе или минералку? — спросил Грязнов.

— Чай у тебя какой?

— Черный, зеленый, фруктовый, цветочный... Ваше предпочтение?

— Богатый выбор.

— Для себя, друзей и клиентов ничего не жалко.

Гордеев усмехнулся.

— Сегодня, — сказал он, — лучше зеленый... и со льдом, если можно.

Грязнов поднял телефонную трубку и нажал на корпусе аппарата несколько кнопок:

— Алло, Танечка, два чая, пожалуйста... и лед захвати. Гость предпочитает зеленый.

— Обзавелся секретаршей? — спросил Юрий.

— Нет. Назначил дежурство по кухне. Скользящий график. Раз в неделю через это проходит каждый. Сегодня — Татьяна.

— До этого ты ее называл Танечкой. Симпатичная?

— Не то слово. Красавица!

— Спортсменка, комсомолка... — продолжил Гордеев.

— Зря иронизируешь. Татьяна — мастер спорта по современному пятиборью.

— А что нынче входит в ваше пятиборье?

— Все по-старому: плавание, бег по пересеченной местности, то есть кросс, фехтование, верховая езда и стрельба из пистолета. Стреляет Татьяна отлично. Причем с обеих рук.

— По-македонски? Как писал один классик, — сострил Юрий. — Пых, пых?

Денис кивнул.

— Вот именно. К тому же у нее черный пояс... по карате.

Гордеев присвистнул.

— И прекрасно водит любой автомобиль — как легковой, так и грузовой. О мотоциклах я уж и не говорю.

— Сдаюсь, сдаюсь!

— Но это еще не все. Татьяна свободно говорит на английском и итальянском.

— Ты меня окончательно добил, — сказал Гордеев и поднял вверх обе руки.

— То-то, — пробурчал довольный Денис, — впредь будешь знать.

Гордеев уважительно развел руки в стороны.

— А можно задать один вопрос?

— Валяй.

— Тебе-то она нравится? — поинтересовался Гордеев.

— Да, — Денис немного смутился. — Она отличный работник.

— Я не об этом спрашиваю, Денис.

Грязнов-младший смутился еще больше. Но именно в это время в дверь его кабинета постучали.

— Войдите!

На пороге появилась стройная девушка. Она словно сошла со страницы модного журнала, так как внешностью своей очень напоминала топ-модель. Красивое лицо, высокий рост, длинные ноги, тонкая талия. В руках у девушки был небольшой поднос, на котором стояло металлическое ведерко со льдом и две чашки из темно-зеленого стекла, там же находились заварной чайник и вазочка с вареньем.

Девушка кивком поздоровалась с Гордеевым и обратилась к Грязнову:

— Денис Андреевич, чай готов.

— Спасибо, Татьяна. Поставьте, пожалуйста, туда. — Он жестом показал на журнальный столик, рядом с которым стояло три невысоких кожаных кресла. — О, и варенье есть, — отметил удивленно, в то время как девушка ставила поднос на столик. — Домашнее?

Татьяна слегка опустила глаза.

— Вы же любите сладкое, я знаю, — сказала она.

— Балуете вы меня, Татьяна. Ведь привыкну. А если уйдете от нас, что я буду делать? Бабушке вашей — большой привет. Варенье у нее всегда отменное. Большое ей спасибо.

— Сегодняшнее варила я, — сказала девушка и покраснела.

— Не сомневаюсь, что оно такое же вкусное! Спасибо и вам.

Татьяна кивнула и направилась к дверям. Она прошла через кабинет и закрыла за собой стеклянную половину двери. По ее мягкой походке опытным глазом Гордеев определил, что девушка действительно знакома и с восточными единоборствами, и с другими видами спорта.

— Если твоя Татьяна так же стреляет и владеет карате, как и выглядит, то я не позавидую тем, кто столкнется с ней в темном переулке. Не поздоровится тому мужику, — высказал свою точку зрения Гордеев.

— Верно, — согласился Денис. — Ну давай пробовать ее варенье.

Бросив в свою чашку с чаем пару кусочков льда, Юрий сделал большой глоток и удовлетворенно откинулся на спинку кресла.

— Свой вопрос относительно Татьяны я снимаю. И так все ясно.

Денис, смакуя варенье, лишь промычал от удовольствия.

— Что входит в ее обязанности? — спросил Гордеев.

— Она телохранитель. Одна из трех, кого мы держим для приезжих VIP. Двое других — мужчины.

— Мужиков уже не хватает, что ли?

— Некоторые клиенты хотят видеть рядом с собой женщину. Они не так привлекают к себе внимание, как мужчины. В обществе их легко принимают за дочерей, жен или секретарей, а то и за переводчиц. Женщин же, как правило, не берут в расчет нападающие. А зря, интуиция у женщин развита сильнее. Они словно кожей чувствуют опасность, спинным мозгом. Так что спрос на женщин-телохранителей нынче растет. А он, как ты знаешь, рождает и предложение.

Денис сделал глоток чаю и отправил в рот очередную порцию варенья.

— Попробуй. Крыжовник, — сказал он и придвинул к Гордееву вазочку с вареньем.

Пока Юрий пробовал варенье, Денис успел выпить свой чай и решил перейти наконец к делу:

— Так что у тебя стряслось? Рассказывай.

Гордеев молча выложил на стол свой сотовый телефон.

— Вот стал барахлить.

— Понятно.

Денис повертел аппарат в руках.

— Сигнал кодируется? — спросил он.

— Угу, — промычал Гордеев.

— Пей чай, а я отнесу ребятам, пусть посмотрят.

Денис вышел из кабинета и вернулся минут через пять.

— Сейчас мои спецы разбирают твой телефон, — сообщил он Юрию. — Закончат с ним возиться — принесут. Ну а пока рассказывай, во что ты там влип.

— Да пока не влип. Но, кажется, начинаю потихоньку увязать. Но давай уж по порядку...

Гордеев рассказал о том, что происходило с ним в последнее время. Где-то на середине рассказа, когда речь его дошла наконец до происшествия с телефоном в приемном покое больницы, в дверь кабинета неожиданно постучали.

— Ну вот мы, вероятно, и узнаем о результатах проверки твоего аппарата, — сказал Денис.

В кабинет вошел парень. Он был полноват, но подвижен. Он словно влетел в помещение, отчего его длинные волосы распушились по плечам.

— Нашли что-нибудь, Сережа? — спросил Грязнов.

— Да, элементарный «жучок». Работает при включенном аппарате, пока идет разговор. Подключен к питанию телефона. Радиус действия — километр. Скорее всего, установлен для прослушивания телефонных разговоров, так как сам сигнал проходит цифровое кодирование. Одновременно с этим «жучок» может быть и радиомаяком. Тогда владельца аппарата легко засечь, вернее, определить его местонахождение, если, конечно, аппарат находится при нем.

— Сколько времени нужно, чтобы установить такой «жучок»? — спросил Денис.

— Минут двадцать. Но опытный специалист на это потратит вдвое меньше.

— Что будем делать? — обратился Грязнов к Гордееву. — Удалим или оставим?

— Если изъять этот «жучок», то те, кто его поставил, найдут способ воткнуть другой. А так хоть известно, откуда ожидать утечки информации, — ответил Юрий.

— По этому каналу можно и дезинформацию поставлять, — предложил Денис.

— Я подумал об этом.

— Значит, пока оставляем, — сказал директор агентства «Глория» своему подчиненному.

— Понял, — сказал длинноволосый парень и вышел из кабинета Грязнова.

— Осталось определить того, кто тебе его подсунул, — сказал Денис, когда за парнем закрылась дверь. — Вернее, того, кто стоит за супружеской парой. Они, как видно, — я говорю об этой паре из больницы — люди опытные. Возможно, бывшие сотрудники нашего доблестного КГБ.

— А может, и нынешнего ФСБ... — задумчиво произнес Гордеев.

— Но зачем ты им понадобился?

— Кажется, я начинаю кому-то сильно мешать. Хотя, по сути, пока и делать-то ничего не начал. Разве что соглашение на защиту оформил.

— Нельзя исключать, что как раз именно это твое соглашение и затрагивает кровные интересы кого-то из сильных мира сего. Деньги тут или политика — все едино, два кита, ради которых...

— Все может быть, Денис. Деньги в фирме «ВДП» уж во всяком случае крутятся очень большие. А там, где вложены гигантские средства, там и жертвы аналогичные. И ни лица, ни должности роли не играют...

— Это верно, — согласился Грязнов. — Еще чаю?

— Нет, спасибо.

Денис собрал посуду на поднос.

— Возможно, мне понадобится твоя помощь, — сказал Юрий. — Все услуги, как ты понимаешь, будут оплачены.

Денис подошел к своему столу, выдвинул один

из многочисленных ящиков и достал оттуда черную плоскую коробочку с фирменным знаком «Сони» и компактный сотовый телефон. И то и другое запросто умещалось на ладони. Затем подошел к Гордееву и положил эти вещи перед ним.

— Что это?

— Ну, — усмехнулся Грязнов, — телефон ты, надеюсь, узнаёшь. Это последняя модель фирмы «Эриксон». Удобен и надежен. Сигнал кодируется, так что за конфиденциальность телефонных переговоров можешь быть спокоен. Абсолютно спокоен. Мои специалисты довели его до ума. Он теперь намного надежнее обычного серийного. А вот это... — Денис взял в руки черную коробочку, — а вот эта штука поможет тебе найти любое электронное подслушивающее устройство.

— Одно устройство обнаруживает другое, — покачал головой Гордеев. — Все как в джунглях: сильный жрет слабого.

— Как в жизни. А потом — с волками жить...

— Ты прав. И как этим пользоваться?

Грязнов показал Гордееву, куда нажимать, чтобы прибор заработал, и объяснил принцип его действия.

— Все очень просто, — заключил он.

— Спасибо. Верну в целости и сохранности. Обещаю. — Гордеев поднялся. — Так я могу надеяться на твою помощь?

— А по-моему, я уже начал ее тебе оказывать, — улыбнулся Денис.

— Я просто для уточнения.

— Идем. Я верну тебе твой телефон. Ребята, наверно, его уже собрали. А по моему, который я тебе дал, будешь звонить в крайнем случае. Не свети его без нужды.

— Не буду, — пообещал Гордеев.

Получив назад свое мобильное средство связи, Юрий попрощался с Денисом Грязновым и покинул детективное агентство «Глория». В этот день ему еще предстояло много дел. Все они были связаны с его подзащитным.

ЛУЧШИЕ УЧЕНИКИ

Здание этой московской школы напоминало своим видом морской лайнер, зашедший в портовый док на профилактический ремонт. Оно было окружено строительными лесами, по которым сновали люди в синих спецовках и оранжевых касках. Они штукатурили и красили стены, вставляли в оконные рамы новые стекла.

В распахнутую парадную дверь Гордеев проскочил стремительно, чтобы не вымазаться в краске, в два прыжка преодолел восемь гранитных ступенек. Здесь все пахло свежезаконченным ремонтом. Острый запах масляной краски смешивался с запахом извести и щекотал ноздри. Юрий не выдержал и чихнул.

— Будьте здоровы! — услышал он откуда-то сверху.

— Спасибо, — ответил Юрий по инерции.

Он не сразу заметил говорившего, так как понадобилось какое-то время, чтобы адаптироваться к сумеречной атмосфере школьного здания. В люстре, что висела в фойе, горело лишь несколько тусклых лампочек, покрытых каплями засохшей извести. После улицы с ярким солнцем здесь было просто темно.

Когда же глаза привыкли к полумраку, Юрий увидел рядом с собой, у ближайшей стены, высокую деревянную стремянку. На верхней ее ступеньке стояла темноволосая девушка в синем джинсовом комбинезоне. В руках у нее было несколько застекленных фотопортретов в металлических рамках. Девушка развешивала портреты на торчавших из стены крупных гвоздях, которые располагались рядами. На многих из них уже висели большие черно-белые фотографии девичьих и мальчишеских лиц. Под фотографиями можно было прочесть фамилии изображенных и год выпуска. Вверху же, почти под самым потолком, была надпись, составленная из желтых металлических букв, — «Лучшие ученики школы».

Развесив имеющиеся в руках портреты, девушка спустилась с лестницы за новыми, что были сложены небольшими стопками прямо под лестницей.

— Вы кого-нибудь ищете? — спросила она, заметив, что незнакомец внимательно рассматривает уже развешанныс сю фотографии.

— Да. Мне бы повидать директора школы, — ответил Юрий, отрывая взгляд от школьной галереи почета.

— Даниила Андреевича нет, но он скоро должен быть. Его кабинет на втором этаже. Рядом с учительской.

— Тогда я его подожду. Вы не против?

— Сделайте одолжение. Но если вы по поводу устройства вашего ребенка в школу, то лучше сразу обратиться к Антонине Егорьевне. Она зав учебной частью.

— Нет, я совсем по другому вопросу. Хотя... Скажите... не знаю вашего имени?..

— Лида.

— А меня зовут Юрий Петрович, — представился в свою очередь Гордеев.

— Я вас слушаю, Юрий Петрович.

— Скажите, Лида, Антонина Егорьевна давно работает в вашей школе?

— Третий год. К нам ее перевели из другого района. У нас учительский коллектив молодой. Относительно, конечно.

Девушка взяла несколько застекленных фотографий и стала подниматься по лестнице.

— А Даниил Андреевич? Он тоже недавно работает в вашей школе?

— Нет, — улыбнулась девушка, — вот Даниил Андреевич здесь давно. Сразу после окончания педагогического института.

Руки девушки опустели. Она развесила очередную партию фотографий и стала спускаться по лестнице, но остановилась.

— А вы не поможете мне?

— С удовольствием, — ответил Юрий. — Что от меня требуется? Подавать портреты?

— Если вам не трудно.

— Нисколько.

Гордеев взял стопку портретов и стал подавать их Лидии по одному.

— Даниил Андреевич, — вернулась к разговору девушка, — когда-то учился в этой школе. Его фотик тоже здесь есть, — Лида показала в сторону развешанных фотографий. — Взгляните, во втором ряду, третий с левой стороны.

Гордеев посмотрел в указанном направлении. С фотографии на него смотрело лицо пухлого юноши. Тяжелые роговые очки придавали лицу серьезное выражение. Внизу он прочел: «Даниил Леонидов. Выпуск 1973 года».

— Строгий, наверно? — поинтересовался Гордеев.

— Справедливый, — улыбнулась девушка. — А без строгости в школе нельзя. Дети это быстро почувствуют и сядут на голову.

— Вы тоже педагог?

— Преподаю в начальных классах.

Передавая наверх портреты, Гордеев не упускал случая взглянуть на них. Ему было интересно посмотреть, как выглядели Федор Невежин и Эдуард Поташев в год окончания школы. То, что их пока здесь не было, Гордеев знал точно, он уже прочел фамилии под висевшими портретами.

— Я думал, что вы практикантка.

— Это потому, что я выгляжу несолидно? — словно бы застеснялась девушка.

— Я бы сказал: очень молодо.

— Будущий учебный год для меня будет вторым. Я из тех, кто только-только начинает свой трудовой путь. Так нам сказал ректор, когда вручал дипломы. А Даниил Андреевич подобным мне помогает делать первые шаги. Ведь ему в свое время тоже помогали. Начинающему преподавателю очень важно поверить в себя, в свои силы...

— Ну лично я в ваших силах и способностях

нисколько не сомневаюсь, — с улыбкой, но очень серьезным тоном сказал Гордеев.

Девушка рассмеялась.

— Кстати, — уже серьезно сказала Лида, — Даниил Андреевич сейчас подойдет.

— Лида, вы ясновидящая?

— Нет, — грустно ответила Лидия. — Просто я видела, как он только что вышел из своего автомобиля.

Говоря это, девушка показала на окно, выходящее на школьный двор. Сквозь мутное, еще не промытое после ремонта оконное стекло можно было разглядеть стоящие у ворот школы «Жигули».

Хотя Юрий и ожидал прихода директора, однако тот появился в фойе внезапно. Как всякий хороший хозяйственник, он сначала обошел вверенный ему объект, проверил, как идут ремонтные работы, поговорил с прорабом и лишь затем вошел в здание школы с противоположного входа, который по старинке назывался «черным».

— Лидия Георгиевна, — услышал внезапно за своей спиной Гордеев, — я поражаюсь вашим способностям! Вы всегда находите себе добровольных помощников. Как вам это удается? Поделитесь на досуге?

От неожиданности Лида чуть не выронила портрет, который в это время ей подавал Гордеев, но Юрий успел его подхватить.

— Это моя инициатива, — Гордеев обернулся. — Я просто не мог отказаться от помощи начинающему педагогу. Здравствуйте.

— Что ж, хорошим помощникам мы всегда рады, — сказал директор и склонил голову в вежливом полупоклоне.

Гордеев без труда узнал директора. Этот полноватый мужчина хотя и изменился с годами, но все же очень напоминал того семнадцатилетнего юношу, чья фотография висела среди лучших учеников школы. Те же внимательные глаза, то же суховато-серьезное выражение лица, виной чему были старомодные очки в тяжелой роговой оправе. Лишь волос поубавилось на голове. Они теперь не свисали челкой, а были зачесаны назад и немного набок, что позволяло скрывать постепенно увеличивающуюся лысину. Такие прически раньше почему-то назывались «внутренний заем».

Даниил Андреевич строгим директорским взглядом окинул то, что успела сделать его подчиненная, и, кажется, остался доволен.

— Продолжайте, Лидия Георгиевна, — поощрил он и собрался было идти дальше, но был остановлен своей подчиненной.

— Даниил Андреевич, — сказала Лида, — а товарищ к вам.

Директор внимательно оглядел Гордеева:

— Слушаю вас. По какому вопросу?

— По личному вопросу одного из моих клиентов, — ответил Гордеев.

Леонидов удивленно вскинул брови.

— Я адвокат, — пояснил Юрий.

— Тогда пройдемте в мой кабинет... Это на втором этаже.

Кабинет директора школы состоял из двух небольших комнат. В одной, совсем маленькой, располагалась приемная, а в другой, чуть больше, — рабочий кабинет. В нем царил беспорядок. Повсюду валялись какие-то бумаги. Это были и старые объявления об экскурсиях по музеям, расписания учебных занятий, и школьные стенные газеты, выпущенные к разным праздникам. Были тут и сочинения по литературе, и контрольные по математике, которые, судя по лиловым штампам, являлись итоговыми за четверть или за год.

— Извините. У нас ремонт, — объяснил беспорядок директор школы. — Приходится кочевать с места на место. — Даниил Андреевич освободил ближайший же стул, а бумаги с него перенес на подоконник. — Садитесь. А я, с вашего разрешения, пока немного приберу.

Пока хозяин кабинета неторопливо наводил поверхностный порядок, Юрий Петрович огляделся. Кроме нескольких стульев и директорского стола, на котором стоял устаревший компьютер — явно подарок каких-нибудь шефов, — в помещении находилось еще и несколько массивных шкафов с инвентарными номерами, забитых папками, книгами и классными журналами. Наверху стояли два микроскопа, огромный глобус и какая-то химическая посуда, из-за чего невозможно было определить предмет, который преподавал директор школы, кабинет которого больше напоминал кладовую запасливого завхоза. Рядом со шкафами в небольшой застекленной витрине красовались металлические, керамические и деревянные кубки, всевозможные вымпелы, грамоты и жетоны на атласных тесемках. Это были школьные спортивные трофеи, добытые не одним поколением школьных атлетов, туристов и шахматистов, защищавших честь своей школы на районных, городских, областных и даже всесоюзных соревнованиях, первенствах и разного рода олимпиадах.

«Богатая коллекция!» — подумал об уголке спортивной славы Юрий Гордеев.

На стене, за вращающимся креслом директора, висел большой живописный портрет мужчины, изображенного в полный рост. Его лицо Гордееву показалось очень знакомым, и имя вертелось на языке, но вспомнить, кто это, Юрий все никак не мог. Портрет был выполнен маслом и вставлен в массивную золоченую раму.

— Интересуетесь? — спросил директор школы, по всей видимости перехвативший взгляд Юрия.

— Да, — ответил Гордеев. — Только вот забыл...

— Так это же Макаренко! Наша школа носит его имя. — Директор сделал многозначительную паузу. — Был такой педагог. Занимался беспризорниками. Макаренко собирал их в коммуну и делал людей с большой буквы.

— И написал «Педагогическую поэму», — продолжил Гордеев.

— Читали? — поинтересовался Даниил Андреевич.

— Приходилось, — ответил Гордеев. — И «Флаги...» тоже.

— Что ж... Приятно слышать. Сегодня немногие могут похвастаться этим. — Леонидов перенес последние бумаги на подоконник и сел наконец за свой стол. — Ну так что же вас привело ко мне?

— Дела давно минувших дней... и нынешних.

— Слушаю вас, господин адвокат.

Юрий Гордеев вкратце рассказал суть своего дела, которая сводилась к тому, что адвокату Гордееву, взявшему на себя защиту Невежина, была необходима характеристика на своего подзащитного — одна из многих, которые ему еще предстояло получить в других местах. Кроме того, он хотел узнать о взаимоотношениях между Поташевым и Невежиным, начавшихся, надо понимать, еще в школьные годы.

— Они учились в одном классе, не так ли? — закончил Юрий.

— Да. Я помню этих парней. Отличные были ребята. Гордость школы. Они окончили школу годом раньше меня. А вот меня они вряд ли вспомнят: старшеклассники, как правило, не обращают внимания на тех, кто моложе. В год окончания школы Невежин и Поташев были лучшими среди всех десятых классов, а их тогда было четыре: «А», «Б», «В» и «Г». Они учились в «А», лучшем классе в школе.

Леонидов поправил указательным пальцем свои очки, сползшие на кончик носа.

— Вам, Юрий Петрович, наверное, известно о практике, которая существует во многих школах.

— Что вы имеете в виду?

— Я говорю о том, что во время распределения учеников по классам самых способных собирают в «А». Тех, кто послабее, — в «Б»... Ну и так далее.

— Не знал, — улыбнулся Гордеев. — Наверно, потому, что сам я учился в «Г».

Леонидов рассмеялся:

— Ну что ж, без исключений не бывает и правил.

— Спасибо. Утешили, — шутливо поблагодарил Гордеев.

— А к лучшим ученикам, — продолжал раскрывать «тайны» Леонидов, — приставляли и лучших классных руководителей. Таким руководителем у Эдуарда Поташева и Федора Невежина была Юлия Петровна Доброва. Педагог с большим стажем. Она пользовалась авторитетом и среди учеников, и в среде преподавателей. Недаром ей было присвоено звание «Заслуженный учитель»... Глядя на то, как работает Юлия Петровна, — продолжил после паузы Леонидов, — я понял, что тоже хочу стать учителем. Пошел в педагогический... Вот Юлия Петровна могла бы вам многое рассказать и об Эдуарде Поташеве, и о Федоре Невежине, и об их взаимоотношениях.

— Она работает в школе? — спросил Гордеев.

— Нет. Юлия Петровна на пенсии.

— Она жива? Ведь ей, наверно, много лет?

— Сведений о том, что она умерла, у меня нет. А лет ей действительно много.

— Где я могу ее найти?

— Одну минутку. Я найду вам ее адрес. — Директор со скрипом выдвинул верхний ящик письменного стола и стал что-то искать в его недрах. — Юлия Петровна, — не прерывая своих поисков, продолжал говорить Леонидов, — прежде жила в Москве. Но когда вышла на пенсию, то переехала в Коломну. Обменялась с внуком жилплощадью. Теперь в ее квартире живет он.

Даниил Андреевич наконец-то извлек из недр ящика большой блокнот в черном коленкоровом переплете, положил перед собой и стал листать.

— У меня здесь, — пояснил Леонидов Гордееву, — записаны адреса всех наших пенсионеров. Своих стариков мы не забываем. Поздравляем с праздниками — посылаем открытки. Звоним. Навещаем. Помогаем. Как можем и чем можем... А над одинокими наши школьные тимуровцы берут шефство.

— А что с Добровой?

— Ну, Юлия Петровна как переехала в Коломну, так больше в Москву и не возвращалась. Поздравления с праздниками, как и остальным, мы на ее адрес отправляем регулярно. Но вот жива она или нет, честно скажу, не знаю. От Юлии Петровны давно не было никаких вестей... И телефона у нее нет. — Даниил Андреевич протянул Гордееву карандаш и чистый лист бумаги: — Записывайте адрес. Город Коломна, улица Вагонная, дом восемнадцать, квартира два. Доброва Юлия Петровна...

Когда Юрий Гордеев выходил из здания, ни Лиды, ни деревянной стремянки в фойе уже не было. Портреты лучших учеников были развешаны, каждый занял свое законное место. Юрий поискал глазами знакомые фамилии.

Фотографии Эдуарда Поташева и Федора Невежина висели рядом. Внимательно рассмотрев их, Гордеев покинул школу.

СТАРАЯ УЧИТЕЛЬНИЦА

В Коломну он отправился на электричке. В вокзальной кассе Казанского вокзала взял билет. Подождал на платформе, от которой отправлялись пригородные поезда. Ему повезло: электрички туда ходили редко, а тут как раз подали нужный поезд.

Юрий вошел в первый попавшийся вагон и сел у окна лицом к направлению движения.

А через час с небольшим Гордеев уже подъезжал к Коломне. На окраине этого старинного русского городка увидел православную церковь: храм был в строительных лесах. Его тоже реставрировали, покрывали купола сусальным золотом.

«Возрождается Россия!» — подумал Юрий Петрович.

Еще через несколько мгновений в поле его зрения попал Коломенский кремль. Стены этого древнего оборонительного сооружения уже были отремонтированы. Это Юрий понял по светлым пятнам свежего кирпича, который еще не успел потемнеть от ветра, снега и кислотных дождей. Новая кладка на фоне старых стен напоминала заплатки на перелицованном кафтане.

Поезд остановился. Юрий вместе с остальными пассажирами покинул вагон. На перроне он подошел к дежурному милиционеру и узнал, как лучше добраться до Вагонной улицы. На привокзальной площади Юрий Гордеев нашел остановку трамвая и стал ждать.

Трамвай, шедший по нужному маршруту, пришел минут через десять. Ехать Гордееву было недалеко — семь-восемь остановок. Нужная Гордееву остановка так и называлась «Вагонная улица».

Когда вагоновожатый объявил о знакомой улице, Юрий поднялся с пластикового оранжевого кресла, подошел к открывшейся двери и, минуя ступеньки, спрыгнул на землю. Земля оказалась растрескавшимся асфальтом, и Гордеев едва не подвернул ногу.

«Россию губят не только дороги, но и тротуары!» — подумал он.

Подождал, пока трамвай уйдет, и огляделся. Улочка была извилистой и узенькой. Дома — в основном старые невысокие строения — почти вплотную подступали к трамвайным путям.

Дом номер восемнадцать оказался двухэтажным, сложенным из красного кирпича. Дверь в квартиру открыл бородатый мужчина средних лет.

— Здесь проживает Доброва Юлия Петровна? — спросил Юрий.

Вместо ответа бородач с ног до головы оглядел Гордеева и, стоя в дверном проеме, крикнул в глубь квартиры:

— Юлия Петровна, к вам!

— Пусть заходят, — услышал Гордеев старческий голос.

В комнате, куда бородач провел Гордеева, обои на стенах имели тусклый цвет овсянки, занавески были из голубого бархата, комнату украшало множество фотографий и фарфоровых статуэток, в углу на столике стоял большой серебряный самовар, заварной пузатый чайник скрывала кукла в гофрированной юбке. И повсюду — на стульях, креслах и диване — были разбросаны небольшие цветные подушечки.

Юлия Петровна Доброва вошла так бесшумно, что Гордеев, рассматривавший до нелепости высокий бронзовый подсвечник, стоявший на подоконнике, ее не услышал. Когда она сказала своим скрипучим голосом: «Здравствуйте. Я вас слушаю», он вздрогнул и резко обернулся.

Мягкое парусиновое платье нелепо висело на

угловатой и сухой фигуре, чулки слегка морщились, кожаные домашние тапки были без задников. Седые волосы аккуратно собраны и уложены на затылке в тугой узел — в нем торчал старинный черепаховый гребень. Глаза Добровой светились мудростью.

Гордеев поздоровался и представился.

— В каком классе ваш ребенок? — спросила Доброва.

— У меня пока нет детей, — слегка растерялся Гордеев.

— Так вы не по поводу репетиторства? — удивилась старая учительница.

— Нет.

— Тогда я вас слушаю.

— Я совсем по другому поводу, — поспешил объясниться Гордеев. — Надеюсь, вы уделите мне некоторое время. Я из коллегии адвокатов.

— Юрист? Но у меня нет проблем с законом. Я, молодой человек, всю жизнь живу честно.

— Юлия Петровна, может, вы вспомните, у вас когда-то был ученик по фамилии Невежин?

Доброва внимательно посмотрела на гостя.

— Федор Невежин, — повторил Гордеев.

— Не надо утруждаться, Юрий Петрович, — строго сказала учительница. — Склерозом я не страдаю. Садитесь, где вам удобнее, и рассказывайте, что привело вас ко мне.

Гордеев сел на диван. Юлия Петровна устроилась в кресле напротив. Свет из окна падал на ее очки, и стекла слегка поблескивали.

— Чай, кофе? — предложила хозяйка дома.

— Кофе, если можно.

Доброва повернулась в сторону кухни.

— Володя, сделайте нам чай и кофе, пожалуйста, — попросила кого-то Доброва.

На кухне зазвенела посуда. Скорее всего, там начал хозяйничать бородач, открывший дверь Гордееву.

— Володя — внук моей старинной подруги. Приехал в командировку на завод. Он создает электровозы, — прояснила Юрия Доброва. — А завод находится рядом. Володе здесь удобнее, чем в гостинице, да и мне не скучно. Он меня выгуливает. По вечерам. Когда не так жарко. Мы с ним доходим до самой реки. Там прохладно... Кстати, Юрий Петрович, как вы меня разыскали?

— Адрес мне дали в вашей школе... Директор.

— Леонидов?

— Да.

— Даниил был прилежным учеником. У него уже тогда проявился педагогический дар. Он был пионервожатым в младших классах... Я рада за него. И за школу спокойна. Она в надежных руках.

— Даниил Андреевич тоже был вашим учеником?

— В школе все ученики общие. Но те, у кого ты являешься классным руководителем... те все-таки ближе. На них приходится тратить больше времени и сил...

Доброва левой рукой указала на висевшие за ее спиной групповые фотографии, которые к выпускным вечерам обычно делают приглашенные специально фотографы.

— Вот мои выпускники. Вся моя жизнь... Сорок восемь лет в школе. В одной школе... Пришла девчонкой — ушла старухой... Но я и сейчас работаю. Занимаюсь репетиторством... Не хватает денег, да и пенсию не вовремя выплачивают.

— Можно мне посмотреть на ваших выпускников?

— Пожалуйста, — ответила Юлия Петровна.

Гордеев встал и подошел к стене, на которой висело множество фотографий в деревянных рамках. Все они были застеклены. Юрий не спешил переходить к расспросам о Невежине и Поташеве, он предпочитал сначала разговорить учительницу, чтобы она, постепенно погружаясь в собственные воспоминания, могла привести побольше подробностей и деталей, связанных с ее учениками.

Фотографии были стандартными, каждая для своего времени. На черно-белых виньетках были написаны даты начала и окончания обучения, номер школы — везде один и тот же — и фамилия человека, в честь которого было названо это среднее учебное заведение, — Макаренко. В верхнем ряду овалов с крошечными фотоснимками были лица преподавателей. В центре этого ряда — фото директора школы, этот постоянно крупнее остальных. Под изображениями учителей их фамилии и названия предметов, которые те преподавали. Следующие пять-шесть рядов фотоснимков составляли выпускники школы, тоже с фамилиями. По этим групповым фотографиям легко прослеживалась история данной школы. С некоторых фотографий смотрели только мальчишеские лица: это годы, когда обучение в школе было раздельным.

Нашел Гордеев и ту фотографию, которую хотел увидеть. Выпуск, в котором были Невежин с Поташевым. Но ничего нового для себя он не почерпнул, так как их лица были копиями тех, что висели на стене в школе.

— А вот и ваш кофе, Юрий Петрович! — услышал Гордеев.

Он обернулся. В комнате находился бородач Володя. В руках он держал большой самоварный поднос, на котором стояли чашки и ажурная металлическая вазочка на невысокой тонкой ножке с конфетами. Володя поставил поднос на полированный столик между диваном и креслом, в котором сидела хозяйка дома, и удалился в соседнюю комнату.

Кофе Гордееву понравился. Это был не быстрорастворимый суррогат, а настоящий, сваренный из свежемолотых и хорошо поджаренных зерен. Первый же глоток горячего душистого напитка придал слегка утомленному от долгой поездки Гордееву новые силы, и Юрий решил переходить к делу:

— Юлия Петровна, каким был Невежин в школе?

— Федя был способным и даже, я бы сказала, талантливым мальчиком. Школу закончил с золотой медалью. В тот год медалистов у меня было двое. Это Федя и Эдик Поташев... А что такого натворил Невежин?

— Да в том-то и дело, что ничего, — ответил Юрий.

— Но ведь без особой причины вы бы ко мне не приехали?.. — Доброва поднесла к губам свою чашку и сделала маленький глоток. — Вы узнали в школе мой адрес. И сейчас сидите в моем доме не просто так, а с определенной целью. Я же это вижу.

— Верно, — подтвердил Гордеев.

— Тогда рассказывайте... Что вас интересует?

— Буду откровенен, — сказал Юрий. — Федор Невежин подозревается в организации заказного убийства. Не знаю, знакомы ли вы с таким термином «заказное убийство»?

— Газеты, Юрий Петрович, я еще читаю. Так что можете продолжать.

— Не так давно был убит один из ведущих сотрудников фирмы, в которой Невежин занимает пост вице-президента. Было проведено следствие, в ходе которого были найдены косвенные улики и выслушаны свидетели. И улики, и показания свидетелей указывают на то, что возможным заказчиком этого убийства является ваш бывший ученик — Федор Евгеньевич Невежин. Именно его адвокатом я и являюсь.

— Федя — заказчик убийства? — изумилась Юлия Петровна. — Я не могу в это поверить.

— Но и это еще не все, — продолжил Гордеев. — Другим руководителем той же фирмы, ее президентом, является еще один ваш бывший ученик, Эдуард Владимирович Поташев. У меня есть подозрения, что это он заказал убийство своего ведущего сотрудника и что именно он повернул все дело таким образом, что подозрение пало на его бывшего друга и одноклассника.

— Вы меня совсем расстроили, — после долгой паузы сказала учительница. — Но скажите, Юрий Петрович, если, конечно, все обстоит именно так, как вы говорите, то из-за чего это все могло произойти?

— Из-за денег... Из-за очень больших денег, — с грустью ответил Гордеев. — Или здесь кроется какая-то другая причина. Корни которой могут уходить в далекое прошлое. Например, в детство. Может быть, тайные обиды, какие-то скрытые комплексы. Ведь большинство комплексов, а вам, как педагогу, это хорошо известно, закладываются именно в детстве.

Гордеев сделал глоток остывающего кофе.

— Юлия Петровна, расскажите мне о Невежине и о Поташеве. Какие были между ними отношения?.. В школе? И, если вам известно, за ее пределами. Мне интересно все.

Гордеев опять глотнул кофе.

— М-да, — сказала Доброва, — прежде убивали из-за женщины, из-за нанесенного оскорбления и из-за денег тоже, конечно. Но теперь все чаще из-за денег, наркотиков...

Гордеев развел руками: мол, что поделаешь, такова нынешняя жизнь.

— Хотите еще кофе? — спросила Юлия Петровна.

— Нет. Спасибо, — отказался Гордеев. — Хотя ваш кофе мне очень понравился.

— А я еще выпью.

Доброва налила новую чашку чаю.

— Семьи Поташева и Невежина, — начала свой рассказ Юлия Петровна, — были дружны. Познакомились они еще в роддоме — я имею в виду матерей моих учеников. Там была особая история, я расскажу чуть позже... Так что Федя и Эдик были знакомы едва ли не с рождения. Ко мне они попали после четвертого класса. Именно тогда я и стала их классной руководительницей. С пятого по десятый класс.

Шесть лет они находились в поле моего пристального внимания.

— Юлия Петровна, какими были их взаимоотношения?

— Ровными и дружественными. Они повсюду бывали вместе. Их интересы во многом совпадали.

— На протяжении всех шести лет?

— Почти... Хотя... С некоторых пор, класса, наверно, восьмого, стала отмечать некоторые изменения.

— Какие?

— Все дело в том, что Эдик Поташев был очень амбициозным мальчиком. Правда, он старался этого не показывать. Но меня провести было трудно.

— А в чем это выражалось?

— Поташев был способным мальчиком. Очень способным. Но все-таки не таким, как Невежин. Феде все давалось легче, чем Эдику. И потому Поташеву, чтобы не отстать от друга, приходилось прикладывать больше усилий и тратить больше времени.

Доброва отпила немного чаю.

— Ну а я, зная о его амбициозности, пыталась использовать это качество ему же на пользу.

— Каким же образом?

— Я старалась чаще ставить в пример Невежина, отчего Поташев старался не только догнать Федора, но и опередить его. И, как мне кажется, это пошло только на пользу обоим. Свидетельством тому являются золотые медали моих учеников.

Доброва замолчала. Ее лицо приобрело задумчивое выражение. Гордееву было видно, что она пытается вспомнить какие-то детали событий более чем двадцатилетней давности. Юрий терпеливо ждал продолжения.

— Где-то с класса восьмого, — продолжила свой рассказ Юлия Петровна, — я вдруг стала замечать, что амбициозность Поташева начинает принимать несколько даже болезненный оттенок. Соперничество стало более жестким. Правда, только с одной стороны.

— Со стороны Поташева?

— Да.

— А как относился к этому Невежин?

— Никак.

— То есть?

— Если Федор и замечал это соперничество, то не придавал ему никакого значения. Может, потому, что он всего достигал играючи. Без видимых усилий. Невежин был примером для всего класса.

— И Поташева это раздражало?

— Да. И началось это с восьмого класса.

— Как вы думаете, с чем это могло быть связано? Между Поташевым и Невежиным случались какие-то серьезные конфликты?

— Ссоры бывали, как и у всех. Но мальчики быстро мирились.

— Тогда что же?

— На мой взгляд, истинной причиной было другое.

— Расскажите.

— Пубертатный период!

— Период полового созревания? — переспросил удивленный Гордеев.

— Да, — подтвердила учительница и продолжила: — Вернее, его окончание.

— Почему вы так думаете?

— В это время подростки становятся агрессивными и жестокими. У них появляются комплексы. Они хотят самоутверждаться. В этот период со многими из них бывает трудно найти общий язык. Переходный период — это очень сложный момент. Вы, Юрий Петрович, вероятно, знакомы с таким термином: «трудные подростки»?

— Да, — подтвердил Гордеев.

— К тому же, — продолжила Доброва, — в этот период у детей начинает проявляться интерес к противоположному полу.

— Поташеву и Невежину нравилась одна и та же девочка? — спросил Гордеев, который с большим вниманием слушал старую учительницу.

— Вы, Юрий Петрович, меня опережаете, — укоризненно улыбнулась Доброва. — Мне нравится ваша проницательность, но догадка ваша верна не совсем.

— В чем же я ошибся? — спросил Юрий, улыбаясь.

— Дело в том, что Эдику действительно нравилась в то время одна его соученица. Но она не обращала на Поташева никакого внимания. Школьницам, как правило, нравятся старшеклассники, а на своих ровесников они почти не смотрят... не замечают их. Но в нашем случае ситуация оказалась обратной. Этой ученице, а звали ее Инна Березкина, нравился Федя Невежин.

— Наметился банальный треугольник?

— Да. Отчасти я этому даже способствовала.

— В самом деле?

— В то время Инна Березкина очень серьезно занималась спортом. Она входила в сборную Москвы по художественной гимнастике. Кажется, у нее был какой-то очень высокий разряд. Инна часто уезжала на спортивные сборы и соревнования. Ее, насколько я помню, считали очень перспективной спортсменкой. Но занятия спортом стали негативно отражаться на учебе. Девочка стала хуже учиться. И тогда я решила прикрепить к ней Федю Невежина. В школе это обычная практика. Сильный ученик вытягивает отстающего.

— Юлия Петровна, а почему вы решили, что «буксиром» должен стать Невежин? Вы ведь видели, что Поташев проявляет интерес к Березкиной?

— Ну, во-первых, интерес Поташева стал проявляться с восьмого класса, а Невежина к Березкиной я приставила еще в седьмом. Второй причиной было то, что Федя являлся альтруистом, в отличие от Эдика, который был очень практичным мальчиком и зря ничего не делал. Он даже списывать давал только тем, кто ему был нужен или мог пригодиться. И мне это было хорошо известно.

Доброва запнулась и сделала паузу в своем рассказе.

— Юлия Петровна, вас что-то смущает?

— Скажите, ведь то, что я вам сейчас рассказываю, может потом быть направлено против Эдуарда?

— Или на благо Федору Невежину.

— Но, может, это убийство, которое произошло, заказали вовсе и не Поташев с Невежиным?

— Именно поэтому я к вам и приехал. Мне необходимо во всем разобраться. И чем бо́льше у меня будет информации, тем легче будет защищать Федора Невежина. А кто прав, кто виноват — это решает только суд. Только по приговору суда можно объявить человека виновным в том или ином преступлении. И потом, Юлия Петровна, если откроются обстоятельства, которые будут говорить о невиновности Невежина, дело может до суда и не дойти. Но для этого мне нужно знать как можно больше... Как можно больше.

— Хорошо, — сказала Доброва, — я вас поняла. И согласна с вашими доводами.

— Рад, что вы меня правильно поняли. Ну так что было дальше?

— Березкина стала нагонять пропущенное. Ее оценки стали выше. Девочкой-то она была неглупой. Так что я осталась довольна. Наставника Инне я выбрала правильно.

— И долго Невежин вытягивал Березкину?

— Инна довольно-таки быстро исправила свое положение, и нужда в помощи Невежина вроде бы отпала. Но этого времени оказалось достаточно, чтобы они подружились.

— А как вел себя Поташев? Что происходило с ним?

— Сначала он никак не реагировал, но потом, по мере того как Инна Березкина все больше и больше привязывалась к Невежину, а их дружба становилась все крепче, Эдик Поташев становился все жестче и жестче.

— Вы это как-нибудь объясняете?

— Я думаю, что Эдик стал ревновать. И это была двойная ревность. Березкину, как объект своего внимания, он ревновал к Невежину. А Невежина, как своего друга, ревновал к Березкиной.

— Наверно, этот треугольник существовал только до выпускного вечера? Обычно ведь так и бывает. Или я не прав? — спросил Юрий Гордеев.

ИЗ ВОСПОМИНАНИЙ ДОБРОВОЙ

...Гул взволнованных голосов стих, лишь когда на школьную сцену поднялась директриса. Это была крупная пожилая женщина с гордой осанкой работника высшей партийной школы и укротительницы одновременно. Ее черная длинная строгая юбка и черный жакет, застегнутый на все пуговицы, говорили о серьезности сегодняшнего события, а украшенная янтарной брошью белая блузка с пышным жабо должна была напомнить присутствующим о том, что событие это еще и торжественное. Прическа высилась башней из седых волос, которая — для надежности — была схвачена лаком. Очки в дорогой оправе подчеркивали ее главные человеческие качества — серьезность и ответственность.

Директриса подошла к микрофону и без бумажки, обычной для ответственных работников, произнесла вступительную речь, которую за долгие годы работы в системе народного образования она знала наизусть. Здесь было сказано обо всем: о стране, о партии, о родных и близких, о долге, о чести, о совести, о том, что необходимо всегда повышать свои знания и отдавать их на благо народа, о том, что империалисты не дремлют, а ждут не дождутся, когда же наступит момент их победы над Родиной социализма и Ильича. И так далее...

Закончив речь, она под благодарные аплодисменты слушателей направилась в глубь сцены, туда, где стоял длинный стол, крытый плюшевой красной скатертью. На столе кроме второго микрофона и вазы с цветами высились стопки аттестатов зрелости. Рядом лежало несколько небольших коробочек.

Директриса взяла из рук завуча лист плотной бумаги и, просмотрев его, положила на край стола.

— А теперь настал самый замечательный момент, — сказала она во второй микрофон. — Замечательный не только для родителей наших выпускников, но и для учителей.

В зале вновь раздались аплодисменты.

— Первыми на этой сцене получат аттестаты зрелости те, кто на протяжении всех десяти лет учебы были во всем первыми. Они закончили школу с золотой медалью и уже, можно сказать, поступили в высшие учебные заведения. В какие? — Директриса сделала небольшую паузу. — Знают пока только они сами. Перед ними открыта дорога в любой вуз страны.

Повернувшись к столу, она взяла из рук секретаря небольшую коробочку и аттестат.

— Федор Невежин! — объявила торжественно.

Оркестр заиграл туш.

На сцену поднялся улыбающийся юноша. Внешне он ничем не отличался от остальных сидевших в зале выпускников. Может быть, лишь густой и курчавой шевелюрой темно-каштанового цвета да тем внутренним светом глаз, который не был виден на расстоянии.

Получив аттестат и коробочку с золотой медалью, которая была показана всем присутствующим, Федор Невежин поблагодарил школу, учителей и родителей и, скромно опустив голову, вернулся в зал.

Вторым был вызван на сцену Эдуард Поташев.

Оркестр вновь заиграл туш. Во время вручения Поташев ни разу не улыбнулся — его тонкие губы были плотно сжаты. Произнеся слова благодарности, он резким движением головы отбросил назад упавшую на глаза рыжую челку и окинул зал холодным победным взглядом. Сцену он покидал чемпионом. Его руки, державшие аттестат и медаль, были подняты вверх — как у олимпийца, выигравшего финальный забег.

А в это время в зале две женщины, сидевшие рядом на одном из последних рядов, то и дело вытирали платками слезы счастья и гордости. Гордости за своих детей, которые были названы лучшими.

Женщин звали Татьяной Петровной Поташевой и Людмилой Васильевной Невежиной.

— Я так рада за наших мальчиков... так рада! — сквозь слезы шептала подруге Невежина. — Ведь твой Эдик мне как родной.

— Да... кабы не ты, Людочка... Не знаю, случился бы у меня этот день... — также сквозь слезы шептала вторая женщина. — Ведь когда у меня пропало молоко, я не знала, что и делать. И это в первый же месяц его жизни!

— Ну что сейчас об этом, Таня! Сколько лет прошло...

— Нет, подруга, такое не забывается... Я ведь чуть с ума не сошла тогда...

— Ну что ты все об одном!

— А о чем же еще?!

— Да надо уже о том, что наши мальчики выросли. Стали лучшими — первыми. Аттестаты им вручили. Медали дали золотые. Я думала, что такого уже и не бывает.

— Верно. Но только если бы не ты тогда, не сидеть бы мне здесь сегодня. И Эдик бы не поднялся на эту сцену. Когда моего отца объявили «врагом народа», от меня, ты же помнишь, все, даже врачи, отвернулись... А ты одна ничего не испугалась, вскормила Эдьку своим молоком. Что б я без тебя делала!.. — И Поташева вновь промокнула сползавшую по щеке слезу.

— Эх, когда было!.. — успокаивала подругу Невежина.

После официальной части, когда все аттестаты зрелости были вручены, большинство родителей покинули школу. Они не хотели мешать веселью своих чад, не желали сковывать их своим присутствием. Остались лишь члены родительского комитета, которые отвечали за порядок и организацию выпускного бала.

Само торжественное мероприятие проходило в двух смежных помещениях. В школьной столовой, где был накрыт большой праздничный стол, и в актовом зале, откуда руками выпускников ряды скрепленных между собой кресел были вынесены в коридор и расставлены вдоль его стен.

Спустя короткое время после начала неофициальной части школьные помещения уже напоминали собой сообщающиеся сосуды. Перетекающей жидкостью в них были восторженные выпускники. Они то подходили к столу — восстанавливать свой растраченные за десять лет обучения силы, то возвращались в полумрак танцевального зала, чтобы тут же сжигать набранные калории. В зале, где играла музыка, они задерживались дольше. Быстрые танцы сменялись медленными. Преподаватели, которых в зале оставалось все меньше и меньше, были нарасхват — их недавние ученики не позволяли им перевести дыхание.

В танцах оба золотых медалиста — Поташев и Невежин — принимали самое активное участие. Они были заводилами и на танцевальной площадке. Поташев пригласил на танец преподавательницу математики, а Невежин — учительницу литературы. Казалось, они ни в чем не хотели отставать друг от друга. Не пропускали ни одного танца, двигаясь с одинаковой ловкостью. Лишь одна небольшая деталь отличала их. Во время танцев на лице Невежина сияла улыбка, а тонкие губы Поташева были плотно сжаты. Впрочем, последнее было обычным для Эдуарда Поташева. Он постоянно и во всем соперничал с Федором, но старался этого не показывать. Однако такого опытного физиономиста, каким являлась классная руководительница, это не могло обмануть. Юлия Петровна давно знала о тайном желании Эдика Поташева стать единственным лидером и сумела обратить это стремление одного на пользу обоим своим самым любимым ученикам.

И во время «белых» танцев Эдик Поташев и Федя Невежин тоже не скучали. Их постоянно приглашали. Они были одними из немногих, кто умел танцевать танго и вальс, а именно эти танцы нравились выпускницам больше других. Вчерашние школьницы мечтали о настоящем бале со всем, что ему должно сопутствовать...

Когда музыканты объявили очередной «белый» танец, Невежин и Поташев находились рядом. Они одновременно заметили, как с противоположной стороны к ним направилась Инна Березкина. Она была первой красавицей школы и мастером спорта по художественной гимнастике. Березкина уже не первый год входила в сборную Москвы. За стройность фигуры, да и за фамилию, которая так ей подходила, ее звали Березкой.

Под первые такты вальса Инна подошла к разговаривающим Поташеву и Невежину.

— Мальчики, — обратилась она к ним, — вы разрешите мне ненадолго прервать ваш серьезный разговор?

Поташев и Невежин вопросительно посмотрели на Березкину.

— Я хочу пригласить на «белый» танец... — мило улыбаясь, сказала она и посмотрела сначала на Невежина, потом на Поташева.

Березкина еще не успела произнести имя того, с кем хотела бы танцевать, а Эдуард Поташев уже сделал шаг навстречу и протянул Инне руку.

— Извини, Эдик, — улыбнулась она, — но сейчас я хочу пригласить Федю.

— Извини и ты, — ответил Поташев и помрачнел.

— Это же не последний танец! Мы с тобой обязательно станцуем следующий, — продолжая улыбаться, сказала Березкина и положила свою ладонь на предложенную Невежиным руку.

Поташев молча кивнул и отвернулся. А через

минуту он уже находился в соседнем зале, где большими глотками пил прохладную минералку прямо из горлышка.

Когда Эдик Поташев вновь вернулся в актовый зал, музыкантов на сцене он не увидел. Те устроили перерыв. В зале же зазвучала музыка, которую транслировал школьный радиоузел. Темп выпускного бала немного замедлился. Танцующих в зале поубавилось. Часть выпускников окружила праздничный стол, другие, уже не прячась от педагогов, устроили в коридоре перекур, но через две-три затяжки их все же заставили спуститься во двор. Кто-то переводил дыхание у открытых окон, кто-то приводил в порядок свой костюм или платье. Но Инны Березкиной и Федора Невежина среди них не было.

Спустя полчаса танцы возобновились, вернулся на сцену оркестр. Помня об обещанном ему танце, Поташев стал глазами искать Березкину. Но Инны среди танцующих не было. Не было и Федора.

Не желая отступать от поставленной перед собой цели — а намерение получить обещанный танец теперь стало для Эдуарда целью, — Поташев отправился на поиски.

— Ребята, вы Березку или Невежина не видели? — спросил он у группки спускавшихся с верхних этажей одноклассников.

— Видели. Мы вместе наверху были. С классом прощались!.. Наверное, там и застряли... Предаются воспоминаниям... Или присели на дорожку — Инка ведь уезжает на спортивные сборы...

Поташев молча выслушал предположения товарищей и отправился наверх, в свой класс, в котором ему уже не суждено больше учиться.

Подойдя ближе к двери, Поташев узнал голоса. Вернее, один голос — Федора. Дверь была приоткрыта, и это обстоятельство позволило Эдуарду бесшумно проникнуть внутрь. В классе стояла абсолютная темень. Только на фоне окна выделялись два силуэта: девушки, сидевшей вполоборота на подоконнике, и юноши, сидевшего за учительским столом.

Федор Невежин читал стихи.

— А это чьи? — спросила Березкина, когда Невежин закончил чтение.

— Мои.

— Вот уж не знала, что ты поэт!

— Об этом никто не знает.

— Значит, в число посвященных я вошла первой?

— Да, — коротко ответил Федор.

Наступила недолгая пауза.

— Подойди ко мне, Федя, — попросила Инна.

— Что? — тихо спросил подошедший Невежин.

— Помоги мне спуститься.

Федор протянул к Инне руки, и та, оттолкнувшись от подоконника, тут же оказалась в его неловких объятиях. Почувствовав под ногами пол, она обняла Федора и поцеловала. Потом, взяв его руку, подвела к ближайшему столу. Они сели рядом, как делали это в течение нескольких лет.

— Я никогда не забуду сегодняшнюю ночь, — с нежностью в голосе прошептала Инна.

— И я... никогда... не забуду, — эхом повторил Невежин.

— Ночь на двадцать шестое июня.

— Тысяча девятьсот семьдесят первого года.

— Семьдесят первого...

Они замолчали.

— Почитай еще что-нибудь свое, — нарушив тишину, попросила Инна.

— Хорошо.

И Федор Невежин начал читать стихи.

Поташев покинул классную комнату так же бесшумно, как и вошел в нее. Его появление осталось никем не замеченным. Также никем не замеченным осталось и то, что на этот раз тонкие губы Эдуарда были сжаты сильнее обычного.

— Вы назвали их отношения банальным словом «треугольник», — вздохнула старая учительница. — Нет, у них не кончилось, насколько я знаю, школьным балом. Ребята поступили — причем оба — в Институт народного хозяйства имени Плеханова, тот самый, который сегодня, говорят, является весьма престижным, хотя и носит в обиходе довольно неприличное прозвище «плешка». И учились они там прекрасно.

— Я смотрю, вы и после окончания школы держите бывших своих учеников в поле зрения? — одобрительно заметил Гордеев.

— А как же! Пока я жила в Москве, ко мне постоянно являлись в гости мои бывшие ученики. Да и родителей их я нередко встречала на улице. В метро, в магазине... Так что новости до меня доходили постоянно.

— И они также постоянно встречались с Инной? Значит, продолжали соперничество? Мне представляется, что Инна могла сильно повлиять на взаимоотношения Федора с Эдуардом, хотя они...

— Вы хотите сказать: повязаны материнским молоком? — улыбнулась Доброва. — Нет, вероятно, они встречались с девушкой, но до свадьбы, насколько мне известно, у них дело не дошло.

— А где сейчас эта Инна? С ней можно поговорить?

— Увы! — вздохнула Юлия Петровна. — После школы она поступила в физкультурный, чтобы стать дипломированным тренером по гимнастике. Вы, надеюсь, слышали о таком?

Гордеев кивнул.

— Однако Березкина этот институт не закончила. Она проучилась в нем несколько лет. Кажется, три года. А потом ее семья эмигрировала. Вам, Юрий Петрович, наверно, известно, что в начале семидесятых годов появилась первая волна еврейской эмиграции?

— Да.

— Так вот семья Березкиной и была одной из капель этой волны.

Доброва вновь сделала глоток чаю, жестом показав, что в горле у нее совсем пересохло.

— Дело в том, — продолжала она, — что мать у Инны еврейка, а отец — русский. А по еврейским законам национальность ребенка определяется по матери, в отличие от русских и, может быть, других. Поэтому для выезда семьи особых препятствий не было. Однако им все же пришлось ощутить на себе тяжелую лапу нашей тоталитарной, как нынче принято говорить, системы. В то время после подачи в ОВИР документов на выезд людей чуть ли не на следующий день выгоняли из партии, увольняли с работы, требовали выселения из государственных квартир. Люди в буквальном смысле оказывались на улице. Подобное произошло и с Березкиными... Вот тогда-то банальный треугольник, как вы сказали, и распался. Поташев, как мне говорили мои бывшие ученицы, немедленно отошел в сторону. Наверно, он испугался, что его светлое будущее может оказаться не столь светлым. Но его вполне можно понять. В то время следили не только за теми, кто уезжает, но и за теми, кто находится с ними в контакте.

— А как повел себя Невежин?

— Насколько я знаю, достойно. Он сильно переживал. Ведь у Феди и Инны была любовь. Первая для обоих. Да, после отъезда Березкиной Невежин долго переживал. Женился ли он после этого?.. Я не знаю. Но если вас, Юрий Петрович, интересуют подробности именно этого периода, то вам тогда просто необходимо поговорить с Леной Смирновой. Она была подругой Инны. Очень близкой подругой. Телефон этой девочки у меня есть... Лена по-прежнему живет в Москве, и вам, при желании, будет легко ее найти.

Когда Юрий Петрович Гордеев покидал квартиру заслуженной учительницы, проводить его вышли и Юлия Петровна, и приехавший в командировку бородатый Володя.

— Огромное вам спасибо, Юлия Петровна, — поблагодарил Гордеев хозяйку дома.

Учительница слабо улыбнулась.

— И вам, Володя, спасибо. Вы варите прекрасный кофе.

— Ну что вы, — смущенно сказал бородатый внук лучшей подруги учительницы.

Гордеев уже занес было ногу, чтобы переступить порог этого гостеприимного дома, как Юлия Петровна неожиданно остановила его, перекрестила и сказала: «Да хранит вас Бог!»

ТЕ САМЫЕ ПАРНИ

Вагон электрички, в котором ехал в Москву из Коломны Юрий Гордеев, был почти пуст. Кроме него там находилось еще несколько человек: двое засыпающих железнодорожников, возвращавшихся домой после рабочей смены, три говорливых тетки, закончивших на сегодня свою торговлю водкой на привокзальной площади и живо обсуждавших размеры таксы, которую необходимо платить вокзальным ментам, чтобы те не гоняли их с места на место, а, наоборот, охраняли от хулиганов-подростков и агрессивных бомжей, норовящих выхватить бутылку из слабых женских рук, девушка с белым бультерьером в металлическом наморднике и строгом ошейнике и сухонький старичок в потертом пиджачке с большим количеством орденских планок и каких-то памятных и юбилейных знаков.

Тусклое освещение не позволяло читать. За темными и пыльными вагонными окнами проносились редкие огоньки платформ и дачных поселков. Когда огоньки исчезали и за стеклами оставалась лишь ночь — электричка была одной из последних, — вагонные окна превращались в мутные зеркала, в которых можно было увидеть размытое отражение того, что происходило внутри вагона.

Внутри же вагона — от станции к станции — людей становилось все меньше и меньше. Бригада ревизоров уже давно провела проверку проездных документов, и потому можно было погрузиться в собственные мысли, не боясь быть потревоженным из-за какого-нибудь пустяка. Именно этим Юрий Гордеев и занялся, так как монотонный перестук колесных пар не отвлекал его от дум, а наоборот — позволял расслабиться и спокойно проанализировать полученную информацию, объем которой все увеличивался.

Вагонную сумрачную тишину нарушил очень громкий хохот. Вернее, это был даже и не хохот, а скорее дикое ржание необъезженных жеребцов, бьющих копытами землю. Юрий обернулся. «Жеребцов» было трое. Они только что вошли в вагон из тамбура и осматривались в поисках места, куда бы им сесть. К этому времени в вагоне остались лишь Юрий Гордеев да сухонький ветеран в потертом пиджачке. Все остальные пассажиры сошли на своих остановках.

Хотя вагон был, по сути, пуст, вновь вошедшие пассажиры почему-то направились в сторону ветерана. Двое из них сели напротив старика, а третий — рядом, на одной с ним скамейке.

За время, пока эта отнюдь не святая троица искала себе место, Юрий Гордеев успел оценить обстановку. Парни, каждому из которых было примерно лет по двадцать пять, явно искали объект для веселья, издевок, а может, и для драки. От них даже на расстоянии веяло холодком раздражения, напряжения и агрессии. Одежда их состояла из черных джинсов и черных же футболок, поверх которых были надеты черные кожаные жилеты. Коротко стриженные, с металлическими браслетами на запястьях и татуировками на плечах, с уже намечающимися брюшками. Они не спеша прошли мимо Гордеева, окинув его мутными насмешливыми взглядами. На ногах у них были высокие и тяжелые армейские ботинки. В руках — початые пивные бутылки, к которым они время от времени прикладывались. Пиво, как заметил по этикеткам Гордеев, было «Очаковское».

Обстановка стала накаляться не сразу. Сначала парни просто сидели и потягивали свое пиво и иногда перебрасывались отдельными ничего не значащими фразами. Слов Гордеев не разбирал и потому о теме их разговора мог только догадываться. Однако вскоре они начали жестикулировать. Их растопыренные пальцы все чаще и чаще оказывались у лица ветерана. А еще через какое-то время до Гордеева стали доноситься обрывки реплик. Тон беседы парней с ветераном становился все выше и выше.

— Скоро, старик, в России будет порядок, — говорил один из парней.

— Это какой же? — спросил старик.

— Железный! — сказал второй парень.

— Такой, который уже никогда не заржавеет, — добавил третий.

Троица засмеялась. Громко и дико.

— И кто ж его наведет? — поинтересовался старик.

— Мы! — заявил первый парень.

— А кто это мы? — переспросил ветеран.

— Мы — это мы! Я, — говоривший ударил себя в грудь, — Петька и Сивый! — разъяснил тот, который, скорее всего, и был главным в этой троице.

Старик промолчал.

Главный толкнул в бок своего соседа:

— Сивый, наведем порядок?

— Наведем! Еще как наведем! — подтвердил Сивый.

— Ох! И наведем же! — присоединился к ним третий.

— Так что давай, старик, выпьем за наш порядок, — сказал главный и протянул ветерану свою бутылку.

Ветеран отвел руку парня.

— Спасибо. Я не пью, — сказал он.

— Это же простое пиво, старик, — сказал второй. — Жидкий ячменный хлеб.

— А хлеб — всему голова, — добавил третий и постучал себя пальцем по лбу.

— Я и пива не пью, — объяснил старик свой отказ.

— Давай, старикан, не выпендривайся. Выпей! Или, может, ты против порядка? — удивился вдруг главный.

— Нет! Я за порядок, — сказал как отрезал старик.

— А может, тебе наше пиво не нравится? — задал коварный вопрос третий и, не дожидаясь ответа, продолжил: — Нам оно, кстати, тоже... не очень.

— А все почему, старик, знаешь? — спросил у ветерана главарь.

Старик благоразумно молчал. Он уже чувствовал, что этот разговор добром для него не кончится.

— А потому-у-у-у, — протянул тот же парень, — что если бы у тебя было поменьше наград, то мы сейчас пили бы «Баварское», а не вот эту мочу очаковскую.

— Вот этих вот самых, — сказал третий и сильно ткнул пальцем в грудь ветерана.

Старик попытался отбить руку, но это у него плохо получилось.

— Ну-ка дай сюда свои ордена! — заявил второй. Он наклонился к старику и резким движением руки сорвал орденские планки с пиджака ветерана.

— Фронтовики, снимите ордена! — пропел Сивый.

Парни расхохотались — громко и нагло. От радости застучали по полу своими подкованными ботинками.

Старик, у которого и без того был бледный вид, стал белее мела.

— Верни, подонок, — сказал ветеран тому, кто сорвал с него орденские планки. Он протянул руку за тем, что у него отобрали, но в это время главный с силой ударил его по вытянутой руке.

— Это кто же здесь подонок? — спросил он, вставая.

— Вы! Вы все, — ответил старик.

Юрий Гордеев, который следил за развитием событий, удивился такому отчаянному бесстрашию.

— Ну-ка повтори то, что ты сейчас сказал! — грозно потребовал главный.

Старик молчал, но это уже вряд ли бы помогло ему избежать физического столкновения с подвыпившими парнями.

— Ты что? Сразу язык проглотил? — грубо спросил третий и ткнул старика в плечо.

— А мы умеем развязывать языки! — ехидно заявил тот, который сорвал со старика орденские планки.

Все трое парней опять захохотали — угрожающе и беспощадно.

Видя, что события начинают принимать весьма серьезный и нежелательный оборот, Гордеев решил вмешаться. Он поднялся и вразкачку подошел к парням. Сказал миролюбивым тоном:

— Ну ладно, ребята, пошутили — и хватит. Верните дедушке то, что вы у него взяли посмотреть, и будем считать инцидент исчерпанным...

— Вали отсюда, защитничек! — грубо оборвал Гордеева Сивый.

Юрий не отреагировал на выпад.

— Человек он пожилой, — продолжал Гордеев. — У него инфаркт может случиться. А врачей поблизости нет. Жалко, если что...

— Тебе сейчас врач самому понадобится! — грозно крикнул главный.

— Или вам? — усмехнулся адвокат.

— Ладно, — сказал главарь, — придется начать с тебя.

Слегка опустив голову, он пошел тараном на Гордеева. Его замутненные глаза смотрели на Юрия из-под узкого лба, а пальцы рук были сжаты в огромные кулаки.

Гордеев стал понемногу отступать. Он хотел выманить этого негодяя из его логова, которым были две вагонные скамейки. В проходе было бы легче с ним разобраться. А то, что первым нужно нейтрализовать именно его, Юрий Гордеев знал наверняка.

Главарь, подняв кулаки на уровень лица, продолжал наступать. Его приятели, уверенные в своем лидере, с интересом наблюдали за происходящим, сидя на скамейках. Их наглые лица расплывались в садистском удовольствии.

Гордеев остановился. Со стороны могло показаться, что он не готов отразить нападение противника. Он и не был напряжен, и руки были опущены, а пальцы расслаблены.

Парень ухмыльнулся и приблизился к адвокату на расстояние вытянутой руки. Внезапно его огромный кулак мелькнул в воздухе. Но удар не достиг цели. Юрий успел нырнуть под его правую руку. В следующее мгновение левой — снизу — врезал противнику в челюсть. Громко клацнули зубы. В тусклом свете вагонных лампочек мелькнули подошвы тяжелых высоких ботинок. А еще через мгновение грозный с виду главарь с грохотом рухнул на заплеванный пол.

Видя, как поворачиваются события, приятели его тут же вскочили на ноги.

— Ну, гад!.. Держись! — закричал Сивый и, зажав в руке пустую бутылку, бросился на адвоката: — Петька, замочим суку!

— Замочим, — прошипел Петька. — Я его «розочкой» разукрашу!

Послышался звон битого стекла. Тот, которого звали Петькой, разбил свою бутылку о металлическую ручку вагонной скамейки. Теперь в его руке сверкало грозное оружие. Острые края отбитого горлышка были направлены против Гордеева. Впрочем, Юрий Петрович предвидел подобные действия.

Первым жалобно завыл Сивый. Перехваченная рука нападавшего была быстро завернута за его же спину, после чего последовал резкий рывок вверх. Хруст в локте совпал со звоном упавшей на пол бутылки. Гордеев отбросил ее ногой.

Третьему досталось больше всех. Юрий ногой — как его учили — выбил из его рук «розочку», однако это не охладило пыл недоноска. В руках у Петьки появился армейский ремень с тяжелой литой пряжкой. На нем до этого держались его джинсы. Парень намотал ремень на руку и ринулся в атаку. Он размахивал ремнем и старался попасть металлической пряжкой Гордееву в лицо. Он очень старался достать Юрия, но тот ловко уворачивался. Однако вскоре рука и этого нападавшего также была завернута за спину — с тем же хрустом, а два удара лицом о спинку вагонной скамейки успокоили его окончательно.

Когда с агрессорами было покончено, Гордеев заправил выбившуюся из-под ремня рубашку, отряхнул брюки и растер костяшки пальцев. Затем оглядел поле битвы. Главарь по-прежнему без движения валялся на полу. К нему только сейчас стало постепенно возвращаться сознание: нокаут оказался глубоким. Двое других скулили, сжимая покалеченные руки, и от взгляда Юрия старались поглубже забиться под лавки. Нападения ожидать было больше не от кого, и Юрий направился к старичку, который с изумлением наблюдал за происходящим.

По пути поднял с пола орденские планки и вернул их владельцу.

Ветеран тут же пристегнул колодку к пиджаку.

— Спасибо вам. Большое... нет... огромное вам спасибо, — поблагодарил старичок Гордеева. — Этих подонков, этих чернорубашечников нужно ставить на место!

Гордеев молча кивнул.

— Они теперь долго не будут высовываться, — успокоил его Юрий.

— Не знаю, что бы я без вас...

Однако старик не успел закончить. В вагоне неожиданно появился милицейский наряд. Стражей порядка было трое.

— Похоже, что это те самые парни? — предположил старший по званию — сержант.

Парни при виде милиционеров совсем скукожились.

— Приметы совпадают, — добавил второй, рядовой милиционер.

— Но кто их так разукрасил? — снова спросил сержант. — И вообще, что здесь произошло? — уставился он на спокойно сидящих на скамейке старика и Гордеева.

— Что-то между собой не поделили, — высказал догадку Юрий, пожав плечами.

— Неудивительно, — согласился старший наряда. — Ишь, сволота!

Милиционеры сначала надели наручники на главаря, затем с трудом подняли его и поставили на ноги. Двое его приятелей следом также ощутили на своих запястьях тяжесть стальных браслетов.

Когда постанывающих и всхлипывающих парней в черном выводили из вагона, выпрямивший спину ветеран Отечественной войны спросил вдогонку милиционерам:

— А что они такое натворили?

— Избили, сволочи, людей на станции, — ответил один из блюстителей порядка.

Было уже поздно, но Гордеев решил рискнуть. Позвонить. Кто знает, что способно принести утро!..

— Алло! Я могу я попросить к телефону Елену Дмитриевну? — сказал Гордеев в телефонную трубку.

— Одну минуточку.

В трубке повисла тишина.

— Смирнова у телефона. Я вас слушаю.

— Елена Дмитриевна, с вами говорит адвокат Гордеев. Я веду дело вашего бывшего одноклассника Федора Невежина.

— Да? И что же вы от меня лично хотите?

— Меня зовут Юрий Петрович.

— Юрий Петрович, — повторила она. — Но чем я могу вам помочь?

— Меня интересуют некоторые подробности о взаимоотношениях Федора Невежина и Эдуарда Поташева. Вы помните их?

— Конечно. Они же мои бывшие одноклассники! Вас что, интересует период их диссидентства?

— Диссидентства? Впервые об этом слышу.

— Да. Был такой период в их жизни.

— Расскажете?

— Это очень долгая история. А время, извините, позднее.

— Очень, говорите?

— Ну я могу вам, конечно, ее рассказать, но только дней через десять.

— А сейчас вы, вероятно, сильно заняты?

— Дело в том, что рано утром я должна уехать. Вернее, улететь. В восемь утра отбываю в Кельн. Там будет проходить международный симпозиум славистов. Я в списке почетных гостей. Выступаю с докладом. Ну а в Москву вернусь, как я вам уже сказала, через десять дней. Позвоните мне, и я обязательно найду время с вами встретиться.

— Хорошо. Я позвоню вам через десять дней. Жаль, конечно, что наш разговор не может состояться раньше.

— Мне тоже очень жаль. Федор — очень хороший человек. И я рада буду ему помочь. Но, к сожалению, должна уехать... Хотя...

— Елена Дмитриевна, вы хотите что-то сказать?

— Мне, Юрий Петрович, сейчас пришла одна мысль.

— Какая?

— Видите ли, в чем дело... Через несколько дней в Москву должен приехать один человек. Сам он проживает за границей. Давно уже. Но когда-то этот человек был хорошо известен в московских диссидентских кругах. Он известный художник. Его имя знают очень многие в мире. Хотя он и до отъезда из Союза был достаточно известен, но в основном в кругах ценителей неофициального искусства — как наших, так и иностранных. Так вот. Этот самый художник может вам, Юрий Петрович, подробно рассказать об интересующем вас историческом периоде. В то время по реке жизни — простите за метафору — мы все плыли в одной лодке. И я, и Федя, и Поташев, и этот художник, и многие другие.

— Кто этот художник?

— Его фамилия — Щербина, а зовут — Игорь.

— Минутку. Я возьму ручку.

Гордеев раскрыл свою записную книжку, достал ручку и стал заносить данные о художнике.

— Как его отчество?

— К сожалению, я не знаю. В то время мы были молоды и, естественно, общались друг с другом только по именам. Хотя Игорь Щербина был намного старше нас, но он тоже обходился без особого пиетета.

— А как мне его найти?

— Он остановится у своего друга-художника, которого зовут Александр Тиней. Вам, может быть, знакомо это имя?

Гордееву показалось, что он уже где-то слышал о таком модном художнике. То ли по радио, то ли видел его интервью по телевизору. Однако наверняка сказать, откуда именно ему известно это имя, Юрий не мог и потому ограничился кратким:

— Кажется, слышал.

— Запишите его телефон...

Гордеев записал телефонный номер Александра Тинея.

— Я предупрежу Сашу о вашем звонке. А он, в свою очередь, подготовит Игоря Щербину. Введет его в курс дела.

— Спасибо вам, Елена Дмитриевна, за содействие.

— Юрий Петрович, вы непременно должны встретиться со Щербиной. Он знает много интересного.

— Я обязательно ему позвоню... Вы знаете точную дату его приезда?

— Точной даты пока нет. Все зависит от того, насколько быстро Игорь уладит свои текущие заграничные дела. Но что через четыре дня он будет в Москве, это точно. У Щербины открывается здесь выставка.

— Все ясно.

— А вашего звонка, Юрий Петрович, я жду через десять дней.

— Хорошо, Елена Дмитриевна... Счастливого вам пути.

— Спасибо. До свидания.

Гордеев положил телефонную трубку и задумался. Все то время, пока он разговаривал с Еленой Дмитриевной Смирновой, его не покидало ощущение, что кто-то третий присутствует при их разговоре. И этот кто-то не пропускает ни единого слова. В трубке постоянно слышались посторонние шумы, которых прежде никогда не было. Эти шумы явно свидетельствовали о том, что домашний телефон Юрия Гордеева кем-то поставлен на прослушивание. Но кем? По чьему указанию? Этого адвокат не знал.

«Что ж, обратимся за помощью к Денису Грязнову. Пусть его специалисты проверят линию», — подумал Юрий Петрович и стал набирать номер телефона Грязнова-младшего. Однако уже на пятой цифре Гордеев аккуратно положил телефонную рубку на рычаг, а затем чисто по-мальчишески показал аппарату фигу. Мол, не дождетесь...

ЗАМАНЧИВЫЙ ПРОДЮСЕР

У Стеллы Рогатиной начался первый рабочий день, вернее, ночь после возвращения из отпуска.

Ресторан, в котором она пела, назывался «Золотая рыбка». Это московское предприятие общественного питания входило в число других ресторанов, которые составляли единую хорошо разветвленную сеть, опутавшую весь центр столицы. Куда уходили концы этой сети и кто их держал, знали лишь единицы.

Кроме «Золотой рыбки» в этих же сетях давно трепыхались «Золотая форель» и «Золотой налим», хлопали подрезанными крыльями «Золотой петушок» и «Золотой попугай», мучительно мычал «Золотой телец», звенел «Золотой червонец», а также ими были опутаны «Золотой Ибрагим», «Золотой таракан», «Золотой дракон», «Золотой век» и «Золотая лихорадка». То есть рестораны различной категории, или, говоря языком ювелиров, разной пробы.

Ресторан «Золотая рыбка» был по этому счету пятьсот восемьдесят пятой пробы и находился недалеко от станции метро «Тургеневская» и «Чистые пруды».

Обычно в ночь на воскресенье концертная программа в ресторане «Золотая рыбка» отличалась от ежедневной. Кроме штатных музыкальных работников ресторана — Стеллы Рогатиной и ее коллектива — в ночном шоу принимали участие и приглашенные артисты различных жанров, многих, кроме одного — скучного. На этот раз для ночного выступления были приглашены женская танцевальная группа «Виктория» и молодые симпатичные актеры театра «Боди», которые должны были представить посетителям ресторана отдельные номера из своего нового спектакля «Мужской стриптиз в полуночном экспрессе». Так как имена участников шоу-программы заранее рекламировались по радио и в прессе, свободных столиков в ресторане, естественно, не оставалось. Однако если кому-то из постоянных клиентов не хватало места, в зале появлялись дополнительные столики.

Стелла Рогатина уже спела все песни из своего ресторанного репертуара и по договору, существующему между ней и администрацией «Золотой рыбки», могла спокойно покинуть сцену, так как ее работа на этом заканчивалась. Однако в связи с тем что артисты, приглашенные для выступления, еще не были готовы, Стелла продолжала петь. Она исполняла песни, которые ей заказывали подвыпившие и подобревшие клиенты ресторана. Те подходили к краю сцены, говорили название песни либо отдельные фразы из нее и, получив согласие певицы, платили некоторую сумму одному из музыкантов. Определенной таксы не существовало. Деньги в конце рабочей смены делились поровну между всеми музыкантами. Такая практика была обычной для большинства подобных заведений. И, зная об этом, администрация ресторана закрывала глаза на этот побочный заработок своих музыкантов. Главное, как считало руководство «Золотой рыбки», чтобы клиент был доволен, а довольный отдыхом клиент рано или поздно непременно вновь посетит их ресторан.

Наконец Стелла увидела в углу зала ответственного за шоу-программу. Он только что вышел из гримерной комнаты, где одевались танцоры. Это был очень нервный худощавый парень среднего роста с длинными, до плеч, волосами. Обычно они у него были сальными. Но сегодня волосы были вымыты и словно распушены. «В баню сходил, что ли?» — подумала Рогатина.

Парень, поймав ее взгляд, скрестил поднятые над головой руки. Это был сигнал Стелле, что можно заканчивать выступление.

Комната, где музыканты и артисты переодевались, гримировались и отдыхали между номерами, находилась за сценой, рядом с кухней, в которую можно было проникнуть через отдельную дверь. В этой огромной комнате, служившей некогда для непонятных технических целей, не было ни перегородок, ни каких-либо ширм, а потому разделение на мужскую и женскую половины в данном помещении было условным. Просто в одном углу переодевались и наносили грим женщины, в другом — мужчины. При этом никто ни на кого не обращал никакого внимания: не было времени, так как многим из приглашенных артистов предстояло в течение ночи сменить не одну сценическую площадку. Ночная клубная жизнь в столице била ключом. За ночь артистам приходилось не раз пересекать город. Да и потом, творческий люд, уже давно привыкший к спартанским условиям кочевой жизни, видел условия и похуже.

Стелла сидела в кругу своих музыкантов и обсуждала с ними сегодняшнее выступление. Она, как организатор группы, строго подходила к совместным выступлениям и не позволяла никому расслабляться и халтурить. По сути, выступления в ресторане являлись для всего коллектива обычными репетициями, за которые им еще и деньги платили. Здесь, в «Золотой рыбке», готовился и обкатывался их репертуар, рассчитанный совсем на другую публику, которую в подобные рестораны не затащить и на аркане. А потому подхалтуривать позволялось лишь во время, как говорили сами музыканты, «концерта по заявкам».

«Разбор полетов» уже подходил к концу. Музыканты допивали баночное пиво и прятали инструменты в чехлы и футляры. Стелла Рогатина пила минеральную воду — негазированную, так как углекислота была вредна для ее голосовых связок. В это время в дверях появился Алекс, ответственный за шоу-программу.

— Стерра, Стерра! — закричал он и взмахнул руками, направляясь к Рогатиной.

Алекс не первый год занимался шоу-бизнесом. У него были определенные связи в этом мире. Несколько раз он съездил в Южную Корею и Грецию, куда отвозил певцов и танцевальные коллективы, которые обычно работали там по полгода. После этих поездок Алекс стал говорить о себе только в третьем лице и обязательно с приставкой «мистер». Настоящего имени этого парня никто не знал, да и вряд ли оно кого-нибудь интересовало. Скорее всего, в родной деревне, из которой он вырвался в столицу, его звали просто Алешей. Но в шоу-бизнесе многие брали себе псевдоним. И деревенский пронырливый, как коростель, Алеша, покрутившись в Москве, стал мистером Алексом.

— Стерра, — сказал Алекс, который категорически не выговаривал букву «л». — С тобой хотят поговорить.

За спиной размахивающего руками Алекса Стелла заметила высокого молодого мужчину. Этого человека она никогда прежде не видела. На нем были дорогие черного цвета ботинки. Синие джинсы держались на хорошем кожаном ремне, металлическая пряжка которого терялась в складках набивной хлопчатобумажной рубашки, плотно обтягивающей раскормленное брюшко. Приличный твидовый пиджак довершал гардероб незнакомца. Ухоженные и не очень длинные волосы были схвачены на затылке в короткую толстую кисточку — человек этот, по-видимому, лишь недавно начал отращивать волосы.

— Пожаруйста! — сказал Алекс, обернувшись к незнакомцу. — Вот вам Стерра Рогатина.

— Спасибо, — поблагодарил тот Алекса.

Алекс в ответ кивнул.

— Вы побеседуйте, а я побегу. Мистеру Арексу надо посмотреть, что происходит на сцене, — скороговоркой сказал он и покинул помещение столь же стремительно, как и вошел в него.

Стелла улыбнулась. Нервозная и дерганая походка Алекса всегда ее веселила. Мужчина тоже улыбнулся.

— Я Рюрик Халябов, — представился незнакомец.

Он вытащил из верхнего кармана пиджака визитную карточку и протянул Стелле. Рогатина взяла картонный прямоугольничек, осмотрела с обеих сторон и прочитала вслух то, что было на нем написано:

— «Продюсерский центр «Халябов и Сын». Организация концертов и гастролей. Звукозапись. Информационная поддержка. Тиражирование и оптовые поставки аудиокассет и компакт-дисков. Халябов Рюрик Самуилович. Генеральный продюсер».

Закончив читать, Стелла подняла глаза и с юмором посмотрела на Халябова. Его визитную карточку она положила на стол рядом с собой.

— Садитесь, — сказала она и откровенно улыбнулась, в упор разглядывая представителя «Халябова и Сына». — Разрешите для начала вопрос?

Он уселся на стул напротив нее и вежливо склонил голову.

— Готов развеять любые ваши сомнения.

— Даже не зная, о чем я хочу спросить? — откровенно уже засмеялась Стелла.

— Догадываюсь. Вас, вероятно, несколько смущает название моей фирмы? Почему «Халябов и Сын»? Причем последнее с заглавной буквы? — И, увидев ее удивление, закончил: — Не вы первая, Стелла... Дело в том, что Халябов — это мой папаша, которому я безмерно благодарен за то, что он в свое время произвел меня на свет. А сын, естественно, я. Основатель фирмы. Или, если вам угодно, продюсерского центра. Я ответил на ваш вопрос?

— Я в восторге.

— Отчего, позвольте спросить?

— От вашей проницательности. Ну а раз уж так получается, то я готова выслушать вас, Рюрик... — Стелла взглянула на визитку, — Самуилович. Чем же вызван ваш интерес ко мне?

— Называйте меня просто Рюриком.

— Как вам будет угодно.

— Стелла, мои сотрудники, они же и мои агенты, много о вас говорили. Они постоянно настаивали на том, чтобы я обязательно вас увидел... Ну и, естественно, послушал, как вы поете. Но к тому времени, когда я наконец выкроил на это время, вы ушли в отпуск. Кстати, как отдохнули?

— Спасибо. Отдыхом я осталась довольна.

— Судя по вашему загару, так оно и есть... Но вернемся к тому, ради чего я здесь. Сегодня я понаблюдал, как вы работаете. Послушал ваш репертуар. Увидел, как вы двигаетесь...

— И как же я двигаюсь?

— В общем, я остался доволен. Увиденным. Прошу меня правильно понять. Правда, вам придется немного поработать с хореографом. Немного со стилистом, который разработает ваш сценический имидж. Теперешний, на мой просвещенный взгляд, вам не совсем подходит... Ну а уж вашим репертуаром займусь я сам. Придется подключить толковых поэтов, композиторов, аранжировщиков. Известных и дорогих. И тогда через какое-то время вы действительно станете настоящей звездой. А вот имя мы менять не будем. Оставим то, какое указано в вашем серпастом-молоткастом паспорте. Ведь «Стелла», если я не ошибаюсь, в переводе на русский означает... э-э?..

— Вы правы. «Звезда».

— Ну вот видите!.. Так что псевдоним вам и не понадобится. Ваше настоящее имя очень звучное.

— Приятно слышать, — с легкой иронией заметила Стелла.

— Слушатели и зрители, которым предстоит вас обожать, боготворить и носить на руках, сразу и надолго должны запомнить новую звезду по имени Стелла! Представьте себе концертную афишу... На ней лишь одно слово, набранное броским шрифтом: «Стелла»! И никакой фамилии. Только имя. Стелла, Стелла, Стелла!.. Ваше имя будет, как стилет, вонзаться в сердца миллионов... молодых и пожилых!..

Халябов перевел дух.

Рогатина молчала.

— Я из вас сделаю... вторую Аллу Пугачеву! — воскликнул Халябов. — Или нет! Вторая Пугачева уже никому не нужна! Миру нужна только Стелла!

— Если я вас правильно поняла, вы хотите предложить мне сотрудничество, не так ли?

— Именно так! — с жаром подтвердил Халябов.

— И в чем же оно будет заключаться?

— Отныне наш центр «Халябов и Сын» будет вас продюсировать. Мы беремся за вашу раскрутку. Я надеюсь, что вы не собираетесь возвращаться на оперную сцену? Что вы там забыли?..

— Вы и об этом знаете?

— Я знаю о вас, уважаемая Стелла, многое, хотя далеко не все.

— Вот как?

— Да. Не удивляйтесь. Мы обязаны знать, во что вкладываем деньги.

— Во что? — переспросила Стелла.

— Извините. Я оговорился... Хотел сказать «в кого», естественно.

— Почему вы выбрали меня?

— Я уже вам говорил. Мои агенты. Они отличные эксперты.

Халябов внимательно и оценивающе осматривал Рогатину.

— Нас устраивают ваши вокальные данные, — сказал он. — Вполне устраивает ваша внешность: лицо, фигура, волосы, глаза. Ваша пластика. Теле- и фотогеничность. Я видел некоторые ваши фотографии. И ко всему перечисленному добавил бы еще одно немаловажное для нас качество. Положительное качество: вашу сексуальность или, если хотите, сексапильность.

— Вам так кажется?

— Да. Я просто уверен! А уж в этом-то я знаю толк. Можете мне поверить. С сексом у вас все в полном порядке... К тому же, насколько я знаю, вы не пьете, не курите, не употребляете наркотиков — ни легких, ни тяжелых. И вы трудолюбивы. А пахать, извините меня за это... выражение, но другого слова я сейчас не подберу, придется очень и очень много. Особенно на начальном этапе. Делать карьеру в шоу-бизнесе очень не просто. Хотя схема раскрутки — элементарна. Сначала сочиняем хит. Потом крутим его по радио. Затем снимаем видеоклип. Крутим его на телевидении. Пока крутится ваш клип, записываем в студии альбом. Рекламируем его. И одновременно с рекламой он поступает в продажу. Ну а потом: гастроли, гастроли, гастроли. На всю жизнь!

— Так просто? — скептически усмехнулась Стелла.

— Да. Если есть деньги, деньги и еще раз деньги. А они у меня есть. И я готов их в вас вложить.

— Рюрик, у меня к вам снова вопрос.

— Пожалуйста. Любой!

— Ваше предложение о сотрудничестве относится только ко мне одной или ко всей группе тоже?

— Интересный вопрос, как любят говорить наши политики.

— Надеюсь на столь же интересный ответ.

— Команду мы, естественно, подберем вам другую. Мне кажется, что ваши музыканты не очень вам подойдут... для карьеры. Для успешной карьеры!

— Что ж, ваша позиция мне ясна. А теперь выслушайте мою.

— Да?

— Я, право, еще не знаю... принимать мне ваше предложение или отказываться от него. Мне необходимо подумать, а для этого требуется некоторое время.

Халябов кивнул в знак согласия.

— Но одно я могу вам сказать уже сейчас, — продолжила Рогатина.

— Я внимательно слушаю вас, Стелла.

— Если я и буду с вами работать, то только вместе со всей моей командой. Это для меня принципиально.

— Что ж, и я обдумаю ваше условие. — Халябов провел рукой по своим волосам. — Скажу прямо, это вносит некоторые изменения в план наших действий. Но я думаю, что мы с вами найдем компромисс.

— Вполне возможно.

— Мы просто обязаны его найти!

Стелла улыбнулась.

— Надеюсь, что наша следующая встреча пройдет в более комфортных условиях, а не в таких, — сказал Халябов и обвел рукой помещение, в котором находился.

Комната, где проходил их разговор, напоминала цыганский табор, расположившийся в проходном дворе. В течение всей беседы в служебное помещение кто-то с шумом входил и выходил. Воздух здесь был тяжелый, пропитанный сигаретным дымом и запахами пота, духов и дезодорантов.

— Вы правы, — согласилась Стелла. — Но это рабочая атмосфера.

Халябов в ответ лишь улыбнулся.

— Позвоните мне, — сказал он.

Затем Рюрик Самуилович достал из внутреннего кармана своего пиджака авторучку, свинтил с нее колпачок. Блеснуло золотое перо. Халябов взял со стола свою визитную карточку и написал номер и вернул Стелле.

— Здесь мой мобильный, — пояснил он. — По нему вы всегда и сразу можете до меня дозвониться.

— Спасибо, — сказала Рогатина.

— Я буду ждать вашего звонка.

Халябов встал, давая понять, что разговор окончен.

Стелла протянула ему свою руку. Рукопожатие было... прохладным.

— Стелла, может, вас подвезти? — после некоторой паузы спросил Рюрик. — Я на машине. Где вы живете?

— Нет. Я доберусь на такси. А машины всю ночь дежурят у нашего ресторана. Караулят клиентов. Каждую ночь одни и те же водители. Мы их всех уже знаем по именам.

— Но меня... нисколько не затруднит.

— Спасибо, Рюрик. Но мы с ребятами обычно едем в одной машине, так как нам по одному маршруту. — Рогатина показала кивком в сторону музыкантов, которые сидели поодаль и не слушали, о чем разговаривала с незнакомцем солистка их группы.

— Тогда... до свидания, — попрощался Халябов.

— Всего вам доброго, — ответила певица.

Когда музыканты и Стелла выходили из служебного входа ресторана «Золотая рыбка», один из таксистов посигналил им фарами, давая понять, что его машина свободна. Певица села на переднее сиденье, а ее музыканты, потеснившись, уселись вчетвером на заднем сиденье. Водитель включил зажигание, и вскоре желтая «Волга» уже катила по свежевымытым и пустынным улицам, обгоняя ползущие вереницы поливальных машин.

Какое-то время за этим такси на приличном расстоянии следовала другая, такая же желтая с черными шашечками «Волга». Но на одном из перекрестков этот автомобиль свернул и, увеличив скорость, помчался в восточную часть Москвы. Там, над окраиной многомиллионного города, уже начал брезжить рассвет.

БЛЯХА НОМЕР...

Телефон звонил как проклятый, но Гордеев не реагировал.

«Кто бы это мог быть?» — подумал он сквозь сон.

На очередной, может быть уже десятый по счету, звонок Гордеев наконец ощупью нашел телефон и поднял трубку.

— Алло, — сказал он, но в ответ услышал короткие гудки.

— Не дозвонились, — вслух констатировал он и, положив телефонную трубку, откинулся на кровати.

Какое-то время Юрий с закрытыми глазами полежал на спине. Потом, когда его глаза открылись, он стал смотреть в потолок. Там, над люстрой, паук развесил свои живописные сети. Юрий сознательно не сметал эту паутину, хотя Стелла всякий раз, когда пыталась навести в квартире порядок, собиралась это сделать. И Гордеев постоянно ее останавливал, приводя самые невразумительные доводы.

Дело в том, что иногда по утрам, лежа в постели, Юрий любил рассматривать эту паутину. Она помогала ему сосредоточиться, так как напоминала о той жизни, которая протекала за порогом его уютной квартирки. Напоминала о том мире, где было полно кем только не расставленных сетей — видимых и невидимых. Это были и энергетические и коммуникационные сети, и рекламные сети торговцев товаром, и сети наркомафии, и сети милицейских облав, и даже схема Московского метрополитена тоже являлась сетью, в которой легко запутывались сотни тысяч приезжих, из которых хищный паук — мегаполис готов был высосать все живительные финансовые соки.

Нередко сети расставлял и сам Юрий Гордеев. Делать это он старался максимально искусно, и в его хитроумные адвокатские сети всегда кто-то попадался. Благодаря этому Гордеев выиграл уже не один, казалось бы, безнадежный процесс, отчего в среде коллег-адвокатов его считали весьма удачливым.

— Ладно. Пора вставать, — вслух произнес Гордеев и поднялся с постели.

Он сделал зарядку, принял душ и приготовил себе завтрак. Допивая кофе, Гордеев вновь вспомнил о разбудившем его телефонном звонке: «Кто же это мог быть?»

Юрий перебрал в уме многих из тех, кто был способен позвонить ему в такую рань. Но одних не было в данное время в городе, других — в живых, с третьими он давно уже не поддерживал никаких связей. Но то, что звонок был не междугородный, это Гордеев знал точно. Однако размышления адвоката были прерваны новым телефонным звонком.

— Да? — подняв трубку, сказал Гордеев.

В ответ на свой вопрос Юрий услышал знакомый голос Райского.

— Привет, — сказал Райский. — Я случайно не разбудил?

— Нет.

— А то я тебе сегодня уже второй раз звоню.

— Так это был ты?

— Да.

— Значит, все-таки разбудил.

— Тогда извини.

— Ни за что! Век буду помнить, — Гордеев рассмеялся. — Случилось что-нибудь?

— Есть новости.

— Какие?

— Странные.

— Ты это о чем?

— У меня на руках заключение эксперта из страховой компании.

— По поводу той аварии?

— Да.

— И что странного сообщил тебе эксперт?

— А то, что гайки, которыми крепилось оторвавшееся колесо, были изготовлены из некачественной стали. Такая сталь вообще не используется для изготовления крепежа. Она слишком мягкая. Даже термическая обработка не повышает ее твердости до необходимого уровня. Эксперт удивлялся, что мы проехали такое расстояние.

— Ты имеешь в виду расстояние от ресторана до места аварии?

— Да. Эксперт уверен, что резьба на гайках должна была сорваться гораздо раньше. Правда, кое-что зависело и от скорости автомобиля, и от количества совершаемых поворотов.

— Но ведь ты, Вадим, в тот день наездил намного больше километров, чем от ресторана до аварии.

— Да.

— Не странно?

— Вот поэтому-то я и сказал тебе, что новости у меня странные.

— Вадим, а не мог эксперт допустить ошибку? Такое ведь бывает.

— Бывает, конечно. Но эксперт уверен в результате экспертизы. На все сто процентов.

— А остальные гайки... на других колесах? Они из какой стали сделаны?

— Из хорошей. Из той, которая и должна быть.

— Вадим, не помнишь ли ты, сколько времени мы с тобой провели в ресторане?

Райский на какое-то время задумался, пытаясь вспомнить события того дня.

— Минут, наверно, сорок пять, — наконец неуверенно сказал он.

— А по моим подсчетам: минут тридцать пять — сорок. Разница невелика, так что будем считать, минут сорок твой «форд» оставался без присмотра.

— Верно.

— И за это время машину можно полностью раздеть. На запчасти. Не говоря уже о том, чтобы снять с твоего колеса качественные гайки и заменить их на другие — негодные.

— Но ведь машина находилась у всех на виду!

Гордеев хмыкнул.

— Но ведь, — передразнивая Райского, сказал он, — никто из прохожих не знал в лицо владельца «форда», то есть тебя... Да и стоянка никем не охранялась.

— Не только никем не охранялась, но и была запрещена!

— Кстати, и со знаком произошла не менее странная история, — задумчиво произнес Гордеев. — Я после того случая заезжал в этот ресторан еще один раз поужинать. Он называется «Синяя саламандра».

— Не знал...

— А они недавно установили вывеску.

— Но почему — синяя?..

— А почему — саламандра? — ответил вопросом на вопрос Юрий.

— Действительно, — согласился Райский.

— Так вот. Никакого знака, запрещающего стоянку, там не было. Я специально обратил внимание.

— Значит, тогда была инсценировка?

— Возможно...

— И бригада эвакуаторов была левой?

— Не знаю, Вадим. Но вот они-то уж точно могли не только заменить качественные гайки на бракованные, но и увезти весь автомобиль. Причем в неизвестном направлении.

— И не привлекли бы к себе ничьего внимания...

— Точно, — поддержал Вадима Гордеев.

— А как же тогда гаишник? Выходит, он тоже был липовый.

— Возможно, что так...

— Но как же его нагрудный знак?

— А вот он, вполне возможно, настоящий. Ты еще помнишь номер его нагрудной бляхи?

— Погоди, погоди... Дай-ка...

На другом конце провода наступило молчание.

— А ты, Юра, не помнишь? — после непродолжительной паузы спросил Райский.

— Да вот тоже пытаюсь вспомнить. Но лучше, чтобы и ты вспомнил. Для верности.

— Одна голова — хорошо, а две — лучше?

— Вроде того.

— Ладно. Вспомню — сообщу.

— Звони, — сказал Гордеев и положил трубку.

Он взял чашку и отхлебнул кофе, который давно

остыл и был неприятен на вкус. Гордеев поморщился и вылил его в раковину. Затем он стал мыть посуду и одновременно с этим пытался вспомнить номер, который был выбит на бляхе гаишника.

На свою память Юрий Гордеев не жаловался. Она у него была цепкая от рождения и справлялась с очень большим объемом информации, причем без каких-либо потерь. Однако Юрий не удовлетворялся только тем, чем его наградила природа, и для наилучшего запоминания пользовался методом мнемотехники, основанным на законах ассоциации. Вскоре из глубины его памяти стали всплывать отдельные цифры — одна за другой. И каждая из этих цифр у Гордеева с чем-то ассоциировалась.

Когда наконец все цифры номера были восстановлены, Гордеев, чтобы впредь больше из-за них не напрягаться, записал на листке бумаги. А еще минут через двадцать ему позвонил Райский.

— Вспомнил? — спросил Гордеев.

— Нет! — радостно ответил Райский. — Нашел в своей записной книжке. Оказывается, я его туда для надежности... Как знал, что пригодится!

— Читай.

Райский сообщил номер.

— Ты его верно записал? По-моему, последняя цифра — тройка, а не восьмерка.

— Да, у меня здесь как-то, понимаешь, неразборчиво. То ли тройка, то ли восьмерка. Наверно, спешил, когда записывал. А теперь не разберу.

— Ладно. Я попытаюсь проверить оба номера. По своим каналам.

— Через «Глорию»?

— И через «Глорию» тоже.

ОБОЛТУС ЩЕРБИНА

Игорь Щербина прилетел в Москву из Парижа, где теперь жил постоянно уже более десяти лет. Стоя в очереди к стойке паспортного контроля в аэропорту Шереметьево-2, вспоминал, как однажды, в прошлом уже, покидал этот же аэропорт и страну, которой больше нет ни на одной современной карте. Тогда его провожало много знакомого люда: художники, литераторы, пара модных фотографов, кинодеятели и музыканты. Большинство из них, вслед за Игорем, тоже покинули коммунистический «Титаник» и перебрались на Запад. Кто-то, как и он, — во Францию, кто-то — в Германию, кто-то — в США и Канаду, кто-то — в Австралию или в Израиль, который для многих стал всего лишь промежуточным пунктом, а кто-то — еще бог знает куда. Некоторые из его друзей и приятелей пробились и заняли свои ниши, иные спились или покончили с собой.

Нелегко поначалу было и Щербине, особенно в первый год его эмиграции. Париж — во все времена столица мирового искусства — не спешил принимать Игоря в свои объятия. Пришлось ему поскитаться по знакомым, снимать сырые подвалы и крохотные мансарды. Первый же галерейщик, который пообещал Игорю поставить его картины на продажу и организовать выставку в своем салоне, прогорел. В самом прямом смысле этого слова. Пожар уничтожил почти все работы Щербины, и Игорю пришлось начинать с нуля в условиях очень высокой конкуренции, потому что по количеству художников на один квадратный километр Париж всегда занимал ведущее место в мире. Но напористость, талант и некоторое везение помогли Игорю подняться. И через какое-то время его картины стали раскупаться, а в журналах по искусству о нем появились хвалебные статьи. А помог случай.

Однажды в тяжелую осеннюю пору, когда в карманах Щербины почти не было французских монет и нечем стало платить за снимаемую комнатушку, Игорь спустился с мансардного этажа своего дома на сырую парижскую землю. Дождь, внезапно перешедший из моросящего в мощный ливень, загнал голодного парня в ближайшее кафе, где Игорь заказал чашку кофе и круасан с шоколадом. Как видно, судьба в тот час смилостивилась над художником и подтолкнула его в промокшую спину сесть за столик, стоявший у огромного окна, которое больше походило на витрину. Вскоре напротив окна остановился хорошо одетый пожилой господин. Над ним был раскрыт большой клетчатый зонт, и дождь ему не был помехой. После некоторого раздумья этот господин вошел в то же кафе и, подойдя к столику, за которым сидел нищий Щербина, сказал:

— Здравствуйте, Игорь.

Это был бывший бессарабский помещик, а ныне канадский миллионер и меценат Олег Витальевич Булгак, который в свое время, будучи в Москве, купил несколько картин Щербины — ему понравилась творческая манера этого художника, его чувство цвета и композиции.

С того знаменательного дня фортуна повернулась к Щербине лицом, с которого уже никогда не сходила улыбка. Булгак купил у художника сразу восемь картин. Его денег хватило Игорю, чтобы больше не опускаться на илистое дно парижской жизни, а писать, писать и писать. Авторитет Булгака и талант Щербины стали постаментом успеха. Париж признал русского художника.

Пробираясь сквозь плотную толпу встречающих, Щербина услышал объявление — по внутренней трансляции аэровокзала:

«Господина Щербину, прибывшего рейсом из Парижа, просят подойти к справочному бюро».

Возле справочного его ожидал Александр Тиней — давний друг и коллега.

— Сашка! — заорал Щербина.

— Игорь! — воскликнул Тиней.

Друзья обнялись и по обычаю трижды расцеловались. Затем стали пристально рассматривать друг друга.

— Ты что, в парике? — спросил Тиней у Щербины, который, покидая СССР, уже был довольно-таки лысым.

— Нет. Мои... собственные.

Щербина дернул себя за волосы.

— Это как же? — недоверчиво спросил друг.

— Несложная операция. Метод пересадки. С затылочной части. Каждый волосок в отдельности...

— Надолго?

— Пожизненная гарантия!

— Да-а-а, — протянул Александр.

— Что — да?

— Ты изменился, — не то спросил, не то констатировал Тиней.

— Только в этом, Сашка, только в этом. —

Игорь похлопал себя по макушке. — В остальном я все тот же оболтус!

— Тогда что ж мы здесь торчим?! — обрадовался Александр. — Поехали кутить! Цыгане ждут!

Когда Юрий Гордеев вошел в квартиру Тинея, где остановился Щербина, увидел в коридоре длинную батарею пустых бутылок из-под импортного пива, отечественной водки и в основном хереса — испанского и молдавского. Бутылки стояли вдоль одной из стен, оставляя достаточный проход.

В комнате, куда его проводил хозяин квартиры, было накурено и неубрано. Повсюду разбросаны предметы одежды — большинство с иностранными ярлыками. В дальнем углу валялся распахнутый дорогой кожаный чемодан, на подоконнике лежала груда итальянских карандашей, мастихинов и кистей всевозможных размеров и форм, одна на другой высились коробки с масляными и акварельными красками, цветными мелками, сухой и жирной пастелью, углем и сангвиной, стояли банки с пихтовым маслом и терпентином. На стенах висели натянутые на подрамники холсты без рам. Картины были написаны маслом и в разной манере. Некоторые из них, вероятно, принадлежали кисти Александра Тинея, а другие — творчество его приятелей.

Окинув комнату взглядом, Гордеев засомневался: получится ли у него разговор с Игорем Щербиной или нет. Судя по всему, здесь гуляли долго, шумно и с большим усердием.

— Не волнуйтесь. Фази, я имею в виду Щербину, уже в форме, — как бы угадав мысли гостя, сказал Тиней. — Игорь бреется и скоро предстанет перед вами. А за легкий беспорядок извините. Мы готовимся к вернисажу. Сегодня у Игоря открывается выставка. Событие, как вы понимаете, торжественное, ответственное и немного нервное, а в нашей стране — и вовсе редкое. Я бы даже сказал, что это его первая официальная выставка. «Спустя годы мировая слава художника Игоря Щербины наконец-то докатилась и до его родины». Так написано во вступительной статье к его каталогу. Это Ирочка Сапожникова постаралась. Искусствовед, каких еще поискать! Хотите посмотреть каталог?

Не дожидаясь ответа, Тиней наклонился и вытащил из разорванной пачки свежеотпечатанный каталог.

— Спасибо, — сказал Гордеев и стал рассматривать репродукции картин Щербины.

Листая каталог, Юрий понял, какой запах вместе с табачным дымом щекотал его ноздри. Это был запах свежей полиграфической краски.

Все то время, пока Гордеев находился в квартире, до него доносилась музыка, шум льющейся воды и звон посуды. Эти звуки доносились из кухни, где, по всей видимости, кто-то наводил после бурных гулянок порядок.

— А вот и я! — услышал позади себя Гордеев. — Извините, что заставил ждать.

Гордеев обернулся. Игорь Щербина был тщательно выбрит и хорошо пахнул, явно чем-то французским.

— Может, пройдем на кухню? — предложил Тиней после того, как Гордеев и Щербина обменялись рукопожатием. — Там наверняка уютнее.

На кухне действительно было хотя бы чище. Их встретила стройная и интересная женщина. Она протирала цветным полотенцем вымытую посуду и расставляла ее в подвесном кухонном шкафу.

— Это Юрий Гордеев. Адвокат нашего друга — Феди Невежина, — представил женщине гостя Игорь Щербина.

— А это — Каролина. Моя половина, — в свою очередь представил женщину Александр Тиней.

— Каролина — моя половина! Тиней, да ты поэтом стал!! — удивился Щербина.

— С такой женщиной и бревно станет поэтом, — парировал Тиней.

— Ну вот, не успел приехать, а уже чувствую в ребрах острый локоть друга, — усмехнувшись, заметил Щербина.

— Не обращайте на них внимания, — сказала Гордееву улыбающаяся Каролина. — Художники как дети.

И, повернувшись к Щербине, она закончила:

— Конец цитаты!

— Это фраза моей жены, — пояснил Щербина.

— Садитесь, Юрий, — сказала Каролина. — От этих оболтусов вы приглашения не дождетесь.

Тиней и Щербина виновато опустили головы.

— Кофе нальете сами, когда сварится. А я пойду займусь комнатой. Здесь я уже навела порядок, — сказала Каролина и покинула кухню.

«Очень хороша!» — отметил про себя Гордеев и сел на свободную табуретку.

Щербина приглушил стоявший на подоконнике переносной магнитофон. В кухне стало тихо, и они услышали, как в электрической кофеварке булькает кофе.

— Эдик, как у тебя со временем? — спросил Невежин.

— А в чем дело?

— Есть предложение посетить мастерскую одного очень талантливого художника. Сегодня у него день рождения и там будет много интересных людей.

— Но я с ним не знаком.

— Вот и познакомишься.

— Но меня никто не приглашал.

— Ерунда. К нему можно и без приглашения. Тем более со мной.

— Опять же без подарка...

— Эдик, я не знал, что ты такой зануда! Купим вина. Это лучший подарок.

— Ин вино веритас?

— Именно. «Истина в вине» — это одна из его любимых крылатых фраз.

— И моя тоже.

— Вот видишь. Ты уже заочно вписался в его круг. Если у тебя нет никаких дел, не упрямься. Идем, там будет интересно, не пожалеешь.

С бутылками портвейна, завернутыми в газету «Вечерняя Москва», они вошли в единственный подъезд бетонной высотки, стоявшей одинокой свечой среди подрастающих новостроек в районе Чертанова.

Поднявшись на последний жилой этаж, преодолели еще два лестничных пролета и остановились у двери, обитой оцинкованной жестью. Из-за нее слышались голоса и звуки музыки. Рядом с дверью располагалась кнопка звонка, под которой висела табличка с надписью: «Звонить или стучать».

— Лучше стучать, — сказал Невежин. — Все, наверно, на крыше. А звонок слышен только в мастерской.

После непродолжительного, но настойчивого стука дверь открыла невысокая блондинка.

— Проходите! Виновник торжества сейчас явится. А мне нужно еще кое-кого встретить, — приветливо сказала она и стала спускаться к лифту.

Войдя в дверной проем и сделав несколько шагов, Поташев понял, что оказался на крыше. Она была плоской и выложена квадратной бетонной плиткой. С трех сторон ее ограждал невысокий — сантиметров сорок — парапет. С четвертой — стена технического этажа, в нескольких помещениях которого и находилась мастерская художника. На крыше было уже достаточное количество людей. В руках многих из них были стаканы с жидкостью разного цвета и крепости. В центре площадки стоял металлический ящик, в котором сгорали небольшие поленья. Рядом с этим костром длинноволосый парень нанизывал на шампуры кусочки мяса, которые вытаскивал из алюминиевой кастрюли, явно одолженной в ближайшей столовой.

— Сейчас шашлык делать будем! — увидев вопросительный взгляд Поташева, сказал парень с деланным кавказским акцентом и уже без акцента добавил: — Минут через сорок будет готов. Подходи.

Поташев поискал глазами Невежина, но нигде не увидев, подошел к парапету, который едва доходил ему до колена, и посмотрел вниз — падать, если что, пришлось бы метров семьдесят.

— Ну как? — неожиданно услышал он за своей спиной. — Нравится?

Эдуард обернулся. Рядом с ним стоял Невежин.

— Да как тебе сказать, — неопределенно пожал плечами Поташев. — В общем-то... да.

— Я так и думал, что тебе здесь понравится. Но идем, я представлю тебя хозяину, — сказал Невежин под радостное улюлюканье гостей, сосредоточившихся в центре площадки. — Сейчас ты его увидишь.

Под крики «Браво, Фази! Браво, Фази!» Эдуард Поташев увидел художника, который выходил из дверей мастерской. Это был мужчина среднего роста с намечающимся брюшком и светлой гривой длинных, но уже редеющих волос. Его улыбающееся лицо обрамляла небольшая бородка. На вид ему было лет тридцать пять. Движения отличались легкостью и энергичностью. Он был одет в потертые синие джинсы и тонкий белый свитер с красной стеганой жилеткой, напоминавшей лоскутное одеяло из какого-нибудь краеведческого музея. Упругой походкой он вышел в центр площадки.

— Друзья мои! — начал он под аплодисменты гостей. — Я не буду утомлять вас приветственной речью. Я просто скажу, что очень рад всех видеть и слышать. А по случаю дня моей очередной годовщины приказываю вам веселиться. Вы готовы?

— Всегда готовы! — хором ответили все присутствовавшие на крыше люди.

В руках у гостей появились бутылки с шампанским. С них начали снимать фольгу и проволочные уздечки.

По чьему-то невидимому знаку все шампанское было одновременно и с шумом откупорено. В то же мгновение с крыши технического этажа в воздух взлетели сигнальные и осветительные ракеты, последние еще долго спускались на парашютах разноцветными шарами.

— Такое на его днях рождения происходит ежегодно, — сказал Невежин удивленному Поташеву. — Фази умеет удивлять. Ты в этом скоро убедишься... Когда увидишь его работы. В мастерской лишь небольшая часть — многие в частных коллекциях, в том числе и за границей. Самого его туда не пускают, но и здесь не трогают. Из-за жены. Она дочь маршала...

Федор назвал фамилию известного советского военачальника и показал на невысокую блондинку. Это была та самая женщина, которая открыла им дверь.

— Фази... Странное имя. Ты не находишь? — поинтересовался Поташев.

— Это не имя или, вернее сказать, его второе имя — для своих. На самом же деле его зовут Игорь, но все друзья предпочитают называть его Фази. Идем, пока он свободен. Фази сегодня нарасхват.

Однако со знакомством им пришлось повременить. Группа хорошеньких женщин взяла виновника торжества в кольцо и долго не выпускала. Когда их силы иссякли и они отступили, лицо художника — все в губной помаде — напоминало авангардистское полотно, достойное любой выставки современного зарубежного искусства.

— Фази, — обратился к владельцу мастерской Невежин, — позволь представить тебе моего друга детства. Эдуард Поташев.

Поташев пожал протянутую руку.

— Игорь... Щербина, а для друзей просто Фази, — улыбнулся художник и добавил: — Извините, мне теперь нужно смыть грим. А ты, Федор, можешь показать гостю мою мастерскую.

— Есть что-то новенькое?..

— Кажется, есть, — засмеялся художник.

Его мастерская состояла из нескольких помещений, и в ней действительно было на что посмотреть. Таких картин Поташев еще не видел. Он удивленно озирался. Его взгляд то задерживался на каком-нибудь полотне, то перебегал с картины на картину. Эдуард многого не понимал, но шестое чувство подсказывало ему, что это действительно здорово написано. Поташев подошел к мольберту, на котором также стояла картина, и стал внимательно ее рассматривать.

— Она еще не закончена, — услышал он за спиной голос художника. — Но уже продана. Уйдет за границу. На Запад.

— Интересная.

— Не то слово... Гениальная! — сыронизировал Щербина.

— А те какие-то другие, — сказал Поташев и показал на три картины, стоявшие на полу в дальнем углу.

— Это не мои. Их писал Сашка Тиней. Называются «Летчик», «Доктор Фауст» и «Каролина». Мы с ним вместе учились. Он живет в Кишиневе. В Москве бывает наездами. Талантлив. Но провинцию не покидает. Зову сюда, зову. Тяжел на подъем. Влюбился, наверное. Они тоже проданы. Их и мою — эту, что сохнет, — купил канадский миллионер. Булгак его фамилия. Слышали о таком? Нет? И я прежде не слышал. Бывший бессарабский помещик. В годы войны бежал от Красной армии. И правильно сделал. Иначе бы занимался своим земледелием где-нибудь в Сибири. А так живет себе в Канаде и торгует зерном. Сюда прилетел заключать договор на поставку пшеницы.

— Пшеницы? — удивленно переспросили Невежин с Поташевым.

— Пшеницы, — подтвердил Щербина. — Довели Россию! Пшеницу закупать стали. Прежде всю Европу ею кормили. А теперь не хватает. За океаном закупать стали. Ну ничего, Запад нам поможет! Ладно, идемте на свежий воздух. Глотнем свободы.

Художник и два его гостя вышли на крышу. Там уже вовсю веселился народ — каждый по-своему. Одни танцевали модный рок-н-ролл, другие громко подпевали голосам ливерпульской четверки, третьи тихо напивались, четвертые ждали, когда приготовят шашлык.

— Ну как вам мой пентхаус? — спросил Поташева Щербина.

— Что? — не поняв, переспросил Эдуард.

— На Западе такая площадка, — художник обвел рукой крышу, — называется пентхаус.

Поташев понимающе кивнул.

— Вы что-нибудь знаете о Западе, кроме того, что он загнивает?

Эдуард пожал плечами.

— А о Союзе, кроме того, что он процветает?

— Лишь то, что в газетах.

— Эти бы газеты да сразу бы в клозеты! — сказала подошедшая к ним жена художника, о которой уже говорил Эдуарду Невежин, и звонко рассмеялась.

— Очень точная рифма, Бельчонок. Тебе пора писать стихи, — отметил Фази и представил блондинку: — Знакомьтесь, моя жена.

— Эдуард Поташев.

— Ирина, — женщина улыбнулась Поташеву и добавила: — Не слушайте его. Он сделает из вас диссидента, а потом вас посадят.

— Не накаркай! — оборвал ее Щербина. — Займись лучше гостями.

— Милый, гости ждут шашлыков.

И именно в этот момент, как бы услышав их разговор, длинноволосый парень поднял вверх руки. В них он держал металлические шампуры, на которые были нанизаны кусочки сочащегося мяса. Парень радостно закричал:

— Готовы! Фази, они готовы!

— Ура! Они готовы. — Щербина подпрыгнул насколько мог. — А вы готовы? — обратился он к гостям.

— Всегда готовы! — ответил смешанный хор голосов.

— Эти художники — истинные оболтусы, — констатировала Ирина.

— Поторопитесь! — позвал художник. — А то не достанется!

После нескольких глотков ароматного кофе Игорь Щербина рассказал Гордееву, что после той, первой встречи Поташев стал появляться в его мастерской все чаще и чаще. Сначала он был как бы при Невежине, и они заходили только вдвоем, но потом он зачастил и сам. Постепенно Эдуард становился своим человеком в среде людей, окружавших Щербину в ту застойную пору. Тогда же, собственно, и началась журналистско-литературная карьера Поташева.

— Начинал он с коротких заметок в институтской прессе, но вскоре стал печататься и в московских газетах. Сначала это были обычные информашки типа «что? где? когда?». Ну и так далее и тому подобное. Все в этом роде. Чуть позже он и Невежин стали писать фельетоны на злобу дня. Если не ошибаюсь, для «Московского комсомольца» и «Вечерней Москвы». Пару раз у них что-то вышло даже в самом «Крокодиле».

— Они печатались под своими фамилиями? — спросил Гордеев.

— Нет. У них был псевдоним: Леонид Эпотажин.

— Из двух фамилий слепили одну?

— Да. В то время это неплохо звучало. Как раз для фельетонов.

— А как они писали? Каждый по абзацу?

— Не знаю. Они мне не раскрывали своих секретов. Но тем не менее в этой паре всегда был лидер.

— Расскажите об этом.

— Поташев при каждом удобном случае старался показать, что в их дуэте главный именно он, а не Федор.

— А как на это реагировал Невежин?

— Невежин? — переспросил Щербина и задумался. — Да никак! Не обращал на это никакого внимания. Ему было наплевать. Для него важен был сам процесс созидания, а не конечный результат. Это как в том анекдоте про детей, помните?..

— Нет. Расскажите.

— Спрашивают у одного пожилого богатого, но бездетного господина: «Почему у вас до сих пор нет наследника? У вас с этим проблемы? Или вы просто не любите детей?» — «Детей? — переспрашивает господин и отвечает: — Нет!!! Но сам процесс...»

— Вспомнил, — засмеялся Гордеев.

— Так вот, — продолжил художник, — и для Невежина, как в анекдоте, был важен сам процесс, а не конечный результат. Но... — Щербина многозначительно замолчал. — Но истинным лидером в этой паре был конечно же Федя Невежин. Он оставался так называемым теневым лидером. Он вырабатывал идеи, находил темы для фельетонов... И... И у него к тому же были жесткие принципы.

— А у Поташева принципов разве не было?

— У Поташева они тоже были, но немного другие и, я бы сказал, не столь незыблемые. Эдик всегда держал нос по ветру, что, впрочем, являлось неплохим качеством для фельетониста. Ведь писать приходилось на злобу дня.

Щербина налил себе еще чашку кофе.

— Нужно как следует взбодриться. Сегодняшний вечер для меня очень напряженный. На вернисаже будет много прессы, искусствоведов, коллекционеров, да и просто старых друзей, — объяснил Игорь. — А вам налить?

Гордеев отрицательно помотал головой.

— На сегодня я свою норму уже выпил, — сказал он.

— Так вот, — вновь продолжил свой рассказ Щербина, — однажды Невежин предложил своему другу Поташеву — а в то время они были очень близкими друзьями — написать книгу. Книгу о становлении рынка и демократии в Советском Союзе. Не художественную книгу, а научно-финансового характера. Поташев согласился. И ребята сели за работу... А через полгода рукопись книги была готова. Но в бывшем СССР ее не напечатали.

— Почему?

— Наверно, пришлась не ко времени... или не ко двору. Какое-то время рукопись кочевала по редакциям журналов и разным издательствам. Но ее нигде не принимали. Никто не решался брать на себя ответственность. Даже отрывки не хотели печатать.

— А вы сами-то читали эту книгу?

— Да! Еще в рукописи! В то время ее действительно ни за что бы не напечатали.

— А кто-нибудь еще ее читал, кроме редакторов.

— Конечно! В нашем кругу ее прочитали почти все. И она многим понравилась, хотя и была спорной. Крамольного в ней было немного, но тогда, если помните, любая самостоятельная мысль уже являлась крамолой.

— Да, вы правы, — согласился Гордеев.

— Поняв, что в СССР эта книга никогда не будет напечатана, ребята очень расстроились. Все же старались, работали... Тогда кто-то из наших, кто был постарше и поопытнее их, напомнил авторам, что кроме СССР в мире есть и другие страны.

— И что же?

— Ребята намек поняли. Подумали хорошенько,

так как знали, что за этим может последовать, и решились. Короче, мы по своим каналам переправили эту рукопись на Запад. В Германию. Тогда она еще называлась ФРГ. А русское эмигрантское издательство «Посев», что находится во Франкфурте-на-Майне, ее издало. Книга вышла в свет очень быстро, так как на Западе оказалась как раз ко времени. Многие тамошние газеты и журналы откликнулись на ее выход. Особенно русские. Поместили заметки, опубликовали критические и аналитические статьи западных экономистов. Книга имела огромный успех. Ее перевели и издали, кажется, в двенадцати странах. Естественно, не социалистического лагеря. Так что резонанс был огромный. И не только на Западе. Но и на Востоке — в СССР. Я думаю, что вы догадываетесь, какой именно.

— Могу себе представить, — сказал Гордеев.

— Думаю, что не можете, — усмехнулся Щербина. — Это нужно испытать на собственной шкуре. И ребята испытали... После выхода книги их стали у нас считать диссидентами. Со всеми вытекающими последствиями.

— Они попали в опалу? — спросил Гордеев.

— Разумеется.

— Их, наверно, стали прорабатывать на всевозможных собраниях — комсомольских, профсоюзных, партийных...

Щербина засмеялся:

— Если б только это! Но после цветочков, каковыми явились эти собрания, нужно было ожидать ягод. И они посыпались!

— Что вы имеете в виду?

Щербина ответил не сразу. Он поднялся со

своей табуретки, постоял у окна, рассеянно глядя на летнюю пыльную улицу, которую орошали поливочные машины. Среднего роста, в тонких льняных серых брюках и модной шелковой рубашке.

— Невежину и Поташеву собирались пришить статью, — пояснил Игорь.

— Какую?

— Семидесятую. Сейчас ее уже нет в Уголовном кодексе.

— Это за антисоветскую агитацию и пропаганду?

— Да.

— Над ними был суд?

— Нет. До суда дело не дошло. Правда, ребят все же потаскали в КГБ. Провели разъяснительную работу... — Щербина вновь сел на свое место и продолжил: — В бывшем СССР, я думаю, это вам известно, инакомыслящими занималось Пятое управление КГБ. Люди из этого ведомства очень интересовались молодыми, талантливыми и перспективными экономистами. А то, что Поташев и Невежин были талантливыми, это они хорошо знали. Я думаю, что кагэбисты прочитали их книгу от корки до корки. И не только из служебной необходимости. В общем, ребята остались на свободе, и им даже позволили продолжать учебу. Но в опале они все же оказались. Зато, — бодро сказал Щербина, — они познакомились и сошлись с известными правозащитниками и оппозиционерами советскому тоталитарному режиму. А среди них было много достойных людей. — Это предложение Игорь Щербина произнес с некоторым сожалением. — Многие из которых потом были высланы или отправлены в лагеря.

Щербина снова замолчал, ненадолго уйдя в себя.

— Но, оказавшись в опале, — сказал Гордеев, — они все же сумели получить степень кандидатов экономических наук?

— Да. Как я вам уже говорил, в Пятом управлении интересовались талантами. Их вели, ими занимались. Кого-то кагэбисты наверняка вербовали и склоняли к сотрудничеству... Об одном таком таланте, я уже тогда был на Западе, мне как-то рассказал один знакомый чекист-перебежчик. Сейчас этот перебежчик популярный писатель. Пишет книжки, — Щербина усмехнулся, — в которых потихоньку сдает миру своих бывших коллег, раскрывает тайны подковерной внутридворцовой борьбы за власть, ну и так далее. В его будущей книжке будет фигурировать невымышленный персонаж — агент по кличке Плеханов. Талантливый экономист и непревзойденный стукач, сдавший органам немало достойных людей. И персонаж этот, и его кличка, как утверждает мой знакомый писатель, не вымышленные, а настоящие... Я хорошо помню ту прокатившуюся волну арестов и вызовов для бесед на Лубянку. Тогда ряды моих друзей и знакомых сильно поредели. За короткое время... В лицо этого стукача знали лишь единицы из высшего эшелона КГБ.

— А этот ваш знакомый — писатель — его знает?

— Только по донесениям, которые проходили через его руки. Ему даже неизвестно, мужчина это или женщина.

— Вот как?

— Да, — вздохнув, ответил художник.

Щербина отпил немного кофе и погрузился в свои воспоминания. Он молчал. Молчал и Гордеев. На кухне повисла тишина прошлого, которую нарушали только детские крики, раздававшиеся за окном, да легкие женские шаги в соседней комнате. Через какое-то время в кухню залетела оса, своим жужжанием вернула Игоря в настоящее, и он продолжил рассказ:

— После волны арестов мне стало не хватать «воздуха интеллектуальной свободы», то есть моих товарищей. Меня-то самого не трогали — из-за жены. Из-за Ирины. Она была дочерью известного военачальника. Он тогда еще был жив и обладал определенным весом и нужными связями. Но кольцо понемногу сжималось. Выставок у меня не было. Даже коллективных. Из Союза художников исключили. Повод был пустячный — драка в Доме журналистов, в ресторане. Дал по морде одному гаду — стукачу поганому. Мастерскую собирались отбирать... Вот тогда я и решил для себя, что хватит. Пора уезжать за бугор. Но как? Зять героя войны не мог просто так эмигрировать. Это был бы позор для страны. А разводиться с женой я не собирался. Что делать? Вечный русский вопрос! Тогда я собрался бежать. В Турцию. По Черному морю в надувной лодке. Даже съездил туда на разведку... Но вскоре западные голоса подняли из-за меня шумиху. Как художника меня там уже знали. После этого мне позвонили и пригласили зайти в ОВИР на беседу. А еще через неделю я уехал.

Щербина вновь на время замолчал. На очень короткое время.

— Да что это я все о себе да о себе, — спохватившись, сказал Игорь.

— Опомнился, Фази? — с легкой дружеской иронией сказал Александр Тиней, который до этого не проронил ни слова.

— Извините, — сказал Щербина.

— Ну что вы. Мне интересно все, — успокоил художника Гордеев.

— Что вас еще интересует? — спросил Игорь. — Спрашивайте.

— Скажите, после вашего отъезда из СССР вы поддерживали взаимоотношения с Невежиным?

— Иногда посылали друг другу весточки, а если и говорили, то только по телефону. Звонил обычно я. Ну а в гостях он у меня не был. Давно мы с ним не виделись. Ведь мой нынешний визит в Россию для меня первый... после отъезда.

— А с Поташевым? С ним встречались?

— С Поташевым мы однажды виделись. В Париже. Он был там по своим коммерческим делам. Зашел и ко мне, в мою мастерскую. Поболтали. В тот день у него было отчего-то приподнятое настроение. Но думаю, что не только из-за нашей встречи, а скорей всего, из-за удачно совершенной сделки. Что-то связанное то ли с нефтью, то ли с лесом. Точно не помню. Но еще выше его настроение поднялось, когда он в моей парижской мастерской познакомился с одним канадским бизнесменом. Моим постоянным покупателем, знающим толк в современной живописи. Мои картины когда-то положили начало его коллекции. Я тогда еще жил в Москве, а он в ту пору торговал с СССР пшеницей. Его ко мне привели знакомые моей жены. Канадец пришел, увидел и купил... так вот. Поташев быстро заинтересовался моим миллионером, когда узнал, кем тот является. Он предложил ему купить какое-то вооружение.

— И сделка состоялась?

— Не знаю. Но о дополнительной встрече они собирались договариваться по телефону. Обменялись визитными карточками. Могу лишь добавить, что, когда я в следующий раз спросил господина Булгака, так зовут моего коллекционера, как идет его бизнес с господином Поташевым и какое тот на него произвел впечатление, господин Булгак ответил: «Превосходно!» — а самого Поташева охарактеризовал как очень хваткого бизнесмена, который идет к поставленной перед собой цели, сметая все преграды на пути.

— Так и сказал? — усмехнувшись, спросил Гордеев.

— Да, — ответил художник и подтвердил свои слова энергичным кивком.

И тут зазвонил будильник в соседней комнате, где наводила порядок Каролина.

— Это для нас? — спросил Игорь у Александра.

— Да. Если мы через пятнадцать минут не выйдем, то опоздаем на открытие твоей выставки, — пошутил Тиней.

— Юрий Петрович, — обратился к Гордееву Щербина, — я приглашаю вас на открытие. Посмотрите мою мазню. Если, конечно, у вас есть свободное время. Сегодня вернисаж.

— Спасибо за приглашение. И за ваш рассказ тоже. Но как раз сегодня я не могу. У меня еще есть дела, — вежливо отказался Гордеев. — Однако ваши работы я обязательно посмотрю.

— Ну в крайнем случае... у вас останется мой каталог, — сказал Щербина.

КИЛЛЕР КОТОВ ПО КЛИЧКЕ МАЙОР

Он проснулся оттого, что даже во сне ощутил на себе чей-то пристальный, холодный взгляд. Но в купе СВ, кроме него, никого не было. Дверь по-прежнему была заперта. На ней успокоительно поблескивала предохранительная щеколда. Поезд мчался, мягко постукивая на стыках рельсов. Было, вероятно, около трех часов. За темным окном стремительно летела ночь: выл ветер, изредка проносились тусклые огоньки разъездов и полустанков, смутно мелькали во мраке телеграфные столбы.

Купе слабо освещалось синей ночной лампочкой, но и этого было достаточно, чтобы Котов убедился: в купе он один.

Заснуть не удавалось. Тревога, столь внезапно и властно разбудившая его, не проходила. По привычке, установившейся в последнее время, он прежде всего ощупал изголовье постели, проверяя, на месте ли небольшой кожаный портфель, в котором хранились пачки американских долларов и российских рублей и пистолет с глушителем. Портфель был на месте. Пистолет — тоже. Дверь — на замке. Ничего не случилось. И все-таки Котов явственно, почти физически, ощущал прикосновение чужого холодного, внимательного взгляда, и это очень его тревожило.

Для Котова это состояние не было неожиданным. В последнее время у него появилось ничем не объяснимое чувство: казалось, что он постоянно находится под чьим-то неослабным и настойчивым наблюдением, а после побега, который был для него организован, это чувство лишь усилилось. Началось же все это задолго до того, как в Москве его остановил наряд муниципальной милиции и попросил предъявить документы. Но вот когда именно он впервые почувствовал взгляд преследователя, Котов не мог вспомнить.

Два дня назад, вечером, он выехал из Москвы. До этого отлеживался на тайной блатхате: ждал, пока в городе утихнет переполох, вызванный его дерзким побегом. За это время он отрастил бороду и усы и перекрасил отросшие волосы. Теперь же, когда сыскари из МУРа думали, что его давно нет в столице, а в карманах московских сотрудников органов внутренних дел вместо его фотографий появились фотороботы других преступников, можно было покидать Первопрестольную.

Котов уходил налегке: лишь деньги да оружие, с помощью которого он давно уже привык делать деньги. И еще у него были новые документы на имя Николая Викторовича Игнатьева. Имя было подлинное, так звали приятеля Котова, с которым вместе учился в погранучилище и откуда оба они были изгнаны якобы по состоянию здоровья. Комиссовали их после окончания третьего курса. Не хотело училищное начальство публичного позора для своего краснознаменного заведения: воровство у собственных же товарищей-курсантов, отягощенное пьянством и мордобоем, не делало чести ни будущим пограничникам, ни их наставникам. Где теперь Колька, Котов, естественно, не знал, да и не брал в голову, но документик выглядел вполне подлинным. Тут уж «заказчик» постарался, видать, тряхнул своими связями. А что связи у того были очень серьезными, в этом Котов ни на миг не усомнился. Потому что весь путь — от «заказа» до побега из воронка — проходил словно по маслу.

Самого «заказчика» Котову только показали, чтоб он мог бы его при нужде опознать. От его же имени вручили оружие и деньги. А после того как Котов попался на вокзале, лажанулся, словно фраер на бану, и его опознали менты, поскольку он уже порядком походил в федеральном розыске, те же люди «заказчика» организовали ему все необходимые улики для чистосердечного признания, а затем устроили воронку, который вез Котова в «Матросскую Тишину», элементарное ДТП. Маленько пострадал водитель тюремной машины, а конвой сам быстренько вскинул руки в гору, когда увидел морды в масках и направленные на них стволы. Грамотно сработал «заказчик».

Пока Котов отлеживался и отращивал на лице растительность, его навестили все те же люди «заказчика», который, по их словам, не имел к нему претензий по поводу данных следователю показаний, хотя и находился в Бутырках.

Те же люди сказали, что если у Котова не пропало желание еще подзаработать, то для него может немедленно найтись выгодное дельце: надо убрать одну бабенку, которая обретается в Сибири. Кстати, валюту, изъятую у Котова при задержании, ему возместили. Пообещали в случае его согласия чистые документы на любое названное им имя, три штуки баксов — больше та тетка и не стоила — и соответственно оружие, которое он назовет.

Котов подумал маленько и согласился выполнить и этот «заказ». А что оставалось делать? Поскольку из Москвы все равно надо было отваливать: примелькался. На следующий день ему вручили все требуемое для дела, а также железнодорожный билет в спальный вагон до Новосибирска. Плюс адрес женщины, которая по замыслу «заказчика» должна была покончить жизнь самоубийством. Ну а как, это уже входило исключительно в компетенцию киллера...

Первая ночь прошла спокойно. Котов, уставший от множества предосторожностей, вызванных отъездом, спал, как в юности, беспробудно и сладко. У него было отдельное купе, к счастью без попутчиков, и он благодаря этому был освобожден от утомительной необходимости присматриваться к случайным соседям и быть все время настороже.

Он проснулся на рассвете и посмотрел в окно. Поезд стоял на какой-то станции. Котов быстро оделся и вышел прогуляться по перрону. Портфель он захватил с собой. Щелкнул дверью. Уже выйдя из вагона, почувствовал, что хочет курить, и вспомнил, что оставил сигареты в купе. Вернувшись в вагон, Котов открыл дверь из тамбура в коридор и скорее ощутил, чем увидел, тень, скользнувшую из его купе в противоположный конец вагона. Котов бросился к себе. Дверь в купе была отодвинута. Однако внутри все было в полном порядке, и забытая пачка сигарет лежала на подушке дивана. Остальное тоже было на месте. Котов бросился к окну, но, кроме спокойно прогуливающихся слишком ранних пассажиров, никого не увидел. Тогда он побежал к тамбуру, куда так быстро скрылась мелькнувшая тень: дверь там оказалась открытой, но никого не было. Котов дернул ручку туалетной двери, но она была закрыта. Котов уже хотел было вызвать проводника и сказать ему, что кто-то был в его купе, но, опомнившись, передумал. Да и возможные действия проводников Котов мог также предугадать.

Они бы внимательно выслушали пассажира, а затем, пристально оглядев его с ног до головы, сказали примерно следующее:

— Не иначе как вам померещилось, гражданин хороший. Может, со сна. А может, после вчерашнего возлияния. Но только в коридоре не было ни души. А насчет вещичек не беспокойтесь, у нас не уведут, мы с напарником днем и ночью дежурим. У нас с этим строго.

После этого странного происшествия тревога уже не оставляла Котова. День тянулся томительно и нудно. Вечером, выйдя в коридор, он увидел своих соседок из смежного купе — двух женщин, ехавших до Новосибирска. Одна из них была совсем уже старушка, с тонкими чертами когда-то красивого лица, чем-то сильно озабоченная, с красными, будто заплаканными, глазами. Другая — молодая и интересная, она часто выходила в тамбур курить. По-видимому, женщины познакомились только в пути: Котов слышал, как они рассказывали друг другу о себе.

Старушка была из Москвы и ехала к невестке и

внучке. Она тревожилась о сыне, который служил в погранвойсках на афгано-таджикской границе и от которого она уже давно не получала никаких известий. Молодая ее успокаивала.

— Право, не надо так волноваться, — говорила она мягким, грудным голосом. — Знаете ведь, как теперь с почтой? И потом, почему обязательно предполагать дурное? Ведь вы сами говорите, что у вашего сына много друзей. Случись с ним что-нибудь, неужели бы вам сразу не сообщили? Наконец, вас известило бы его командование. Поберегите себя, нельзя же без конца плакать. Тем более что пока для этого нет никаких оснований...

— Чувствую, сердцем чувствую, дорогая, — отвечала сквозь слезы старушка. — Меня никогда не обманывало предчувствие. Нет уж, боюсь, не видать мне Сереженьку... А как я его уговаривала не ехать! Ведь и место службы ему предлагали другое. На российской границе. А не чужую страну охранять. Но он у меня весь в отца. Вот и выбрал где труднее. «Я, говорит, мама, буду преградой на пути у торговцев наркотиками. Они сейчас для России наипервейшее зло. И помни, мама, что майор Сергей Багров никогда не искал и не будет искать где полегче. Не для того я заканчивал Высшее пограничное училище, не для того я давал присягу».

Услышав имя Сергея Багрова в связи с Высшим погранучилищем, Котов насторожился. Это ж было и его училище. Откуда его и поперли. Знал он и курсанта Багрова. Тот отличался какой-то настырной принципиальностью, которую Котов считал проявлением тупости и солдафонства. Кстати, именно Багров был одним из тех, кто требовал, чтобы проворовавшихся курсантов отдали под трибунал. Но начальство смотрело дальше и понимало, что подобная слава ему ни к чему. Впрочем, Котов очень скоро нашел полученным в училище знаниям и навыкам нужное применение.

Поколебавшись немного, он обратился к разговаривающим дамам:

— Простите, но я невольно подслушал ваш разговор. Не о Сергее ли Сергеевиче Багрове идет речь?

Старушка удивленно посмотрела на Котова, а затем приветливо ответила:

— Да, Сергей Сергеевич Багров — мой сын. А вы его откуда знаете?

— Как же, — ответил с радостью Котов, — ведь я тоже в пограничном учился! Сергей даже, помнится, был у нас командиром отделения. Но я, к сожалению, так и не стал военным. Здоровье подвело. Моя фамилия Игнатьев.

Между тем молодая женщина рассматривала Котова с непонятным ему ироническим интересом. А может быть, с насмешкой? Все, что не поддавалось немедленной и точной оценке, всегда злило профессионального киллера. Со старушкой ему теперь было все ясно, а вот эта молодая и очень сексуальная, по его мнению, особа, которую он был бы очень даже не прочь затащить в свое купе и показать ей, где раки зимуют, вызывала в нем сразу два полностью противоположных ощущения: острого желания и еще не оформившейся во что-то определенное и конкретное опасности.

— Игнатьев? — вскинула брови старушка, а потом несколько раз повторила фамилию, пытаясь вспомнить. — Ах, Коля Игнатьев! — взволнованно воскликнула наконец. — Голубчик вы мой! Ведь я о вас слышала от Сережи. Вот вы, значит, какой! У Сергея не было ни одной общей с вами фотографии. Ведь фотографироваться в училище вам запрещали...

Завязался оживленный разговор. Котов и Антонина Степановна, так звали старушку, начали вспоминать минувшее. Поговорили о трудностях воинской службы. Антонина Степановна рассказала о карьере сына. Вынесла из купе свою сумочку и показала последнее письмо Сергея, которое получила два с лишком месяца назад, и с того времени никаких сведений о нем больше не было. Котов, подражая спутнице Антонины Степановны, стал успокаивать старушку, но та упорно твердила, что предчувствует недоброе.

Котов убеждал старушку не волноваться, а сам все поглядывал на молодую, оказавшуюся вдовой новосибирского врача-стоматолога, женщиной бездетной и, заметно было, лишенной постоянной мужской ласки. Отчего у некоторых подобных женщин иногда вырабатывается даже довольно стойкое негативное отношение к мужчинам вообще. Пока этот негатив однажды не нарушит кто-то конкретный. И уж тогда вчерашняя феминистка кинется во все тяжкие, только держись...

По своему достаточно богатому в этом смысле опыту Котов хорошо знал, что такие вот женщины могут служить отличной крышей для тех, кто пустился в бега. Кто решил на время залечь на дно. Увидев Наталью Михайловну, Котов почувствовал, что это может быть именно тот, нужный ему случай.

Впрочем, на то он и был Котов. Кабы только не эти насмешливые глаза.

Пока Котов и старушка предавались воспоминаниям, Наталья Михайловна тактично отошла в сторону, а потом все трое перешли в купе к дамам, мигом соорудившим легкий ужин. У Котова, который прихватил с собой портфель, нашлась бутылка вина... В общем, все получилось очень мило. Антонина Степановна, словно вняв уговорам, даже както помолодела: она оказалась весьма живой и умной собеседницей. Но еще более симпатична Котову была, естественно, Наталья Михайловна, хотя она почти не принимала участия в разговоре.

Был уже первый час ночи, когда Котов пожелал женщинам спокойного сна и ушел к себе в купе. Но странное дело, едва он остался один, снова смутное и тяжелое беспокойство овладело им. Он запер дверь, но раздеваться не стал, выкурил сигарету и выбросил окурок в открытое для этого окно, прилег наконец, сунув портфель под голову, но сильная тревога, переходившая в страх, продолжала томить его.

«Что со мной делается? — спрашивал себя Котов. — Что это: нервы, усталость или... или в самом деле меня подстерегает что-то очень страшное?»

Так и не ответив на свой вопрос, он наконец уснул тяжелым сном загнанного человека, не знающего, что принесет ему пробуждение.

И вот поздней ночью его внезапно разбудило явственное ощущение чьего-то пристального, цепкого взгляда. Котов сел и начал размышлять, откуда за ним могли наблюдать. Он открыл дверь в коридор, но там никого не было. Закрыл дверь на замок и на дополнительную предохранительную щеколду. Затем достал из портфеля наручники и пристегнул их одним кольцом к дверной ручке, а другим — к металлической скобе на стенке купе. Прежде чем лечь, посмотрел в окно. Там, в свете растущей луны, были видны только мелькающие верхушки деревьев.

Новосибирск встретил Котова обычной вокзальной сутолокой, скороговорками информационных объявлений и пасмурной погодой.

На привокзальной площади Котов взял такси. Он предложил своим спутницам подвезти их. Антонина Степановна отказалась: ее должны были встретить невестка с внучкой, а Наталья Михайловна согласилась, чтобы он подвез ее до гостиницы «Новосибирск», где она рассчитывала остановиться на несколько дней. В ее квартире вот-вот должны были закончить ремонт. В той же гостинице собирался на короткое время — как уж повезет — поселиться и Котов.

Уже оформляя документы на проживание, киллер выяснил, в каком номере будет жить Наталья Михайловна, и предложил ей после недолгого отдыха устроить небольшую прогулку по городу и затем вместе поужинать. Она согласилась, загадочно при этом улыбаясь. Котов посчитал, что ему на этот раз повезло.

— Чем угостить? — спросил Грязнов-младший у Гордеева, едва тот переступил порог его кабинета. — Как в прошлый раз? Зеленый чай со льдом?

— Лучше минералку, — ответил Юрий и сел в кресло.

— Это проще, — со вздохом облегчения хмыкнул Денис. — Сейчас принесу.

— Что? Настала твоя очередь дежурить по кухне? — улыбаясь, спросил Гордеев.

— О чем это ты? — не сразу понял Грязнов, но потом, видимо вспомнив, что имеет в виду Юрий, утвердительно кивнул: — Да. Вроде того, сегодня все на заданиях. В офисе только компьютерщики. Но отрывать их от дела себе дороже, — сказал Денис и ненадолго вышел из кабинета.

Вернувшегося с минералкой директора Юрий встретил каверзным вопросом:

— А как поживает Танечка? Она у тебя все еще служит?

— И еще как служит! — с восторгом ответил Денис. — Благодаря ей у нас от важных персон нет отбоя. Косяком прут! Всю последнюю неделю, в том числе и сегодня, Татьяна как раз и работает с одним таким. Он хоть и старпер старпером, но молодую красоту и хорошие манеры ценить не разучился.

— Эстет какой-то? — посочувствовал Юрий.

— И не говори, — с некоторой долей ревности в голосе сказал Денис.

— Не проморгай сотрудницу. А то какой-нибудь миллионер увезет ее за океан. Что тогда будешь делать?

— Закрою агентство и уйду в монастырь, — пошутил Грязнов.

— Да, кадры решают все! Но вернемся к нашим баранам. О гаишнике удалось что-нибудь узнать?

— В том-то и дело... что да!

Денис подошел к деревянному шкафчику, стоявшему в углу кабинета, и открыл его. Внутри блеснули никелированные детали. Гордеев понял, что там находится сейф.

— Вот, — сказал Денис и положил на стол папку. — Здесь все, что удалось достать. Остальная информация устная.

Гордеев открыл папку, увидел сверху большой конверт из плотной желтой бумаги.

— Фотографии, — пояснил Грязнов. — Посмотришь потом. Сначала читай.

Юрий погрузился в чтение.

Из материалов, находившихся в папке, он узнал, что бляха гаишника с персональным номером, который вспоминали и вспомнили-таки Гордеев с Райским, действительно существует. Что же касается самого персонального номера, то прав оказался Юрий, память вновь не подвела его. Последней цифрой номера оказалась тройка, а не восьмерка, как предполагал Вадим Райский. Сам же нагрудный знак принадлежал сотруднику Государственной инспекции безопасности дорожного движения города Москвы майору милиции Пасечнику Олегу Ивановичу, тысяча девятьсот пятьдесят третьего года рождения, уроженцу города Харькова.

Далее было указано, что в ГАИ Пасечник пришел по комсомольской путевке после окончания Московского автодорожного института, в который он поступил лишь со второй попытки, отслужив до этого положенный срок в рядах Советской армии. Служил Пасечник механиком-водителем в танковых войсках.

Ныне Олег Иванович Пасечник женат и имеет троих детей: двух дочерей и сына. Вместе с ним живет его мать, инвалид третьей группы. Вся семья живет зимой в скромной пятикомнатной квартире, а летом — на старенькой двухэтажной кирпичной даче.

В материалах была и копия характеристики на майора, в которой он представал в лучшем свете, то есть был ретивым служакой, кристально честным малым, не берущим взятки, морально устойчивым семьянином, надежным товарищем, любящим отцом, строгим, но справедливым начальником, никогда не нарушающим никаких инструкций, а также вежливым представителем автоинспекции на дорогах Москвы.

Гордеев посмотрел, куда предназначалась характеристика. Она была представлена в столичную мэрию городским управлением ГАИ для награждения майора Пасечника в связи с 850-летием Москвы.

Закончив чтение, Гордеев уставился на Дениса:

— Не человек — икона! На такого молиться надо. Вряд ли он мог быть с теми, кто подменил Райскому гайки на колесе.

Вместо ответа Денис взял желтый конверт и вытащил из него пачку фотографий. Перебрав снимки, один из них протянул Юрию.

— Узнаёшь? — спросил Грязнов адвоката.

Юрий взял снимок и стал внимательно разглядывать. С глянцевого черно-белого листка на него невинно смотрели свиные глазки того самого пузана гаишника, от которого откупался Вадим Райский незадолго до случившейся аварии. Гордеев узнал его с первого взгляда.

— Переснято со служебного удостоверения? — спросил Юрий.

То, что это была увеличенная копия фотокарточки, явно предназначенной для документов, Гордеев понял сразу.

— Нет. Из личного дела, — ответил Денис.

— Пасечник об этом знает?

— Нет. И никогда уже не узнает.

— Ты уверен?

— Абсолютно!

— За ним надо бы понаблюдать. С кем он встречается, что делает в свободное от работы и семьи время? Ведь он может вывести нас на тех, кто очень хотел и старался, чтобы мы с Вадимом никуда не доехали.

— В этом уже нет необходимости.

— Почему?

— Потому что я и так в любое время могу тебе сказать, где он находится.

— Да? — недоверчиво спросил Юрий Гордеев. — И где же он, например, находится в данную минуту? И вообще, что это ты темнишь?

— На Востряковском кладбище.

— А что он там делает? — удивленно вскинул брови Юрий.

— Лежит! Участок номер сорок восемь. Шестая могила справа от седьмой аллеи.

Гордеев даже задохнулся от возмущения.

— Умеешь же ты тянуть резину! — бросил он Денису. — Нет чтобы сразу сказать!

— А это тебе за Танечку. Впредь будешь знать, как меня подначивать.

— Ладно, ладно, — миролюбиво сказал Юрий. — Разъясни обстановку.

Грязнов вновь перебрал снимки, нашел нужный и протянул Юрию.

На этой фотографии Гордеев увидел лежащего на асфальте человека. Это был мужчина в милицейской форме. В его правой руке был зажат регулировочный жезл. Вторая рука была неестественно подвернута, рядом с ней валялась форменная фуражка, а на месте головы было кровавое месиво, вокруг которого растеклась лужица крови.

— Это и есть Пасечник?

— Да.

— Где это произошло? — спросил адвокат, продолжая рассматривать фотографию.

— В центре города. На Садовом кольце.

— Как его убили?

— Его не убивали. Это был несчастный случай.

— Наезд? — удивленно спросил Юрий.

— Нет. Хотя это первое, что приходит в голову.

— Тогда что же?

— На Пасечника упал рекламный щит.

— Большой?

— Думаю... — Грязнов помолчал. — Метра три на четыре. Таких в центре на каждом шагу... Щит не был вкопан, а просто стоял на подставке, укрепленной бетонными блоками. Помнишь, на днях ветер был сумасшедший? Ну просто ураган! Так вот он и опрокинул щит.

Гордеев слышал об этом урагане. Но его беда не задела, поскольку он находился дома. А по телевизору показывали градины размером с куриное яйцо, затопленные подземные переходы, опрокинутые рекламные щиты и поломанные деревья, придавившие оказавшиеся под ними автомобили. Словом, апокалипсис в миниатюре. В районном, так сказать, масштабе. Говорили и о некоторых жертвах. «Значит, в числе погибших оказался и майор Пасечник», — подумал Гордеев, а вслух сказал:

— Бог, по-видимому, все-таки есть!

— И он не фраер — все видит, — добавил Грязнов.

Гордеев еще раз взглянул на фотографию, а потом положил ее на стол рядом с той, первой, на которой был заснят еще живой Пасечник.

— Теперь, Денис, я готов выслушать твою устную информацию, — сказал Юрий. — Она тоже о нем?

— Не только...

Грязнов перетасовал фотографии, а затем разложил их перед собой в определенном, лишь ему одному понятном порядке.

— Твоим гаишником интересовался МУР, — начал свой рассказ Грязнов.

— Давно?

— Начали месяца за три до его гибели.

— В связи с чем?

— Разрабатывали долгопрудненскую группировку, и Пасечник попал в их поле зрения.

Грязнов протянул Гордееву фотографию. На ней была заснята подвыпившая компания. Крепкие парни с цепями на коротких бычьих шеях сидели за ресторанным столом, плотно заставленным импортной водкой и деликатесными закусками. Их самодовольные пьяные лица смотрели прямо в объектив. Фотоаппарат четко зафиксировал наглые и хищные улыбки братвы. Среди сидящих за столом Юрий легко узнал и пузана гаишника. Он сидел с правого края стола.

— Хозяева жизни, — прокомментировал снимок Гордеев.

— Парень, положивший руку на плечо Пасечнику, является вторым человеком в группировке, — пояснил Денис. — Это единственный случай, когда их удалось заснять вместе в такой обстановке. Но больше — вот так глупо — наш майор уже нигде не светился.

— А остальные? Они кто?

— Фигуры помельче. Бригадиры.

— Главаря банды, значит, здесь нет?

— Нет.

— А в чем подозревали Пасечника?

— Как минимум в том, что он помогал банде с оформлением документов на краденые автомобили. Майор был одним из звеньев в этой преступной цепочке, но, кажется, ключевым.

— Муровцы проследили ее от начала до конца?

— Нет, но вели и потому Пасечника не трогали.

— Да, не повезло им.

— По полученной мной информации он занимался и чем-то еще. Но вот чем? Пока не ясно.

Грязнов налил себе минералки и сделал несколько глотков.

— Пасечник, — продолжил Денис, — регулярно контактировал с членами банды. Похоже, что он являлся связным между братвой и птицами более высокого полета, которым ни в коем случае нельзя было вступать в открытый контакт ни с кем из членов группировки.

— И как же он осуществлял эту связь?

— На глазах у всех.

— То есть?

— Объясняю. По роду своей служебной деятельности Пасечник был дорожным инспектором, а потому мог останавливать любой автотранспорт. Например, для проверки наличия водительских прав, документов на машину, техталона, проверки соответствия номеров на двигателе или кузове с номерами в техническом паспорте, да и просто за нарушение правил дорожного движения или за то, что автомобиль не вымыт...

— И в числе тех, кого он останавливал, могли быть кто угодно, включая и нужных ему людей?

— Да.

— А где проходили его дежурства?

— Обычно Пасечник стоял на углу Садовой-Каретной и улицы Чехова.

— Там его и настигла Божья кара?

— Да. Именно там... Представляешь, Пасечник был заядлым курильщиком, а щит, свалившийся ему на голову, был с рекламой табачных изделий. Так что надпись на щите «Минздрав предупреждает: курение опасно для вашего здоровья!» оказалась пророческой.

Гордеев представил себе картину случившегося и невольно улыбнулся.

— Смешно, — сказал он.

— Ирония судьбы, от которой никуда не уйдешь, — пофилософствовал Денис.

— Скорее уж черный юмор.

Грязнов неопределенно хмыкнул. Затем он продолжил свой рассказ:

— Итак, сотрудники МУРа стали вести майора, производили скрытую фотосъемку объекта.

— Как они догадались о том, что Пасечник выполняет роль связного?

— Они следили за членами долгопрудненской банды. А те с некоторых пор стали часто появляться у поста Пасечника, где ретивый гаишник останавливал их для какой-нибудь проверки или те сами специально нарушали правила. Разговор между майором и нарушителем проходил, как правило, не в патрульной машине. Так что магнитофонных записей их разговоров нет.

— Да, обвинить его в связях с криминальным миром было бы трудно. Ни к чему не придерешься. Все законно.

— Со стороны это выглядело как обычная выборочная проверка.

— Денис, а тебе не кажется, что Пасечник мог быть не только связным, но и, бери выше, диспетчером этой преступной группировки? Координатором каких-либо действий?

— Да, я тоже подумал об этом. И не только я, в первую очередь — муровцы.

— Он мог служить и прикрытием. Ведь в Москве, если случается что-то серьезное, сразу приводят в действие план перехвата. Например, ту же «Сирену».

— А в патрульной машине есть рация и, настроившись на нужную волну, можно предупреждать любые действия милиции, — добавил Грязнов. — Или, например, остановить знакомого братка и взять у него на хранение незарегистрированную пушку. Можно, в конце концов, усадить братка на время в свой служебный автомобиль, якобы для составления протокола. И продержать его столько, сколько нужно. Пока не снимут посты... Может, именно поэтому-то в сводках новостей нам постоянно сообщают, что после очередного заказного убийства или дерзкого разбойного нападения введенный в действие план перехвата вновь не принес никаких результатов, а наглым преступникам опять удалось скрыться?

— Ну уж все на одного-то чего вешать! — усмехнулся Гордеев.

— Что? Скажешь, я перегнул палку?

— Немного. Но от истины ты все-таки недалек.

— И на том спасибо, — поблагодарил Денис. Он вновь посмотрел на разложенные перед собой фотографии, потом сгреб их в одну кучу и уложил в аккуратную стопку. — Посмотри. Может, увидишь знакомые лица, — сказал, протягивая стопку фотографий Гордееву.

Юрий стал перебирать снимки. Он внимательно, одну за другой, разглядывал фотографии. Некоторые из них откладывал в сторону. На всех фотоснимках был изображен майор Олег Пасечник, а рядом с ним владельцы автомобилей, которых он останавливал на углу Садовой-Каретной и Чехова. То, что на фотографиях был именно этот перекресток, Гордеев не сомневался, так как на заднем плане некоторых кадров можно было разглядеть и прочесть одну и ту же вывеску «Гута-банк». Где находилось это банковское учреждение, Юрий знал точно. Ему по роду своей адвокатской деятельности приходилось в нем бывать. И не раз.

Просмотрев все снимки, Гордеев вернул пачку Грязнову, а отложенные ранее фотокарточки вновь взял в руки и стал разглядывать, но уже с большим вниманием.

— Ну, кого ты там узнал?

— Ну вот в этих парнях я узнал членов долгопрудненской группировки, — сказал Юрий. — С которыми пировал наш Пасечник.

Гордеев выложил в ряд несколько фотографий и придвинул к ним еще одну — ту, на которой Пасечник был изображен сидящим в веселой компании за пышно накрытым столом.

Грязнов молча кивнул.

— А вот на этих снимках, — сказал Гордеев и добавил еще две фотографии, — я узнал Елену Петровну. Правда, на одной из фотографий она вместе еще с какой-то женщиной, которую я прежде не видел. Наверно, в кадр эта женщина попала случайно.

— На всех этих фотографиях, — сказал Денис, — только те, кого покойный Пасечник останавливал больше одного раза.

— Понятно, — сказал Гордеев.

— А мне — нет. Кто такая эта твоя Елена Петровна?

— Хозяйка ресторана «Синяя саламандра».

— Что это за ресторан?

— Тот, из которого я звонил в твой офис и договаривался о встрече.

— Помню, помню. Тебе понадобилась срочная техническая консультация.

— Да. В тот день неизвестные ловко поработали над моим сотовым телефоном. Но это не главное, что связано у меня с этим рестораном.

— Тогда что же?

— «Синяя саламандра» — это именно тот ресторан, отъехав от которого мы с Райским попали в дорожную аварию.

— Значит... Это там Пасечник штрафанул Райского? — удивился Грязнов.

— И штрафанул, и фальшивый знак вывесил. А все это произошло перед входом в названный ресторанчик.

Гордеев взял со стола фотографию, на которой хозяйка «Синей саламандры» улыбалась Пасечнику, и вновь стал ее разглядывать.

— Выходит, Елена Петровна, что с Пасечником вы были знакомы, — сказал он. — Надо будет узнать о ней поподробнее. У Андрея Ветрова.

— Он ее тоже знает? — удивился Грязнов.

— У них какие-то дела, — туманно ответил Гордеев. — Андрей ее консультирует.

— По каким вопросам?

— Не знаю. Не интересовался. Да и Ветров не рассказал бы.

— Ты думаешь, что теперь он расскажет?

— Ну, обстоятельства изменились.

— Да и не в лучшую сторону, — усмехнулся Денис и придвинул к Гордееву телефонный аппарат: — Звони Ветрову!

— Сейчас?

— А зачем тянуть? Где Андрей может быть в это время?

Гордеев посмотрел на свои наручные часы. Половина седьмого.

— Рабочий день у него уже закончился, но поищем.

Гордеев набрал номер мобильного телефона Ветрова, но услышал чужой женский голос, который механически сообщил, что абонент отключен или временно недоступен.

— Мобильник Андрея не отвечает, — сообщил Юрий. — Попробуем домашний.

После четвертого гудка трубку подняли, и Юрий сказал:

— Добрый вечер, Лариса Владимировна. Андрей еще не вернулся домой?

Выслушав пространный ответ, поблагодарил и озадаченно положил трубку.

— Ну что? Выяснил наконец? — спросил Денис.

— Да.

— И где же он?

— На седьмом небе, — задумчиво ответил Юрий.

— В каком зале? В золотом, в серебряном или в бронзовом?

— Я говорю не о ресторане «Седьмое небо», что на Останкинской телебашне...

— А о чем?

— Андрей сейчас находится в салоне самолета, который летит по маршруту Москва — Коломбо. В столицу Шри-Ланки. Которая на острове Цейлоне. Прямо чудеса в решете! У него служебная командировка. На целую неделю. А случилось все неожиданно: в самый последний момент заболел тот, кто должен был лететь. Приступ аппендицита, представляешь? И вместо него послали Андрея. Он позвонил, и Лариса Владимировна едва успела собрать ему вещи. Залетел домой на пять минут, переоделся, взял сумку и документы.

— А когда же ему успели сделать туда визу? — удивился Денис. — Если все произошло так неожиданно и стремительно

— Для въезда в Шри-Ланку, оказывается, виза не требуется, — объяснил Юрий.

— А я и не знал! — сказал Грязнов. — Надо будет слетать туда.

— Хочешь с Танечкой покататься на слонах?

— А что? Хорошая идея! — рассмеялся Денис. — Что ж, значит, возвращения Ветрова ждать не будем...

— Не будем, — согласился Гордеев.

Их прервал стук в дверь кабинета, а следом на пороге появилась Татьяна. Казалось, она прослышала, что минуту назад здесь было названо ее имя, и вот решила явиться лично.

Гордеев окинул ее быстрым и цепким взглядом и чуть было не присвистнул от изумления, но вовремя удержался.

Татьяна была ослепительна и загадочна. Скромная нитка жемчуга удлиняла ее и без того длинную шею и придавала кажущуюся хрупкость. Недлинное строгое темное платье подчеркивало стройную и сильную фигуру. А модные элегантные туфли на невысоком каблучке можно было легко и быстро сбросить, чтобы преподать внезапному противнику урок карате. Однако бронепапка, которую Татьяна без видимых усилий держала в левой руке, указывала на то, что эта ослепительная женщина никогда не забывает о том, что ходить ей приходится по грешной земле.

— Добрый вечер, — сказала Татьяна.

— Входите и садитесь, — кивнул Денис.

Татьяна села.

— Ну, как там ваш подопечный? — спросил он. — Домой не собирается? Договор с его представителем мы заключили на десять дней. Послезавтра этот срок истекает.

— Не знаю. Мне говорят только, куда мы, возможно, пойдем и как примерно следует одеться.

— И куда вы сегодня его сопровождаете? Судя по вашему внешнему виду, нынче вечером вы, Татьяна, на барахолку в ЦДХ не собираетесь?

— Денис Андреевич, — мягко ответила она, — на барахолку, как вы выразились, мы и не ходили. Мы посещали мастерские художников. Настоящие художники не торгуют своими работами на Арбате и у Центрального Дома художников. К настоящим художникам коллекционеры приходят сами — в их студии. Или же покупают картины в специальных галереях.

— Еще немного — и этот миллионер сделает из вас искусствоведа, — сказал Денис и, обратившись к Гордееву, пояснил: — Уже неделю он таскает Татьяну по чердакам и каким-то подвалам и только один раз повел на выставку, которая наверняка так себе.

— Зря вы... — не согласилась Татьяна. — Выставка мне как раз понравилась, хотя я была там не для того, чтобы любоваться картинами. А сегодня мы идем в посольство. Там собирается общество канадско-российской дружбы.

— А в Канаду этот наш миллионер вас случайно не приглашал? — ревниво заметил Грязнов.

— Прямо в лоб? Нет. Но говорил, что я там легко могла бы найти себе подходящую и дорогооплачиваемую работу. И что климат там такой же, как в России.

— Понятно... — протянул Грязнов. — Тонко работает старикан! Хочет увести у меня мою лучшую сотрудницу. Вот чертов бабник... этот Булгак! — Грязнов, не скрывая улыбки, стукнул кулаком по столу, но несильно — чернильный прибор и настольный календарь при этом не подпрыгнули. — Поверьте мне, Татьяна, мужчинам верить нельзя! Категорически!

— Ну что вы, Денис Андреевич, Олег Витальевич вовсе и не бабник. Похотливый, конечно, по глазам видно, но не бабник. Эстет скорее, — скромно сказала Татьяна, с трудом удерживаясь от смеха.

— А что ему еще остается?.. В его-то возрасте как не быть эстетом! — усмехнулся Грязнов.

Сначала Юрий Гордеев немного рассеянно слушал забавный треп Татьяны и Дениса, которые были явно влюблены друг в друга, но потом вдруг сказал себе «стоп» и стал внимательней. Первый раз — когда услышал фамилию канадского миллионера, а во второй — когда узнал его имя и отчество.

— Извините, Татьяна, — неожиданно вступил в разговор Юрий, — на чьей выставке вы были с Олегом Витальевичем?

— Это была выставка Игоря Щербины. Он русский эмигрант. Сейчас живет во Франции. Почти половина всех его выставочных работ принадлежит Олегу Витальевичу, об этом с благодарностью говорил на открытии сам художник. Мы посетили его вернисаж. Людей там оказалось много, работать было сложно.

— Почему же Щербина не сказал мне, что Булгак должен приехать в Москву? — задумчиво произнес Гордеев.

— Олег Витальевич, выступая на открытии выставки, говорил, что из-за каких-то своих неотложных дел он поначалу и не предполагал оказаться в Москве и что даже отправкой картин занимался не он. Но потом вдруг обстоятельства изменились, и эти самые дела привели его в наш город, где он теперь удачно сочетает приятное с полезным, — объяснила Татьяна приезд Булгака.

— Любопытно, что ж это за дела такие? — задал риторический вопрос Денис.

— У Булгака с Поташевым общий бизнес, — ответил Юрий. — Они партнеры.

— С Эдуардом Владимировичем, я имею в виду Поташева, — сказала Татьяна, — у Олега Витальевича была встреча. Вчера.

— Где? — спросил Грязнов.

— В ресторане «Синяя саламандра». Днем.

Услышав ответ, Грязнов и Гордеев переглянулись.

— Вы присутствовали при их разговоре? — спросил Юрий.

— Нет. Все это время я находилась у стойки бара.

— Булгак представлял вас Поташеву? — продолжал расспрашивать Татьяну Гордеев.

— Нет.

— Тогда откуда же вам известна фамилия человека, с которым встречался Булгак?

— Он встречался не только с Поташевым, но и еще с одним мужчиной.

— Кто таков, не знаете?

— На встречу они пришли вместе. Позже нас. Когда пожимали друг другу руки, Олег Витальевич назвал их по именам. Второго мужчину звали Виталий Борисович. А фамилию Поташев я услышала от Булгака, когда мы уже сели в машину. Встреча, как мне тогда показалось, очень расстроила Олега Витальевича, так как в сердцах он сказал следующее: «Ах, Поташев! Ах, Эдуард Владимирович! Сукин ты сын!» За последние слова прошу меня простить, но именно так и сказал господин Булгак... Кстати, мне уже пора ехать за ним в гостиницу.

— Времени в обрез? — спросил Грязнов.

Татьяна посмотрела на свой изящный швейцарский хронометр и сказала:

— Минут семь еще есть. А ваши, Денис Андреевич, — она показала глазами на настенные часы, висевшие за спиной Грязнова, — немного спешат.

— Знаю, — согласился Денис и, вытащив из желтого конверта фотографии, протянул их Татьяне. — Посмотрите, пожалуйста, эти снимки. Нет ли среди них Виталия Борисовича или кого-нибудь из тех, кто попадался вам на глаза за время работы с господином Булгаком?

Татьяна быстро перебрала всю пачку и отрицательно покачала головой.

— Виталия Борисовича здесь нет. Это точно. А

вот о тех, кто мог попасться мне на глаза в последнее время, определенно сказать не могу.

— Что ж, спасибо, — поблагодарил Грязнов сотрудницу. — Вам уже пора. И прошу вас, Татьяна, будьте бдительны с господином Булгаком. Не дайте ему себя обольстить.

Татьяна улыбнулась, положила фотографии на стол, попрощалась и вышла.

— Какие будут предложения? — спросил Грязнов Юрия, когда дверь за Татьяной закрылась.

— Мне необходимо встретиться с Булгаком, — ответил Гордеев. — Может, у него найдется для меня свободный часик?

— График пребывания довольно плотный.

— Буду просить Щербину, чтоб тот помог мне с ним встретиться.

— Я тоже попытаюсь тебе поспособствовать, — сказал Грязнов. — И Татьяну подключу. Может, что-то и получится.

— Просто ради этого разговора не хотелось бы лететь в Канаду, — вздохнул Гордеев.

КАНАДСКИЙ МИЛЛИОНЕР

Встречу назначили в холле «Балчуг-Кемпински». Здесь остановился бывший житель Бессарабии Олег Булгак — престарелый миллионер из Канады и коллекционер произведений современных российских художников.

Этот пятизвездочный отель располагался в центре столицы, возле Москвы-реки. Из его хрустально прозрачных окон было удобно рассматривать звезды и кирпичные стены Кремля, расположенного на противоположном берегу. Оба берега в этом месте соединял Большой Москворецкий мост, проехав под которым Гордеев включил правый поворот, свернул на улицу Балчуг и остановился у дома номер один.

Юный швейцар услужливо распахнул перед Юрием первые двери отеля, за которыми находились еще одни. Толкнув вторую вращающуюся дверь, Гордеев оказался в холле. До встречи с Олегом Витальевичем, назначенной на тринадцать тридцать, оставалось минут десять.

Адвокат окинул глазами шикарный холл, где прежде бывать как-то не приходилось, а вот сотрудник охранной службы отеля бросил вопросительный взгляд на его туфли. И в этом вопросе явно читалось подозрение. Уж это сразу усек Юрий Петрович.

Вообще-то он знал, конечно, что «дорогостоящая» публика может позволить себе надевать «дешевенькие» костюмы, сшитые у суперклассных кутюрье, или даже обыкновенную молодежную джинсу, но вот обувь, наручные часы и некоторые другие мелочи туалета, вроде бриллиантовой булавки для галстука, просто обязаны стоить целое состояние. Причуды богатеньких.

У Юрия не было явных примет как «нового русского», так и западного бизнесмена, — видимо, поэтому и возникло у охранника это подозрение: обычные люди сюда не заходят. Даже шикарной трубки, как у Вадима Райского, у него не было. Ну не за что было зацепиться взгляду охранника. Однако он не подошел с расспросами или предложением оказать какую-либо помощь, а отошел к входной двери, не выпуская посетителя из поля зрения.

В холле стояли журнальные столики, окруженные мягкими кожаными креслами. Гордеев занял одно из них. Откуда должен был появиться миллионер, он не знал, а потому сел лицом к выходу, чтобы видеть весь холл. Слева от него находилась стойка бара, справа — двери лифта, воспользоваться которым можно было, только имея специальную магнитную карточку.

В тринадцать двадцать восемь двери лифта открылись, и из его обшитой красным деревом кабины вышла Татьяна, а за ней «нечто» в светлых мешковатых джинсах и рубашке навыпуск, которая должна была скрадывать выпирающий живот. «Нечто» было определенно мужского пола, в очках и ниже среднего роста.

Татьяна быстро окинула глазами холл гостиницы, увидела Гордеева, что-то сказала своему пожилому спутнику, после чего они оба направились в сторону Юрия, который поднялся из кресла навстречу им.

Татьяна представила Булгаку Юрия.

— Добрый день, господин Гордеев, — сказал Олег Витальевич и протянул адвокату слабую руку.

— Бунэ зиуа, домнул Булгак[1], — ответил Юрий, здороваясь.

— Ого-го! — воскликнул канадец и пристально посмотрел в глаза Гордееву.

Вместо старческой похоти, о которой говорила

---

[1] Добрый день, господин Булгак *(рум.)*.

Грязнову Татьяна, Юрий увидел в глазах коллекционера весьма живое любопытство.

— Думнявоастрэ куноаштець лимбэ ромынэ?[1] — поинтересовался Булгак.

— К сожалению, свои знания в румынском я уже исчерпал, — смущенно ответил Юрий.

— Однако сюрприз вы мне все-таки сделали! — сказал довольный Булгак. — Давно я не слышал родной речи.

Он замолчал. И по его внезапно погрустневшему взору можно было догадаться, что на него нахлынули ему одному ведомые воспоминания.

— Однако, — Булгак вновь вернулся к действительности, — сюрприз вы мне все-таки сделали! Давно я не говорил на родном языке... Странно, но у вас, Юрий Петрович, хорошее бухарестское произношение, которое в нынешней Бессарабии, простите — в Молдавии, наверно, и не услышишь. Я, по крайней мере, его не слышал ни у местных писателей, ни у политических деятелей. Хотя в Кишиневе в последнее время я бываю довольно часто. Да, этот край всегда был чьей-то провинцией. То России, то Румынии, то Советского Союза. А они себя называют второй Швейцарией, и, знаете, может быть, правы. В культурном плане Швейцария — такая же провинция. Своих культурных корней, таких, какие есть у России, Англии, Германии или Италии, или... ну, не буду перечислять... у нее нет!

Неожиданно для себя адвокату Гордееву удалось расположить к себе Булгака одной-единственной

---

[1] Вы говорите по-румынски? *(рум.)*.

фразой, сказанной на румынском языке, простым приветствием в сущности. Юрий, по всей видимости, затронул тайные струны души человека, который не по своей воле покинул когда-то свою родину.

— Вы мне нравитесь, молодой человек, — сказал Булгак. — Честно вам скажу. Сначала я не хотел с вами встречаться. Вообще. Но Игорь Щербина меня уговорил. Я уважаю его талант. И только поэтому я согласился... — Булгак посмотрел на Татьяну и добавил: — Ну и Танечка, естественно, за вас просила. За то время, что нахожусь в Москве, я полюбил эту девочку. При ней говорю. Татьяна мне как внучка. А внучке не откажешь, поэтому сначала я выделил на вас десять минут. Ну а теперь, когда вы меня расположили к себе, думаю выкроить для вас несколько больше. — Булгак огляделся. — Где бы нам сесть? Здесь, в холле, шумно... А что скажет профессионал? — он обернулся к Татьяне.

— Лучше в кафе. На первом этаже, — порекомендовала она. — Там в это время еще никого нет.

— Идемте, — согласился Булгак.

Татьяна оказалась права. В кафе сидело всего несколько человек. Они занимали три столика в глубине помещения. Татьяна, как ответственная за клиента, выбрала столик в наиболее безопасном месте.

— Что будете пить и есть? — спросил Булгак и перебил возможные возражения: — Ведь в России так положено, не правда ли? Хозяин угощает. А я себя в некотором роде ощущаю хозяином. Бизнес, понимаете?

Гордеев неопределенно пожал плечами.

— Учтите, Юрий Петрович, что платить вам я не позволю. Лишь на этих условиях я буду с вами беседовать, — продолжал настаивать миллионер, хотя Юрий, в общем, и не возражал.

— Вы не оставляете мне выбора, — наконец с улыбкой развел руками адвокат. — Я подчиняюсь.

— Заказывайте что хотите, — сказал канадец. — Лично для себя я выбрал. Пожалуйста, овощной салат, сыр и кувшинчик красного вина.

— Олег Витальевич — вегетарианец, — сообщила Татьяна Гордееву.

— Да, мясного я не ем, — подтвердил Булгак. — Но вам ничто не возбраняется. Ваш выбор мне аппетит не испортит... Ну, Юрий Петрович, спрашивайте, — разрешил он, когда официантка принесла заказ. — Щербина мне уже успел рассказать о том деле, которым вы занимаетесь. Так что вводить меня в курс происходящего не надо. Не будем тратить на это время. И пожалуйста, не надо пустых расспросов о том, как мне в Москве, где я был, что видел. Ну и прочих дежурных вопросов.

— Олег Витальевич, — сказал Гордеев, — раз вы знаете, о чем пойдет речь, то я попрошу вас быть со мной откровенным, насколько это возможно. Если же на какой-то из вопросов вы не захотите отвечать, то скажите об этом прямо. Мне нужна только достоверная информация.

— Жаль, что тут нет Библии. Иначе бы я, положа на нее руку, сказал вам: «Клянусь говорить только правду, и ничего, кроме правды!» — улыбнулся Булгак и спросил: — Вы довольны?

— Да. И еще одна деталь.

— Какая?

— Вы не будете против, если наш разговор я запишу на диктофон?

Булгак на минуту задумался и ответил:

— Хорошо. Я не против.

Гордеев достал диктофон, включил его и положил в центр стола.

— Олег Витальевич, — обратился к коллекционеру Юрий, — меня интересует все о Поташеве. Насколько я знаю, вы являетесь деловыми партнерами.

— У меня с ним не постоянный бизнес, а лишь разовые сделки, которые мы заключаем время от времени.

— Эти сделки он заключал с вами от имени фирмы «ВДП», в которой является президентом?

— Нет... — подумав, сказал Булгак. — О «ВДП» речь еще впереди. А у нас сделки заключались от имени других фирм. Но все они, так или иначе, принадлежат Поташеву, владельцем которых он является, как я думаю, не только на бумаге. Но, судя по размаху и по тому, что он мне предлагал, работал Эдуард Владимирович не один. За ним стояли и стоят до сих пор очень богатые и очень высокие правительственные чиновники, которые, вероятно, не желают светиться.

— Из-за возможного скандала?

— Может быть... К тому же в вашей стране существует запрет на совмещение государственной и частной деятельности.

— Вы можете сказать, что это были за сделки?

— Обо всех, конечно, нет, поскольку он имел дело не только со мной. Но во время нашей первой встречи, которая состоялась случайно, кстати в парижской мастерской Щербины, Эдуард Владимирович предложил мне выбор: нефть, лес и вооружение... монопольная госторговля которым к тому времени была уже нарушена. Но оружием я не занимался.

— Почему? Ведь, говорят, это очень выгодно.

— Да. Но схема, которую предложил Поташев, оказалась чрезмерно запутанной. В ней было задействовано множество подставных фирм. А в подобных ситуациях и товар и деньги за него могут бесследно исчезнуть еще где-то на полпути. Я не хотел рисковать и потому занимался нефтью и лесом. Они принесли мне очень неплохой доход.

— А другие предложения от Поташева поступали?

— Да. Но я не на все из них давал свое согласие. Так, например, отклонил проект по перекачке на Запад бюджетных средств. Ведь, по сути, это было нелегальное отмывание денег. Ворованных денег. А за этим у нас на Западе следят очень строго. И срок за него могут дать очень даже приличный. Я же хочу умереть на свободе, а вовсе не в камере, пусть даже со всеми мыслимыми и немыслимыми удобствами. Мои любимые картины в ней просто не поместятся. А самое тяжкое для коллекционера — это лишиться своей коллекции. С ней я расстанусь только в минуту собственной смерти.

— Олег Витальевич, я знаю, что в Москву вы вроде бы не собирались. У вас на этот период были совсем иные планы, но потом они изменились — и вы приехали сюда. Об этом вы сами рассказывали на открытии выставки Щербины...

— Я не лукавил. Я изменил свои планы из-за

одного, как мне сначала казалось, очень выгодного предложения.

— Вам его сделал Поташев?

— Да.

— В чем оно заключалось, если это не коммерческая тайна?

— Именно тайна. Но вам я обещал говорить правду: в том, чтобы спрятать концы в воду.

— То есть?

— О том, что у вас сменилось правительство, вы, Юрий Петрович, знаете и без меня.

Гордеев с улыбкой кивнул.

— А с чего в России начинает свою работу каждое новое правительство? — задал вопрос Булгак и, не ожидая ответа, продолжил: — С того, что начинает интересоваться, куда же это исчезли бюджетные средства, отпущенные предыдущим правительством на те или иные народные нужды. Затем, в лучшем случае, открываются уголовные дела, ведется следствие, во время которого лопаются известные фирмы, гибнут свидетели, а генеральные директора исчезают вместе с деньгами, объявленными в розыск.

— Да, — покачал головой Гордеев, — уж это я знаю. Но ведь меняется только кабинет министров, аппараты же министерств остаются прежними. А короля, как известно, играет его свита.

— Но я и не говорил, что Поташев желает смыться. Он просто почувствовал, что ему наступают на хвост. А так как Эдуард Владимирович не ящерица и свой хвост отбросить не может, то хорошо понимает, что для него существует опасность быть раздавленным.

— Однако вы говорили, что за Поташевым стоят весьма влиятельные люди.

— Люди, которые являются влиятельными при одном правительстве, при другом могут стать никем. И вся российская история хорошее тому подтверждение. Вы ведь, Юрий Петрович, наверняка помните из ваших школьных учебников знаменитую революционную фразу...

— Кто был никем, тот станет всем?

Булгак утвердительно кивнул, а его глаза вновь стали печальными.

— Когда-то правильность этого бандитского афоризма я испытал на себе, — с грустью в голосе сказал он. — Это было в роковые сороковые... В течение двадцати четырех часов я потерял все. Кроме земель и усадьбы у меня был огромный дом в центре Кишинева. Теперь в нем функционирует какой-то ресторан и... прочее.

Булгак ненадолго ушел в себя, словно погрузился в свое тяжелое прошлое.

— Но вернемся в нашу действительность, — продолжил Олег Витальевич. — Сделку, из-за которой я отложил свои дела и приехал в Москву, мне, как оказалось, предложили мерзкую.

— Что именно предложил вам Поташев?

— Ему понадобилась моя помощь. Вернее, мое имя. Поташев решил обанкротить одну из собственных фирм. Естественно, банкротство должно было быть липовым. На самом же деле все деньги предполагалось перекачать на Запад, где мне предлагалось открыть новую фирму, которая должна была выпускать ту же продукцию, что и здесь.

— По сути, он просто хочет перенести производство из одной страны в другую? И что же в этом предосудительного?

— На первый взгляд ничего. Но то, как это будет сделано и ради чего, является мерзостью.

— Объясните, пожалуйста.

— Фирма, которую решил обанкротить Поташев, называется «ВДП».

— Но ведь это же процветающее предприятие! — удивленно сказал Гордеев. — И продукция его не залеживается на складах.

— Да, так оно и есть, но на бумаге дело может выглядеть иначе. Бумага ведь, известно, все стерпит...

— И к тому же фирма «ВДП» стала монопольным поставщиком военной формы из перлара. У нее госзаказ. Ведь одежда из перлара прочна, удобна и относительно недорога. Если, конечно, сравнивать качество и цену.

— Все дело именно в этом. Поташеву, видимо, мало тех денег, которые он получает. Государство-то ему платит в рублях. Не так ли?

— Да.

— А сейчас здесь у вас очередной кризис. Иностранные инвесторы покидают Россию. Доллар вырос, а рубль соответственно упал. Значит, упали и доходы фирмы «ВДП». Ведь поднять цену на свою продукцию Поташев не может.

— Почему?

— А ему просто не дадут этого сделать. В производственной цепочке нет ничего импортного, того, что было бы куплено за валюту. Сырье местное. Рабочие руки — тоже. Станки и производственные линии покупать ему за границей незачем, они у него и так новые. Но вот если он перенесет свое производство за границу, то есть откроет там другую фирму, то сможет уже диктовать вашему государству свои условия. Он, таким образом, избавит себя от российской непредсказуемости. Изделия из перлара будут продаваться за твердую валюту. И Россия, если она очень заинтересована в изделиях из перлара, будет покупать их, естественно, не за рубли. При прежнем правительстве Поташеву удалось, с помощью военного лобби, добиться утверждения новой армейской формы, и Российская армия постепенно начала переодеваться. На смену форме старого образца приходит новая — из перлара. А на переправе, Юрий Петрович, как вы знаете, коней не меняют.

— Значит, Поташев предложил вам организовать за границей производство перларовой ткани? — спросил Гордеев.

Булгак кивнул.

— Эдуарду Владимировичу нужны были мое имя и мой авторитет, которым я пользуюсь в определенных кругах.

— И, вероятно, деньги? Поташев предложил вам войти в долю?

— Деньги? — удивленно переспросил канадец. — Они у него есть, и в достаточном количестве. Я так понимаю проблему. Так что производство перлара будет создано именно на его средства. Мне же Поташев предложил очень приличный процент от прибыли. Если я дам свое согласие на его предложение, то на мой счет, как выразился Эдуард Владимирович, будут постоянно капать большие деньги.

— Но, Олег Витальевич, насколько я знаю, технология производства перлара является ноу-хау, которое принадлежит наследникам Перетерского. Ведь именно Перетерский изобрел это сверхпрочное волокно.

— Да, так должно было быть. Но Перетерского нет. Он убит. А его единственной наследницей до недавнего времени являлась сорокапятилетняя бездетная и незамужняя племянница, которая от неустроенности личной жизни покончила с собой.

— Откуда вы это знаете? — насторожился Гордеев.

— Мне рассказал об этом сам Поташев.

— И вы ему верите?

— Во всяком случае, не верить у меня пока не было оснований. Причина гибели этой несчастной женщины может быть любой, но то, что ее уже нет в живых, это точно.

— Значит, наследников у Перетерского больше не осталось?

— Нет. Однако в завещании Перетерского был предусмотрен и другой пункт, по которому в случае, если его единственная наследница по каким-то причинам не сможет вступить в права владения наследством...

— Неужели Поташев показывал вам это завещание?

— Да, но только в копии.

— И о чем же этот пункт?

— В нем сказано, что в таком случае все права на производство перлара переходят к руководству фирмы «ВДП».

— А руководство «ВДП» — это Невежин и сам Поташев?

— Да, но Невежин сидит в Бутырках, — сказал Булгак, — по подозрению в организации убийства Перетерского. И следствие еще не закончено. То есть точка не поставлена.

— Олег Витальевич, вы не знаете, когда покончила с собой племянница Перетерского? — задал вопрос Юрий.

— Поташев говорил мне, что это произошло вскоре после смерти ее дяди. Предположительно бедная женщина не вынесла одиночества. Ведь она осталась совсем одна на белом свете. Да и жила она не в Москве, а где-то в провинции. А чем дальше от Москвы, тем труднее одинокому человеку выжить, так как зарплату там постоянно задерживают или вовсе не выплачивают. Так, по крайней мере, утверждают ваши газеты.

— Эту версию вам подсказал Поташев? А где она жила, не знаете?

— Нет, я домыслил. Что же касается племянницы, то он обмолвился, что где-то в Сибири. Не уточнял.

— Скажите, Олег Витальевич, а как именно Поташев собирался с вашей помощью начать за границей производство перлара, если ноу-хау принадлежит фирме «ВДП»?

— Вот для этого-то ему и понадобилось обанкротить свою фирму. Сделать это не так сложно. Достаточно умышленно или «ошибочно» вложить деньги в заведомо проигрышное дело. Сейчас это делается крайне просто. Нужно лишь приобрести государственные краткосрочные облигации — ГКО, — объяснил Булгак Гордееву и тут же задал адвокату свой вопрос: — Вы, Юрий Петрович, разве забыли скандал вокруг Мавроди и его фирмы «МММ»?

— Нет, — усмехнулся Юрий. — Мавроди тогда создал финансовую пирамиду, от которой, когда она рухнула, пострадали многие граждане, фирмы и даже финансовые структуры.

— Так вот, ГКО — такая же финансовая пирамида, но только уже на государственном, правительственном уровне, которая неминуемо рухнет и погребет под собой не отдельных граждан, как в случае с «МММ», а крупные банки. И причем не только российские. Но ваши пострадают больше других и в первую очередь. И случиться это может в ближайшие месяцы. Есть, конечно, много других способов устроить липовое банкротство.

— А какой из них выберет Поташев?

— Не знаю, — ответил Булгак и развел руками. — Сейчас, в отсутствие Невежина, он полноправный и единоличный хозяин фирмы «ВДП». И может сделать все, что захочет. Разорит собственное предприятие, а спишет все на кризис и на ошибки своей рискованной финансовой политики. Потом покается перед сотрудниками, которые останутся без работы. Ведь не ошибается только тот, кто ничего не делает. Хотя такого об Эдуарде Владимировиче никак не скажешь. Так что злой умысел в его действиях углядят лишь единицы, да еще те, кто будет в это посвящен.

— А кто еще, кроме вас, посвящен?

— Теперь, насколько я знаю, вы и Татьяна. И еще один человек, о ком мне точно известно, Орлов Виталий Борисович — правая рука Поташева в фирме «ВДП». Хотя на самом деле мне пока еще не совсем ясно, кто из них чья рука. То ли Орлов — рука Поташева, то ли Поташев — рука Орлова, то ли они оба — руки кого-то третьего.

— Но как, скажите, Поташев собирался передать вам права на производство перлара? — поинтересовался Гордеев.

— А при банкротстве фирмы описывается ее имущество, которое потом идет с молотка. Вырученные же деньги делятся между кредиторами. Так вот, Поташев, чтобы расплатиться со своими кредиторами, продал бы мне все права на производство перлара. Именно права, а не лицензию. После чего я становлюсь единственным в мире производителем этого сверхпрочного волокна. Но, как вы понимаете, — добавил Булгак, — конечно же только на бумаге.

— И вы, Олег Витальевич, соглашаетесь на это? — спросил Гордеев.

— Вы плохо меня слушали? Я ведь говорил вам, что сделка, предложенная Поташевым, показалась мне мерзкой. Но я хотел проверить свои впечатления и потому пока не дал ему никакого ответа. Сказал, что мне необходимо время для обдумывания. Сегодня утром я побывал в производственных цехах фирмы «ВДП». Ознакомился с технологическим процессом. Посмотрел на людей, которые там трудятся. Все они — одна большая семья или, если хотите, хорошо подобранная и сыгранная команда.

— Этим вопросом как раз и занимался Федор Невежин.

— Надо отдать ему должное. Федор Евгеньевич отличный менеджер.

Канадец о чем-то задумался. Он долго смотрел невидящим взглядом сквозь Юрия, как будто тот был из стекла, пока из этого состояния его не вывела трель мобильного телефона, висевшего на брючном поясе адвоката.

Юрий немедленно принес свои извинения и включил телефон.

Звонил Раппопорт.

— Да, Владлен Семенович, я вас слушаю, — сказал адвокат.

— Юрий Петрович, — сбивчиво и торопливо начал Раппопорт, — нам необходимо срочно встретиться!

— Что-то случилось?

— У меня появились очень интересные документы. Они касаются нашей фирмы и лично Поташева. Вам просто необходимо немедленно с ними ознакомиться. Для Поташева это похуже атомной бомбы...

— Откуда они у вас?

— Все — при встрече.

— А где вы находитесь?

— У метро «Цветной бульвар».

— Хорошо. В пятнадцать минут третьего буду на Трубной площади. Это в начале Петровского бульвара, у театра «Школа современной пьесы». Там есть летняя терраса. Сможете подойти?

— Да. Заодно и кружечку пива выпью.

— Договорились. А я подъеду на машине, — сказал Юрий и отключил телефон.

— Свой рассказ я уже заканчиваю, — сказал Булгак, пока Гордеев прятал свой мобильник в кожаный футляр — Так что вы, Юрий, не опоздаете на встречу.

— Еще раз простите, что пришлось отвлечься, — виновато сказал адвокат.

— Не извиняйтесь. Для того и изобрели подобные телефоны, — улыбнулся Олег Булгак, — чтобы вечно ломать наши твердые планы. У вас, Юрий Петрович, еще есть ко мне вопросы?

Гордеев кивнул.

— Тогда задавайте. Мое свободное время... оно ведь тоже заканчивается.

— Олег Витальевич, почему вы назвали предложение Поташева мерзким?

— Ну, мерзким оно, вероятно, кажется пока только мне одному. Понимаете, уважаемый Юрий Петрович, я долгие годы занимался тем, что создавал рабочие места, а не уничтожал их, как это собирается сделать господин Поташев. И мне будет весьма неприятно чувствовать себя человеком, который приложил к этому руку. Я, видите ли, уже достаточно стар и в любой божий день могу сойти в могилу, а потому не хочу, чтобы в мои, может быть, последние деньки люди посылали проклятия в мой адрес. А то, что после закрытия «ВДП» они посыплются на мою, как вы видите, плешивую голову, — это стопроцентно, — сказал Булгак, наклоняя голову и предъявляя Юрию свою лысую макушку. — Да, я не святой. В моей долгой жизни было многое. Но время совершения грехов для меня уже закончилось. Пришло время их замаливать... Я стал очень набожным. Занимаюсь благотворительностью. Жертвую на храмы. На мои средства в центре Кишинева была восстановлена колокольня, которую при Хрущеве снесли. Из местных прихожан об этом мало кто знает. Свои добрые дела я не афиширую. Даже коллекционирование картин — это, по сути, тоже благотворительность... Однако я помогаю не только художникам, но и музыкантам, поэтам... Да, не стоит все перечислять. А то будет похоже на юношеское хвастовство...

И снова наступила пауза, после которой бывший бессарабец продолжил:

— Я ответил на ваш вопрос, Юрий Петрович?

Гордеев молча кивнул.

— Если у вас, господин адвокат, есть еще о чем спросить, спрашивайте. — И Булгак поощрительно улыбнулся.

Все время, пока адвокат разговаривал с канадским миллионером, Татьяна, как истый профессионал, ни на миг не выпускала из поля зрения зал кафе и, зорко осматривая всех входящих и выходящих, была готова действовать в любую минуту.

Где-то в середине беседы в кафе вошел моложавого вида человек. Он был высокого роста, плотного телосложения, с длинными распущенными волосами, доходящими до плеч. Молодой человек сел в дальнем углу и что-то заказал, но через короткое время, так и не допив кофе, встал и вышел. Лицо этого человека было Татьяне незнакомо, но... кого-то все же напоминало.

ОШИБКА АДВОКАТА

Попрощавшись с Булгаком и поблагодарив его за то, что тот нашел время для встречи, Юрий Петрович Гордеев покинул пятизвездочный «Балчуг» и сел в свои «Жигули».

Переехав на противоположный берег Москвы-реки по Большому Москворецкому мосту, Гордеев миновал станции метро «Китай-город», «Лубянка» и «Кузнецкий Мост», выскочил на Неглинную улицу и, проехав мимо здания, в котором располагалось детективное агентство «Глория», подкатил к Трубной площади. Здесь он и оставил свою автомашину, а сам направился к открытой террасе пивного бара, где договорился встретиться с Раппопортом.

Владлена Семеновича адвокат увидел еще издали. Тот сидел за белым пластиковым столиком под раскрытым цветным зонтом, на котором пестрела реклама заморской газировки. Такие мебельные комплекты фирма-производитель бесплатно раздавала направо и налево всем держателям летних точек питания ради рекламы собственных напитков.

На столике перед Раппопортом лежала какая-то папка, а рядом стояла пивная бутылка, к которой он и прикладывался. За соседним столиком сидела юная парочка.

Гордеева же Раппопорт заметил, когда Юрий остановился перед светофором у здания театра «Школа современной пьесы». Владлен Семенович встал, радостно помахал адвокату рукой и, прихватив с собой папку, пошел ему навстречу. Он также остановился у светофора и стал дожидаться, когда красный свет сменится на зеленый.

Их разделяли всего лишь восемь метров проезжей части, по которой несся плотный поток разгоряченных автомобилей.

Когда наконец вместо красного света загорелся желтый и до окончательной остановки транспортного потока оставались считанные секунды, неожиданно раздался скрежет тормозов. Большой черный джип пересек белую ограничительную линию и, остановившись как вкопанный, заслонил Раппопорта от Гордеева.

В следующее мгновение адвокат услышал выстрелы. Их было два. И прозвучали они один за другим. А еще через секунду послышался пронзительный визг покрышек. Джип рванул с места, свернул налево и помчался вверх по Петровскому бульвару. Номерных знаков на нем не было, вот это Гордеев заметить успел.

Но то, что Юрий увидел следом, привело его в шок. На том месте, где только что стоял улыбающийся Раппопорт, никого не было. Человек в одежде Владлена Семеновича лежал в луже крови на асфальте, и его невозможно было узнать. Лица у человека не было: вместо него — сплошное месиво. Другая рваная рана зияла в груди. Тело Раппопорта лежало на тротуаре в двух с половиной метрах от бордюрного камня. На такое расстояние его отбросили выстрелы.

Гордеев кинулся к Раппопорту. После произведенных в упор выстрелов выжить было трудно, а точнее — невозможно. По характеру ран Юрий без труда определил, что стреляли из дробовика картечью.

Он осмотрелся, нет ли еще раненых. Но пострадавших больше не было. Как видно, Раппопорт все принял на себя. Из-за слишком близкого расстояния заряд картечи был кучным. Затем адвокат машинально поискал глазами папку, которую он видел в руках еще живого Раппопорта. Но ее нигде не было.

Дождавшись оперативной группы, Юрий Петрович дал свидетельские показания, подписал протокол происшествия и, проводив взглядом людей в белых халатах, уносивших труп Раппопорта, направился к своим «Жигулям».

Сев за руль, Гордеев не знал, куда ему теперь ехать. Он откинулся на спинку сиденья и, привалившись к подголовнику, уставился в пустоту ничего не видящим взглядом.

«Какие же это документы находились в папке Раппопорта? О чем он хотел рассказать? Кто и почему стрелял в этого милого, безобидного человека? — спрашивал себя Юрий Петрович и сам же отвечал: — Значит, Раппопорт был для тех, кто его убил, не столь уж и безобиден. По телефону он сказал, что документы, которые находятся у него на руках, о Поташеве и о фирме «ВДП», а значит, они касались и Невежина. А то, что для Поташева, как выразился Раппопорт, атомная бомба, то для Невежина наверняка является спасением или фактом, способным пролить хоть какой-то свет на все происходящее. Может быть, и на то, из-за чего все началось...

Но как к Раппопорту попали эти документы? Об этом, скорее всего, уже не узнать. Однако если тот, кто дал их ему, знает и обо мне, то есть надежда, что он попытается сам выйти на меня. Да, но надежда эта призрачная. А с другой стороны — именно надежда всегда умирает последней. А вот Раппопорт умер первым. Нет, вторым. Первыми в этом деле были Перетерский и его племянница. Кстати, нужно будет узнать, действительно ли ее смерть была самоубийством... И если нет, а так, скорее всего, и будет, то Владлен Семенович — уже третий покойник. Не считая тех идиотов из зеленого «фольксвагена»... И это уже цепочка. Закончится ли она на этом или же станут появляться новые звенья? И тогда кто следующий? Где это произойдет? Когда? Как и за что? Хотя за что — можно догадаться. За то, что лезем не в свое дело, которое кто-то очень хочет прикрыть. Странно, что Раппопорт мне ничего не говорил об угрозах в свой адрес. Ведь крутые парни сначала обычно предупреждают, грозят, запугивают и лишь потом, если, как они выражаются, объект не понимает, начинают действовать.

Но может, угроз вовсе не было? Тогда документы, которые оказались у Раппопорта, были очень опасными. Для Поташева? Для всей фирмы «ВДП»? Или для тех, кто стрелял? Кстати, опять стреляли из дробовика. Скорее всего, это был обрез охотничьего ружья, потому что длинного ствола никто из случайных свидетелей убийства не видел. Не нашли также и гильз, которые наверняка остались либо в казеннике, либо в салоне джипа. Профессионально сработано. И оружие выбрано нетрадиционное. Обычно в таких случаях используют автомат или пистолет... А ружье-то было не помповое. Звуки выстрелов почти слились в один, но между ними все-таки была какая-то доля секунды. А это значит, что стреляли из двустволки. Только с ней подобное возможно, ведь там два курка. Но выбор оружия очень странный. Хотя в этом тоже свой почерк, свой, как утверждают бойкие репортеры, стиль. Хм! Значит, стиль? А по стилю — тьфу ты! — по почерку можно отыскать и автора произведения. Однако наш автор этого, похоже, не боится. Но тогда он или дурак, каких даже среди киллеров можно отыскать немало, или шибко уверен, что его-то уж наверняка никогда не найдут. Зря надеется! Искать в России пока еще не разучились. Другое дело, когда не хотят искать или, что еще хуже, мешают поискам...

Кстати о поисках! А как же стрелки узнали о нашей с Раппопортом встрече? Они что, следили за ним? Или за мной? Однако хвоста я за собой не видел. Значит, следили за Раппопортом? Но тогда почему они не сделали этого раньше — не убили его или не отобрали эти чертовы документы? Ведь могли же его просто избить, как Чупрова, а папку выхватить из рук. Это смог бы сделать любой подросток. Зачем же было убивать-то человека? Неужели похищенные документы того стоили? Или, может, они хотели меня припугнуть? Ведь все произошло у меня на глазах! С одной стороны, это кажется сомнительным, но с другой — подъехали они почти в два пятнадцать. Вряд ли ожидали в каком-нибудь переулке моего появления, чтобы произвести на адвоката неизгладимое впечатление. Скорей всего, ожидали указаний от своих боссов, как им быть. А получив, стали действовать. Они ведь едва успели. Еще минута — и папка с документами оказалась бы у меня. Но тогда им пришлось бы убирать двоих: меня и Раппопорта. Или... Ну об этом, пожалуй, я уже никогда не узнаю... А вот как этим «быкам», этим ублюдкам удалось узнать время и место нашей встречи? Как, черт возьми, как?!»

В следующую секунду Гордеев с силой ударил

обеими руками по рулевому колесу. Правый кулак соскочил с баранки и попал на клаксон. И тут же громко завыла сирена «Жигулей». Находящиеся поблизости прохожие вздрогнули и стали испуганно озираться.

— Телефон! — воскликнул Гордеев — Телефон! Будь он проклят, этот чертов телефон! Ведь в нем же находится «жучок»! Мы с Денисом его там специально оставили! И как я мог о нем забыть? Кретин! Безмозглый кретин! Тупица! Вот из-за таких, как я, и гибнут люди...

Гордеев вставил ключ в замок зажигания, двигатель заработал. Юрий развернул машину на Трубной и погнал по Неглинке к зданию, где находилось агентство «Глория».

Денис Грязнов был, как всегда, на своем рабочем месте. Он выслушал, расспросил Юрия о подробностях происшествия и спросил:

— И что? Хороший был мужик?

— Порядочный, — ответил адвокат Гордеев.

— Жаль. Вдвойне!

— Жаль, — согласился Юрий.

— Но его уже не вернуть. Поэтому стоит подумать о других.

— О ком?

— О тех, что еще живы, но находятся в опасности.

— Кого ты имеешь в виду? — настороженно спросил Гордеев.

— Да хотя бы тебя самого, — сказал Денис.

— Ну за себя-то я постою! — обозлился Юрий.

— А ты уже потерял бдительность.

— О чем ты?

— За тобою следят, а ты этого даже не замечаешь, — ответил Денис. — Ведь следили, Юрик, не за Раппопортом, а за тобой. Он же попал в этот смертельный переплет случайно или, вернее, не совсем случайно, раз папку с документами они все-таки забрали.

— Поясни.

— «Жучок», который находится в твоем сотовом телефоне, действует в радиусе одного километра и только когда телефонный аппарат работает. И это значит, что в тот момент, когда ты разговаривал с Раппопортом...

— Не продолжай. И так все ясно, — виновато сказал Гордеев. — Моя ошибка. Мне нужно было как-то дать ему понять, чтобы он прекратил разговор, а уж потом позвонить самому, но по другому телефону. Тот, что ты дал.

— Его бы все равно нашли, — оборвал Денис Юрия. — А убили, я думаю, за то, что он знал о характере документов.

— Не знаю, что бы я дал, лишь бы ознакомиться с ними!

— Может, и ознакомишься когда...

— Когда? — спросил Гордеев.

На этот вопрос Денис не ответил, лишь развел руками.

— То-то, — сказал адвокат.

— Ну, документы документами... А вот с теми, кто стрелял в Раппопорта, можно и даже обязательно нужно познакомиться.

— Хотелось бы, — вздохнул Юрий.

— Значит, они предпочитают дробовик? — задумчиво спросил сам себя Грязнов.

— Они, наверное, считают себя крутыми охотниками, а тех, кого убивают, — дичью.

— Лично я считаю таких браконьерами. Ведь в России новый охотничий сезон на людей еще не открыт.

— Да. Последний закончился в Чечне.

— А с браконьерами как поступают?

— Их либо отлавливают и сажают, либо, если те оказывают вооруженное сопротивление, пристреливают как бешеных псов.

— Но псов необходимо предварительно выманить из их норы. А для этого надо подбросить им новую приманку.

— Ты о чем?

— Используем еще раз твой сотовый телефон. «Жучок» должен сослужить нам хорошую службу.

— Что ты задумал?

— Запустим утку, — сказал Грязнов-младший. — Они ведь прослушивают все твои телефоны? И домашний, и рабочий, и сотовый?

— Да.

— Вот мы и организуем на твой сотовый один звоночек, из которого тебе и, естественно, им станет известно о том, что существуют копии или даже оригиналы документов, тех самых, из-за которых они сегодня убили Раппопорта и которые тебе собираются передать в каком-нибудь определенном месте.

— Вдвоем нам с этим не справиться.

— А кто тебе, Юра, сказал, что мы будем проводить эту акцию вдвоем? Для этого существуют спецназ, ОМОН и другие профессионалы своего дела.

— Значит, начальника МУРа ты берешь на себя?

— Да. Придется поэксплуатировать любимого родственника. Да потом ведь и убийства, подобные совершенному, по их части, — улыбнувшись, сказал Денис Грязнов, явно намекая на то, что его дядя, генерал-майор милиции Вячеслав Иванович Грязнов, являющийся начальником Московского уголовного розыска, вовсе не считает, что раскрытие убийств — это прерогатива частных детективных агентств. Помощь — сколько угодно. Но с киллерами должны иметь дело исключительно профессионалы...

— Когда начнем? — загорелся Юрий.

— Нужно, чтобы после гибели Раппопорта прошел какой-то срок. Тогда все будет выглядеть очень естественно. Ведь чтобы человек с документами вышел на тебя, ему потребуется время. А Владлена Семеновича убили только сегодня, — напомнил Денис адвокату. — Логично?

— Вполне, — согласился Юрий и стал смотреть, как Денис с помощью дистанционного пульта управления настенным кондиционером регулирует подачу холодного воздуха.

— Ну как? Ты хоть немного успокоился? — спросил Грязнов, когда закончил манипулировать кондиционером.

— Выпить бы, — вместо ответа сказал адвокат.

— Ты же за рулем, — напомнил Денис другу. — Да еще в такую жару!

— Ну в твоем-то кабинете не жарко.

Грязнов усмехнулся:

— Ладно, налью тебе чуть-чуть. Для снятия стресса. Но учти, что в твоих «Жигулях» кондиционера такого, как здесь, нет.

Денис поднялся и подошел к деревянному шкафчику.

— Ты что? Выпивку стал хранить в сейфе? — поинтересовался Юрий, отлично помня, что тот находится именно в этом шкафу.

— За сейфом, за... — объяснил свои действия Денис и вытащил откуда-то из глубины бутылку дорогого и хорошего джина «Бифитер».— Не хочу подавать дурной пример подчиненным.

— Джин! — покачал головой Гордеев. — Его-то как раз и нужно пить в такую жару. В отличие от коньяка или водки, он не разогревает организм, а расслабляет и снимает стресс.

Юрий разбавил налитый Грязновым джин остатками тоника, которым они до этого утоляли жажду.

— Кстати, Денис, покажи, пожалуйста, мне еще раз те фотографии, на которых запечатлен Пасечник.

Грязнов молча достал из ящика стола желтый пакет и протянул его Юрию.

Просмотрев вновь все снимки, Гордеев спросил:

— Муровцам известны все, кто находится на этих фотографиях?

— Почти. Большинство из них — это члены долгопрудненской группировки. Но твою Елену Петровну они не знали, так как она оба раза находилась в машине, зарегистрированной на другое имя.

— А женщину, которая вот здесь, вместе с ней, на фотографии?.. Она кто?

— А вот она как раз пока считается неизвестной. Запечатлена лишь однажды.

— Я могу взять эти снимки?

Грязнов кивнул.

Гордеев вытащил из общей пачки фотографию, на которой были Елена Петровна и незнакомая женщина.

— Собираюсь навестить хозяйку «Синей саламандры», — сообщил он Денису.

— Угу, — промычал Грязнов и поинтересовался: — А как у тебя дела с Кирой Бойко? Удалось встретиться?

— Пока нет. Жена Невежина то в разъездах, то больна, то еще черт знает что. Похоже, она всячески избегает встречи со мной. Но в суде-то уж мы с ней обязательно встретимся. Однако хотелось бы увидеть ее пораньше. У меня к ней накопилась масса вопросов... И еще, Денис, у меня к тебе маленькая просьба...

— И не проси, — категорически замотал головой улыбающийся Грязнов-младший. — Больше ни грамма! Ты за рулем!

— Я о другом. Мне нужна информация об Орлове Виталии Борисовиче. Он работает в фирме «ВДП». Занимает пост исполнительного директора. Орлов в этой фирме правая рука Поташева.

— Хорошо. Сделаю все возможное, — пообещал Грязнов.

— Спасибо. — Юрий пожал Денису руку. — Мне пора. Нужно еще заехать на Таганку, в родную консультацию.

КУПЮРЫ С ОТПЕЧАТКАМИ

На Таганку адвокат Гордеев прибыл без происшествий. Дорожных правил он нигде не нарушил.

— Привет! — сказал Райскому, входя в его служебную кабинку.

— Привет! — так же лаконично ответил Вадим, отрывая взгляд от бумаг, лежащих перед ним на столе. Затем он внимательно посмотрел на Гордеева и спросил: — Ты чего такой кислый? Случилось что-нибудь?

— Случилось, — подтвердил Юрий. — Недавно Владлена Семеновича убили.

Райский от неожиданности чуть не подпрыгнул.

— Раппопорта? — переспросил Вадим.

— Да.

— Когда?!

— Сегодня. Днем. В два пятнадцать.

— Где?

— На Трубной площади. Мы должны были там встретиться. Он хотел мне передать какие-то очень важные документы.

— И как же это все произошло?

— На моих глазах. Стреляли из дробовика. В упор. Два выстрела. В грудь и в голову. Картечью.

— А откуда стреляли?

— Из джипа. Все произошло в считанные секунды.

— Эти документы у тебя?

— Нет.

— А где же они?

— Их похитили.

— Кто?

— Тот, кто стрелял.

— Тебе известно, что было в этих документах?

— Нет. Но Раппопорт, когда договаривался со мной о встрече, сказал, что в них находится такая информация, которая может стать для Поташева пострашнее атомной бомбы, — ответил Юрий и стал рассказывать о тех делах, которыми занимался весь день.

— Что ж, событий много, но далеко не все они радостные, — философски подытожил услышанное Райский.

— А у тебя как? — спросил Юрий коллегу. — Есть какие-нибудь новости?

— Есть, — многообещающе ответил Вадим.

— Выкладывай, — вздохнул Гордеев, — может, у тебя будет пооптимистичнее...

— Котова обнаружили, — коротко сказал Райский.

Теперь настала очередь удивляться Гордееву.

— Да? — вскинул брови адвокат. — Где?

— В Новосибирске.

— Задержали?

— Хм. Можно сказать, что и так.

— А что значит «можно сказать»? Где он сейчас находится?

Или опять сбежал?

— Покойники не бегают. По крайней мере, в нашей реальной жизни.

— Еще один труп, — устало сказал Юрий.

— Да, его труп был найден в номере гостиницы «Новосибирск».

— Кто нашел?

— Горничная. Утром она зашла в его номер, чтобы сменить постельное белье.

— Что же с ним произошло?

— Был сделан один выстрел. В голову. Точнее, в висок. Он же — контрольный.

— Выстрела конечно же никто не слышал, так как стрелял профессионал из пистолета с глушителем?

— Все именно так и было, если не обращать внимания на мелкие детали.

— Какие?

— Дело в том, что был произведен, как ты уже слышал, только один выстрел. А профессионалом, который его сделал, был, похоже, сам Котов.

— Самоубийство? — недоверчиво переспросил Гордеев. — Не может такого быть!

— А вот новосибирские криминалисты настаивают на этой версии. Пистолет с глушителем, из которого был сделан этот единственный выстрел, находился в руке Котова. И сжимал он его очень крепко. Можно сказать, уверенно.

— Странно. Зачем Котову понадобилось пускать себе пулю в лоб? Да еще тихо?

— В висок, — поправил коллегу Райский.

— Какая разница?

— Да, для Котова, пожалуй, уже никакой разницы нет.

— При нем что-нибудь нашли? — думая о своем, спросил Гордеев.

— Ничего путного. Пустой портфель, туалетные принадлежности, две пары новой дорогой обуви и один костюм — тоже совсем новый. Его Котов, как и несколько белых рубашек, так ни разу и не надел.

— Откуда это известно?

— С них даже ярлыки не успели срезать. А судя по товарному чеку, который оказался в нагрудном кармане пиджака, костюм был куплен тоже в Новосибирске. Также в гостиничном номере Котова нашли три полные обоймы к уже упомянутому мной пистолету и немного российских рублей. И еще документы. Два российских паспорта — внутренний и заграничный. Водительские права и удостоверение помощника депутата Государственной думы от фракции ЛДПР. На всех этих документах фотография Котова. И все они были выписаны на имя Николая Викторовича Игнатьева.

— Сколько дней прожил Котов в гостинице?

— Четыре дня. На пятый, утром, он уже был найден мертвым.

— Еще что-нибудь известно?

— В гостиницу «Новосибирск» Котов вселялся одновременно с некой Натальей Михайловной Свинаренко. Они приехали туда в одном такси. В гостинице эта женщина прожила два дня, а потом выехала.

— Ничего необычного.

— Возможно. Однако я говорил о деталях.

— И что же?

— Номер для женщины бы забронирован заранее. А номер Котова, в который он поселился, освободился лишь за полчаса до его приезда. Ему, стало быть, необычайно повезло. Других свободных номеров в этой гостинице в день их приезда не было.

— После того как они поселились, их видели вместе?

— Да. Пару раз они вместе ужинали. В ресторане гостиницы. В номер Котова женщина не заходила, хотя под подушкой был найден тюбик губной помады. Дежурные по этажу утверждают, что в номере Котова, за все время его проживания, никто, кроме него самого и обслуживающего персонала гостиницы, не появлялся.

— Известно, как выглядела эта женщина?

— Да. Красивое лицо, хорошая фигура, короткие темные волосы, модная стрижка. И глаза тоже темные. Продавщицы, дежурные по этажу и администратор гостиницы, оформлявший поселение Котова и Свинаренко, дали одно и то же описание.

— Продавщицы чего? — решил уточнить Гордеев.

— Те, которые работают в отделе мужской одежды новосибирского центрального универмага. Костюм Котова был куплен именно у них, в их отделе. Свинаренко, как оказалось, помогала Котову в выборе одежды.

— Что еще удалось узнать? Хотя и той информации, которую я услышал, уже выше крыши. Как же тебе это удалось?

— У каждого свои секреты.

— Согласен. Часть своего гонорара ты уже отработал.

Райский радостно улыбнулся и продолжил:

— При заполнении листка прибытия Свинаренко указала свой домашний адрес. Он оказался новосибирским.

— Выходит, она местная?

— Да.

— Но как же ее тогда поселили? — спросил Гордеев и сам же ответил на свой вопрос: — Ах ну да! Старые правила наверняка давно отменили.

— Если бы их даже и не отменяли, то за хорошие башли администратор поселит в гостинице кого угодно, — сказал Вадим Райский. — Но в нашем случае госпожа Свинаренко сообщила администратору, что в ее новосибирской квартире еще идет ремонт, так как строители, которые им занимались, не успели закончить работы к ее приезду, и что она пробудет в гостинице дня три или четыре, не больше.

— Новосибирские сыскари ее допрашивали?

— Нет.

— Почему?

— Когда оперативники проверяли ее адрес, то оказалось...

— Что мадам Свинаренко Наталья Михайловна там никогда не проживала, — подсказал Гордеев Райскому.

— Наоборот. До последнего времени по адресу, указанному в гостиничном листке прибытия, действительно проживала некая Наталья Михайловна Свинаренко. Но восемь месяцев назад она умерла.

— Еще один труп? — с радостной иронией предположил Гордеев.

— Не радуйся, — остудил Вадим Юрия. — Эта женщина умерла своей смертью. И в день кончины ей было за восемьдесят.

— За восемьдесят? — удивился Гордеев.

— Да. За восемьдесят. Точнее, восемьдесят четыре без трех месяцев и двенадцати дней.

— Значит, это были две разные женщины?..

— Да, если не верить в реинкарнацию.

— Смешно, — печально заметил Юрий и покачал головой. — Ну давай дальше.

— По Котову у меня все, — сказал Райский.

— Тогда у меня к тебе вопрос.

— Задавай, — разрешил Вадим Андреевич.

— Когда нашли труп Котова, где в это время находился его пистолет?

— Я же тебе говорил! Он был зажат в его руке.

— А в какой? В левой или в правой?

Вместо ответа Райский беспомощно развел руками.

— Такой детали я не знаю, — виновато сказал Вадим. — Но разве это имеет значение?

— Ты же знаешь, что в нашем деле любая деталь имеет значение. Даже если новосибирские криминалисты на сто процентов уверены в самоубийстве Котова.

— Ладно. Я сейчас позвоню им, — сказал Райский.

Вадим покопался в своем прекрасном кожаном портфеле и достал из него электронную записную книжку. Нажав на панели какие-то клавиши, Райский нашел нужный ему номер и стал нажимать кнопки набора. Но после трех или четырех цифр он остановился и посмотрел на свои часы.

— Черт! — сплюнул он. — Сегодня поздно. Между Москвой и Новосибирском четыре часа разницы. И рабочий день у них давно закончился. Придется отложить разговор до завтра.

— Что ж, завтра так завтра, — согласился Гордеев.

— Юра, объясни мне, пожалуйста, что изменится, если мы будем знать, в какой руке Котов держал пистолет.

— Котов, как указано в его деле, в особых приметах, от рождения был левшой. Но с детства, чтобы не отличаться от других, пытался все делать правой рукой. Все! Понимаешь? Держать ложку, пользоваться зубной щеткой, писать, резать хлеб, забивать гвозди и так далее и тому подобное...

— А стрелял он какой рукой?

— С обеих. И притом с обеих одинаково хорошо. Хотя с левой все-таки лучше.

— Тогда какая нам, к черту, разница, в какой руке трупа был пистолет?

— Есть. Пистолет, из которого Котов предположительно — я подчеркиваю это слово — застрелился, был один, и он найден.

— Ну и?..

— Я думаю, что в предсмертную минуту, когда он уже решился на самоубийство, условные рефлексы, вырабатываемые в течение жизни, уступили место безусловному рефлексу. То есть последний выстрел Котов сделал бы именно левой рукой.

Райский почесал затылок.

— Я объяснил доступно? — спросил Юрий.

— Вполне. Мне теперь и самому интересно узнать, в какой руке Котова был найден пистолет, — ответил Вадим.

— Когда узнаешь, сообщи, — попросил Юрий Петрович.

— Хорошо. А теперь перейдем ко второму вопросу нашей повестки дня, — многозначительно сказал Райский, достал свою замечательную курительную трубку, набил ее душистым табаком и стал раскуривать.

— Что еще у тебя?

— Теперь поговорим о деньгах.

— О каких деньгах? Снова о гонораре?

— Об этом мы с тобой говорили, — поморщился Райский. — Я имею в виду доллары.

— Господи, какие еще доллары?!

— Зеленые такие. Американские. Два десятка купюр. По стольнику каждая. С отпечатками пальцев Невежина Федора Евгеньевича, тысяча девятьсот пятьдесят четвертого года рождения, уроженца города Москвы...

— Стоп! Понял, — остановил Гордеев Райского. — Извини. Но это ведь лишь малая часть гонорара за выполненный заказ?

— Так мне рассказывать или нет? — с наигранным удивлением спросил Вадим Андреевич.

— Рассказывай, рассказывай. Что удалось узнать?

— Я не знаю, где Котов держал свои капиталы, но переписал серийные номера тех купюр, что имелись в деле, и попытался проследить их продвижение от печатного станка до карманов Котова, из которых их и изъяли, а потом приложили к делу Невежина.

— Получилось?

— В общем-то да. Если бы эти купюры были старого образца, то ничего бы у нас не вышло. Но доллары, которые фигурируют в нашем деле, были новые. Ты же, Юра, знаешь, сколько сейчас в мире гуляет фальшивых баксов?

Гордеев утвердительно кивнул.

— Где их только не подделывают. И в Иране, где это происходит на государственном уровне, и в Италии, и в Польше, и так далее. Делают их и у нас в России. Недавно, например, накрыли банду фальшивомонетчиков в Дагестане. Качество подделок оказалось очень высоким... Ну вот американцы и решили, что хватит, пора, мол, усилить защиту своих денег. Разработали новые образцы и теперь постепенно вводят их в обращение. Примерно в год-полтора по одной купюре. И начали они со стольников, теперь есть уже и полтинники, а скоро появятся двадцатки и так далее... Вплоть до одного доллара. Сотенные купюры американцы отпечатали в девяносто шестом году и разослали их для обмена по всему миру. В нашу страну они поступали по межбанковскому обмену, то есть через Центробанк. И далее — по всей стране. А как новые купюры пакуют? В пачки! А в пачках как они, новые купюры, лежат? Одна к другой! То есть все одной серии, но каждая со своим индивидуальным номером. И номера новых купюр в каждой пачке идут как и обычные лотерейные билеты, то есть один за другим. В подбор! — Райский взял паузу. Подержал ее и продолжил улыбаясь: — Ты успеваешь за ходом моих мыслей?

Гордеев кивнул.

— Так вот, все купюры, на которых есть отпечатки пальцев Невежина, из одной партии и даже, скажу больше, из одной пачки или как максимум из двух соседних. Номера четырнадцати купюр из пятнадцати идут в подбор. На остальных шести восьмизначные серийные номера отличаются только двумя последними цифрами. Все это является наглядным подтверждением моих слов.

Гордеев молча смотрел на Райского. Он не хотел перебивать Вадима, чувствуя, что тот провел большую работу и главное будет еще впереди.

— Теперь продолжим наше движение, — сказал Вадим Андреевич. — Я попытался проследить путь этих денег. Куда они были отправлены и когда покинули подвалы Центрального банка России? И ты знаешь, мне повезло. Я узнал-таки. Деньги были отданы в ФСБ. В декабре тысяча девятьсот девяносто шестого года. Для проведения специальной операции. Сумма, которая была передана, составляла два миллиона долларов. Не знаю, помнишь ли ты, Юра, но двенадцатого декабря девяносто шестого в районе Минеральных Вод были взяты заложники. Тогда четверо террористов захватили рейсовый автобус, который шел из Нальчика в Ставрополь. Требования террористов заключались в следующем: вертолет, оружие, наркотики и два миллиона американских долларов. Захваченный автобус пропустили на взлетное поле Минводского аэропорта, где он и стоял, пока не были найдены и привезены деньги. Потом прилетел вертолет. Террористы отпустили часть заложников — это были дети и женщины — и пересели из автобуса в вертолет. Вскоре привезли и деньги. Те самые два миллиона долларов в новых купюрах. Потом вертолет с террористами взлетел и взял курс на Чечню. Заложниками в нем были двое пилотов вертолета, а также майор ФСБ, который добровольно предложил себя в качестве заложника. Остальных людей бандиты отпустили. Однако до нужной точки террористы не долетели. В баках закончилось горючее. А в том месте, где приземлился вертолет, террористов уже ожидали снайперы и группа захвата. Началась операция по освобождению заложников — майора и пилотов. Но конечный результат ее был плачевным. Погибли заложники, а из террористов двое были убиты на месте, двое же других тяжело ранены и скончались в больнице. Теперь что касается денег. Во время захвата вертолет загорелся. Часть денег сгорела. Что-то удалось спасти. Миллион долларов террористы где-то сбросили. Они так и не были позже найдены. Естественно, что прежде, чем передать деньги бандитам, номера всех купюр переписали. Те, что удалось вернуть, пустили в оборот, а остальные были занесены в черный список Интерпола. Но вернемся в день сегодняшний. Доллары с отпечатками пальцев Невежина — как раз из числа тех, что исчезли и находятся в том самом черном списке, — закончил свой рассказ Райский.

— Да тебе, Вадик, цены нет! Не знаю, что бы я без тебя делал! — сказал Гордеев.

— Насчет цены я тебе еще напомню.

— Хорошо, — согласился Юрий Петрович и перешел на другую тему: — Как же к Невежину попали эти доллары?

— Подсунул, наверное, кто-нибудь или попросил пересчитать, передать, подержать. Вполне достаточно, чтобы на купюрах остались отпечатки, — предположил Райский. — Особенно если машинки под рукой не оказалось.

— Понятно, — сказал Гордеев. — Но вот кто мог это сделать?

— Вряд ли кто-нибудь из посторонних. Наверняка свои. Например, жена Невежина.

— Это необходимо будет учесть, чтобы верно выстроить тактику защиты. Ведь если сделано с умыслом, то это можно будет легко повернуть в пользу Невежина... Кстати, Вадик, насколько я помню, после той неудачной операции по обезвреживанию террористов в средствах массовой информации выдвигали версию, а не была ли эта акция по захвату заложников спланирована кем-то из нечистых на руку сотрудников спецслужб, чтобы, например, обеспечить себе безбедную старость или же продемонстрировать всему миру свое профессиональное умение. Ведь в районе Минеральных Вод до этого было совершено несколько подобных террористических акций. Причем подряд. И с позором для силовиков. Террористам удавалось уходить от возмездия. Вместе с деньгами. С миллионами долларов.

— Помню, — сказал Райский. — Но этот вопрос тогда так и повис в воздухе. Руководство ФСБ оставило его без комментариев, а пресс-служба этого очень закрытого ведомства заявила, что подобным скандальным заявлениям некоторые карьеристы от журналистики пытаются сделать себе имя.

— Да. Реакция в общем-то обычная. Причем для обеих сторон, — задумчиво произнес адвокат Гордеев.

ХОЗЯЙКА «СИНЕЙ САЛАМАНДРЫ»

Подъехав к ресторану «Синяя саламандра», Гордеев с огорчением констатировал, что машину ему ставить негде. От входа в ресторан и до конца квартала не было ни единого свободного места. Большое количество автомобилей, преимущественно дорогих иномарок, заехавших передними колесами на тротуар, напомнило адвокату клавиатуру музыкального инструмента из его давнего детства. Разноцветная эмалевая клавиатура тянулась от одного перекрестка до другого, проехав который Юрий все-таки отыскал свободное местечко, где и приткнул свои синие «Жигули».

«Уж не воровской ли сходняк здесь сегодня?» — идя к ресторану, не без юмора подумал он.

Уже в холле он услышал ровный гул голосов, стук столовых приборов, звон фужеров и жидкие аплодисменты — звуки, сопутствующие большому собранию жующих людей. Не успел он сделать и нескольких шагов, как был остановлен рослым швейцаром, внезапно выросшим перед ним. Судя по его выправке, он явно был из отставных военных.

— Извините, — сказал служитель входных дверей, — но ресторан сегодня не работает.

— Разве? — удивился Гордеев, кивая в сторону доносившегося из зала шума.

— Извините, это спецобслуживание. У нас проходит закрытое мероприятие. Приходите завтра.

— Да, если уж не везет, так во всем, — с сожалением сказал адвокат. — Тогда, может быть, в бар?

— В бар? — переспросил швейцар. — Туда — пожалуйста. — И он уступил Юрию дорогу.

Бар находился внизу, в полуподвале. Вела туда винтовая лестница. Преодолев три десятка ступенек, Юрий оказался в большом сумеречном помещении, в которой негромко звучала спокойная музыка.

Кроме стойки с десятком высоких табуретов там еще находилось и восемь столиков, рассчитанных на двоих и четырех посетителей. У дальней, противоположной от входа стены стояли два шикарных бильярдных стола, над которыми висели большие зеленые абажуры. Возле одного из столов, спиной к Гордееву, стояла стройная женщина в легком брючном костюме. В руках она держала кий, тонкий конец которого натирала мелом. Женщина эта готовилась произвести первый удар по цветным костяным шарам, находящимся пока еще в деревянной треугольной рамке. Кроме женщины, других посетителей в баре не было.

Гордеев подошел к стойке, сел на табурет и заказал бутылку безалкогольного пива с жареными орешками. И вскоре бармен поставил перед ним высокий пивной стакан и тарелочку с закуской.

Сделав хороший глоток прохладного пенного напитка, Юрий стал размышлять о том, как бы ему поговорить с Еленой Петровной, не вызывая при этом подозрений. В машине по дороге сюда он надеялся, что, обходя, как обычно, столики посетителей, Елена Петровна сама подойдет к нему, чтобы поприветствовать и переброситься несколькими дружескими фразами, а уж он-то, как адвокат, сумеет поддержать разговор и повернуть его в нужное ему русло. Но теперь, из-за дурацкого спецобслуживания, этот вариант отпадал.

Действительно, не пойду же я в ее кабинет и не выложу перед ней свои снимки. Ну да, и еще с вопросом: «А что вас связывает с майором Пасечником? Кто это с вами вот здесь на фотографии?»

Он снова пригубил пиво, забросил в рот несколько орешков и, грызя их, стал обдумывать другие возможные варианты. Но долго искать не пришлось. Помог телефон. Тот, который стоял под рукой у скучающего бармена. Телефон зазвонил, бармен поднял трубку, кого-то внимательно выслушал и сказал «да», а потом — «здесь». Но самое главное для Гордеева бармен выкрикнул не в трубку, а в сторону бильярдного стола: «Елена Петровна! Вас к телефону!»

Гордеев вздрогнул. И от неожиданности, и от ощущения удачи. Но оборачиваться не стал, ожидая продолжения.

Елена Петровна подошла к стойке и, не взглянув на единственного посетителя, взяла трубку из рук бармена. Телефонный разговор был коротким. Отдав негромко какие-то распоряжения, она вернула трубку бармену, и тот положил ее на рычаг.

— Володя, — сказала она, — налейте мне стакан сока.

— Как обычно — апельсиновый? — спросил бармен.

— Естественно.

Пока тот доставал из холодильника пакет с соком, вскрывал его и наполнял стакан, Елена Петровна посмотрела наконец на Гордеева, который пересел так, чтобы видеть ее.

— Добрый вечер, Елена Петровна, — первым улыбнулся он.

— Добрый вечер, Юрий Петрович, — ответила

она взаимной улыбкой. — Рада видеть вас здесь, у нас.

— Да вот хотел было поужинать, зашел, а тут, оказывается, спецобслуга. Как в добрые старые времена. Закрытое, так сказать, мероприятие. Ну и пришлось спуститься в бар, довольствоваться солеными орешками и безалкогольным пивом.

— Ну что уж так бедно! Кроме орехов в баре есть и другие закуски. Одних бутербродов двенадцать видов, а к тому же есть еще и...

— Спасибо, Елена Петровна, но аппетит я, кажется, уже перебил. А вы не могли бы утолить моего любопытства?

— То есть?

— Скажите, что это за мероприятие, из-за которого в ресторан не пускают посторонних?

— Ах вот вы о чем! Нет ничего необычного, просто там гуляет одно из политических объединений. Из вновь созданных.

— Это они так, видимо, готовятся к выборам в Думу?

— Вполне возможно! — засмеялась она. — Но для нашего ресторана подобные мероприятия очень выгодны. Особенно летом, когда количество посетителей падает до нуля. Вы же видите, сколько сейчас человек в баре?

Гордеев кивнул:

— Вы да я!

— Ну я не в счет. Я на своем рабочем месте.

— За бильярдным столом? — удивился Гордеев. — Разве вы еще и маркер?

Елена Петровна искренне расхохоталась:

— Нет, конечно! Я имела в виду весь ресторан.

И бар — как одно из его подразделений. Ну а бильярд — это для удовольствия, для души, для снятия стресса...

— Но для кого-то и работа?..

— Вероятно, если играть на деньги... А вы, Юрий Петрович, не играете?

— На деньги?

— Нет. Я о другом. Вы вообще-то играете? — Она кивнула на бильярдный стол.

— Пробовал когда-то, да так и не научился толком.

— Чтобы хорошо играть, одного желания мало. Нужен еще и хороший тренер. Учитель. Тот же маркер. У меня такой был.

— Вы, Елена Петровна, так убедительно говорите, что я готов попробовать. Но при одном условии: чтоб моим учителем были вы. Хотя бы на сегодня.

— Что ж, — сказала она, — давайте попробуем. Посмотрим, какой из вас получится ученик.

— Я буду прилежным.

— В таком случае идемте. И не забудьте ваше пиво, — сказала Елена Петровна и взяла стакан с апельсиновым соком.

— Во что будем учиться играть? — спросил Гордеев, подходя к бильярдному столу.

— В русскую пирамиду, — ответила Елена Петровна, — но для этого нужно сначала вытащить шары из луз.

Вместе с хозяйкой ресторана Юрий стал вытаскивать из сеток бильярдные шары и собирать их на обтянутом зеленым сукном столе. Потом он снял со стены треугольную рамку и составил пирамиду.

— Что дальше? — поинтересовался он.

— Теперь откатите пирамиду к дальнему борту и снимите с шаров рамку.

Гордеев выполнил указание.

— Вот ваш кий, — сказала Елена Петровна и протянула его Юрию. — Если вы правша, то берите его в правую руку за утолщенный конец. Если левша — все наоборот.

— Я правша, — сообщил адвокат.

— В таком случае возьмите мел и натрите им впадину на вашей левой руке между большим и указательным пальцами. Это чтобы кий не соскользнул. То же сделайте и с его тонким концом. Видите на нем кожаную нашлепку? Вот ее и натрите. Профессионалы и серьезные любители делают это перед каждым ударом. Мел не экономьте, но и транжирить его тоже не следует. Все должно быть в меру. Да, и не делайте это над столом. Видите полосатый шар? — спросила Елена Петровна и указала Юрию на отдельно стоящий шар.

— Да.

— Им вы должны разбить пирамиду. Постарайтесь сделать это так, чтобы хоть один шар влетел в лузу. Таким образом вы откроете счет в свою пользу. Ну а если это у вас не получится, будет моя очередь. Игрок, загнавший шар в лузу, бьет во второй раз и так далее, пока не промахнется. Выполнять удары будем по очереди. В процессе игры я буду давать вам советы: куда бить, каким шаром по какому, как правильно держать кий и тому подобное. Нюансов много. Обо всех сразу не расскажешь. Но главное — постарайтесь не порвать кием сукно. И во время удара не скребите кием по столу. Старайтесь при ударе не задирать кий, иначе шары будут выскакивать за борт. Вот и все. Ваш первый удар.

Гордеев постарался сделать все, как ему было сказано. Он прицелился, ударил, и... полосатый шар, даже не задев пирамиды, вылетел за борт.

Юрий виновато развел руками.

— Ну и что теперь? — Огорчение его было настолько натуральным, что Елена Петровна рассмеялась.

— Поднимите шар с пола, положите его на стол и повторите все сначала. Только, пожалуйста, не поднимайте кий сразу же после удара. Конец кия должен продолжать свое движение еще короткое время.

Вторая попытка у Гордеева оказалась удачнее. Бильярдный шар, по которому он бил, не вылетел за борт, а попал точно в вершину пирамиды. Шары разлетелись по столу, но ни один из них не закатился в лузу.

— Теперь моя очередь, — сказала она.

Елена Петровна, держа в руке кий, оценила расположение бильярдных шаров, прицелилась, ударила, и два шара, влетев в лузу один за другим, оказались в зеленой сетке.

— Н-да, — только и сумел выдавить Гордеев.

— Я продолжаю, — сказала женщина и снова прицелилась.

В этой игре Гордееву выпала роль пассивного наблюдателя, так как Елена Петровна больше не позволила адвокату сделать ни единого удара. Она загнала в лузы восемь шаров подряд и сказала:

— Партия!

— Вы отлично играете, — констатировал Гордеев.

— Это было показательное выступление, — объяснила она.

— Мне такого результата никогда не добиться.

— Но зато вам есть к чему стремиться.

Гордеев снова беспомощно развел руками.

— Кто вас научил так играть? — поинтересовался адвокат.

— Отец.

— Вы, вероятно, были прилежной ученицей?

— Да. Я старалась.

— Ну и как? Удалось превзойти учителя?

— Я не успела, — грустно сказала Елена Петровна. — Отца убили.

— Извините. Я не знал.

— Он был банкиром. Его машина взлетела на воздух вместе с водителем и двумя охранниками. А бронированный «мерседес» из Германии, который предназначался отцу, прибыл в Москву двумя днями позже.

— Когда же это случилось?

— Четыре года назад.

— В каком банке он работал? — спросил Гордеев.

Елена Петровна назвала.

— Я помню это дело, — сказал Юрий. — Оно было очень громким.

— Вы имеете в виду силу взрыва? — устало сказала она.

— Я говорю о должности, которую занимал, если не ошибаюсь, господин Теребов, ваш отец. Это было одно из первых убийств финансистов такого ранга. Мне даже представилась возможность принять участие в расследовании этого дела.

— В расследовании? — удивилась Елена Петровна. — А Ветров мне говорил, что вы адвокат.

— Ну адвокатам тоже нередко приходится заниматься собственным расследованием.

Елена Петровна промолчала.

— Но прежде чем стать адвокатом, я поработал следователем в Генеральной прокуратуре. Два года. Без такого стажа я вряд ли мог бы заниматься адвокатской практикой. Это было после университета.

— Ну что ж, Юрий Петрович, продолжим занятие? — перевела тему разговора Елена Петровна Теребова.

— Продолжим, — сказал Гордеев.

— Тогда снимите ваш пиджак. Вам без него будет удобнее. Я вижу, он сковывает ваши движения.

Гордеев снял светлый льняной пиджак и огляделся, куда бы его положить или повесить.

— Можете положить на соседний стол, — предложила Елена Петровна.

Юрий Петрович подошел ко второму бильярдному столу и небрежно перебросил пиджак через короткий бортик. Затем он вернулся, взял в руки кий и сказал:

— Я готов!

— Тогда начинайте. Эту партию вы будете играть один.

— Почему? — удивился Гордеев.

— А я буду вам показывать и объяснять, что и как.

Во второй раз Юрий Петрович разбил пирамиду

удачнее первого и начал с азов изучать технику игры на бильярде. Спустя короткое время Гордеев уже не задирал конец кия и шары у него больше не выскакивали за борт — то ли Елена Петровна оказалась хорошим тренером, то ли адвокат — способным учеником.

Все то время, пока Гордеев под руководством Теребовой осваивал тонкости любимой настольной игры певца революции Владимира Маяковского, между учеником и учительницей шла беседа. И о бильярде, и о многом другом.

Юрий Петрович узнал, что Теребова не первый год занимается ресторанным бизнесом. Прежде чем открыть «Синюю саламандру», она уже опробовала свои силы в маленьком баре, который держала в одном из спальных районов столицы. Так она начинала свое дело. Дело, к которому у нее проявились способности и которым ей было интересно заниматься. Оно оказалось прибыльным, и Теребова была намерена в дальнейшем расширить его, завести собственную сеть ресторанов, первым из которых стала «Синяя саламандра».

— А почему свой ресторан вы назвали «Синяя саламандра»?

— В память о детстве и... об отце. Ведь ссуду для открытия своего первого дела я взяла у него и, несмотря на наши родственные отношения, вернула в срок. Это было для меня делом принципа. Хотелось узнать, сумею ли я справиться. И у меня получилось... А почему «саламандра»?.. Когда-то, еще в детстве, меня, как и всех детей, начинали учить ходить. Но я инстинктивно увиливала от этого и старалась поменьше стоять на ногах. При любом удобном случае я падала на пол и ползала. Вот тогда-то отец и назвал меня саламандрой. Прозвище ко мне прилипло, и все в нашей семье стали меня так называть. Саламандра — это мое домашнее прозвище. Для своих, для очень близких мне людей.

— А почему «синяя»? — спросил Гордеев.

Теребова пристально посмотрела на него и улыбнулась:

— Из-за цвета моих глаз! Неужели незаметно?

— Но тогда почему не синеглазая? Или синеокая?

— Ну это было бы уже слишком...

— Слишком напыщенно?

— Или пошло, — ответила Елена Петровна и, посмотрев на произведенный Гордеевым удар, заметила: — А у вас, Юрий Петрович, получается.

— Так ведь я стараюсь, — объяснил адвокат.

Гордеев уже хотел было спросить, какой из шаров легче зайдет в лузу, но в этот момент бармен вновь подозвал Елену Петровну к телефону.

Возвращаясь и проходя мимо стола, на котором небрежно лежал, можно даже сказать валялся, пиджак Гордеева, хозяйка ресторана внезапно остановилась и с интересом наклонилась над бильярдным сукном.

— Откуда у вас эти фотографии, Юрий Петрович? — строго и вместе с тем удивленно спросила Елена Петровна.

Юрий подошел к ней и сразу понял, что именно привлекло внимание Теребовой. Это были те фотографии из желтого конверта, которые адвокат прихватил с собой в офисе Дениса Грязнова. Видно, в тот момент, когда Юрий небрежно перебрасывал свой пиджак через бортик бильярдного стола, фотографии выскользнули из внутреннего кармана и рассыпались по зеленому сукну.

— Вы что, следите за мной? — возмущенно спросила Теребова.

Посмотрев в ее синие глаза, адвокат понял, что пора открывать свои карты. Так было лучше и для дела, и для него самого.

— Объяснитесь, Юрий Петрович! — уже просто потребовала Синяя саламандра.

— Я готов, — ответил Гордеев. — Но разговор может оказаться долгим, и нам, я думаю, лучше тогда присесть. Мне кажется, этот столик, — он указал на ближайший, — нам подойдет.

Теребова посмотрела в указанном направлении.

— Или вы предлагаете лучше перейти в ваш кабинет?

— Почему же, можно и здесь. Тем более что посетителей пока нет.

Внимательно смотря в строгие глаза женщины, Гордеев рассказал обо всем, что приключилось с ним и с Вадимом Райским в тот самый день, когда он впервые посетил «Синюю саламандру».

— Знака, запрещающего стоянку, перед моим рестораном никогда прежде не было, как нет его и сейчас, — твердо заявила Елена Петровна.

— Вы правы. Именно поэтому мне и пришлось наводить справки об этом майоре. Я думал, что такого сотрудника ГИБДД в автоинспекции не существует, так же как не видел я после и знака перед вашим рестораном. Но все оказалось не так просто. Этот человек действительно работал в автоинспекции. И давно подозревался в неправедных действиях. Поэтому-то и попал в поле зрения службы, которая занимается внутренними расследованиями. Сотрудники ее стали за ним следить и производить скрытую фотосъемку. Среди фотографий, которые мне показали, я увидел знакомое лицо. Это было ваше лицо. И я решил узнать лично у вас об этом майоре. Не думаю, что это может показаться очень уж странным. Ведь в аварию мы попали после общения с этим майором. А общение и фальшивый знак — все это было перед входом в ваш ресторан. На фотографиях же, где вы беседуете с майором, изображено иное место. Это угол Садовой-Каретной и Чехова. Видите вывеску «Гута-банк»? Она находится как раз на противоположном углу, в начале бывшей Новослободской улицы, которая теперь переименована в Долгоруковскую. Но речь сейчас не о ней. А о вас, Елена Петровна. Оба раза вы были запечатлены на одном и том же месте, возле поста автоинспекции, на котором до недавнего времени нес свое официальное дежурство известный вам майор. И то, что он вам известен, видно даже по тому, как вы с ним разговариваете. Кстати, на фотографиях вы в разной одежде, что говорит о неоднократном контакте с майором.

Гордеев сделал паузу.

— А теперь расскажите мне, откуда вы знаете майора Пасечника, который изображен на фотографиях, и что у вас с ним общего? Если, конечно, мои вопросы не вызывают у вас категорических возражений.

Теребова еще раз взглянула на снимки, которые она все то время, пока слушала Гордеева, держала в руках.

— Ну, во-первых, Юрий Петрович, вашего Пасечника я не знаю, хотя и разговаривала с ним, судя по фотографиям. Но таких фотографий у вас могло быть гораздо больше. Сотрудников дорожно-постовой службы, с которыми мне приходилось общаться, более чем достаточно. Особенно много их было, когда я, получив водительские права, только-только начинала ездить самостоятельно. Жаль, что у вас нет фотографий того периода. Вы бы увидели, как мне приходилось с ними разговаривать! Мужики... — заметьте, что я употребляю именно это слово, а не «мужчины», так как отлично знаю разницу между теми и другими, — когда видят женщину за рулем, часто теряют над собой контроль, если таковой у них вообще имеется. Мы, женщины, как минимум их раздражаем. Поскольку, на их взгляд, женщине за рулем не место. Это относится и к большинству сотрудников нынешней ГАИ. Или ГИБДД. Одни хотят на нас отыграться за неурядицы в своей семейной жизни, другие — поиздеваться, третьи — пококетничать, ну и так далее. А при этом еще и подзаработать с левачка. И с каждым из них приходится говорить по-своему. Как, кстати, и с вашим майором... Пасечником, кажется? Пришлось разговаривать применительно к обстоятельствам. А теперь о другом, о том, что у меня с этим майором могло быть общего. Как минимум правила дорожного движения. У вас с ним они, кстати, тоже общие. Не улыбайтесь, Юрий Петрович. Ведь я права?

Гордеев кивнул:

— В общем-то да.

— Потом, — продолжила Елена Петровна, — общими могут быть московские трассы, дорожные развязки, автостоянки. Или вы думаете, что гаишники летают по воздуху? Хотя иногда все-таки летают. На вертолетах. Ну а кроме этого, у нас с ним общее правительство, одна страна и так далее. Перечислять можно долго.

— Хорошо, Елена Петровна, я поставлю вопрос иначе, — сказал Гордеев. — За что вас остановил Пасечник? Вы что-то нарушили?

— Я сама там остановилась, — ответила Теребова.

— А зачем? Ведь не ради же автографа самого честного сотрудника московской автоинспекции?

— Нет, конечно. В первый раз я подвозила туда свою подругу. У нее порвался ремень вентилятора. Двигатель перегревался, и ехать ей было нельзя. Вот она и оставила там свою машину. А чтобы у нее ничего не украли, попросила присмотреть за ней вашего майора. Потом, когда я привезла ее туда, Пасечник помог нам установить новый ремень, за которым моя подруга и ездила к себе домой. Она позвонила мне и попросила забрать ее из дому и подвезти к тому месту, которое зафиксировано на ваших фотографиях... Кстати, Пасечник за свои труды был неплохо вознагражден. Подруга передала ему конверт. С деньгами, скорей всего... И вот еще что. Конверт она передавала майору в его патрульной машине, наверно чтобы посторонние не сочли бы этот акт взяткой. По лицу майора, когда тот вышел из машины, я поняла, что он остался весьма доволен. Потом мы с подругой поехали по магазинам. Тряпки покупать, если вас интересует дальнейшее.

— А во второй раз? — поинтересовался Гордеев.

— А во второй раз уже я сама оставляла там свою машину.

— У вас тоже лопнул ремень вентилятора?

— Нет. Но я оценила, Юрий Петрович, вашу иронию. Просто я забыла все свои документы. Техпаспорт, техталон, водительские права. В общем, все. Вернее, я забыла свою сумочку, а документы были в ней. Так уж случилось, что мой маршрут пролегал мимо поста майора... Пасечника. Так, говорите, его фамилия?..

— Да.

— Вот на Садовом кольце, как раз возле этого поста, я и попала под выборочную проверку. Майор меня остановил, а документов при мне не оказалось. Я думала, что он меня вспомнит, узнает и отпустит. Но майор меня категорически не узнал. Или сделал вид... Мне ничего не оставалось, как оставить машину и поехать на такси за документами. Потом я еще и штраф уплатила.

— Что ж вы такая рассеянная? — посочувствовал Юрий.

— Случается...

— А ваша сумочка нашлась?

— Да.

— И где же вы ее забыли?

Теребова вздохнула.

— В квартире своей подруги, — сказала Елена.

— Той, в машине которой лопнул ремень вентилятора?

— Вот именно, — подтвердила Теребова.

— Что же это за подруга у вас такая, Елена Петровна? — картинно всплеснул руками Юрий.

— Лучшая, — тихо ответила женщина.

— Лучшая-то она, может, и лучшая, но с автомобилями из-за нее происходит черт знает что! То ремень лопнет, то чужие документы потеряются. А вы, словно нарочно, всякий раз влипаете в чужие истории. Не кажется странным?

— Может, место, где находится пост вашего Пасечника, заколдованное? — мило улыбнулась Теребова.

— Если только ваша подруга сама не заколдовала его. Она, случаем, не экстрасенс? Не Джуна ли ее имя?

— Нет. Ее зовут Кира, — сказала Елена Петровна.

— Имя нынче нечастое. Особенно среди москвичек.

— А Кира и не москвичка. Вернее, не коренная москвичка. Она приехала из Киева, но в Москве уже давно. Кстати, это она вот тут, рядом со мной, — сказала Теребова и протянула Гордееву один из снимков.

Гордеев взял его в руки и еще раз очень внимательно изучил. На фотографии была запечатлена красивая женщина. Короткая стрижка подчеркивала правильность черт лица, а светлые волосы контрастировали с темными, глубоко посаженными глазами.

— Прежде бы о такой сказали, что она вылитая артистка, — сказал Юрий.

Елена Петровна на это замечание лишь хитро улыбнулась.

— С таким взглядом, — кладя на стол снимок, продолжил Гордеев, — ее фамилия должна быть либо Чумак, либо какая-нибудь Кашпировская.

— Опять не угадали! Усмехнулась Теребова. — Ее фамилия Бойко. Кира Бойко. Но вот с актрисой вы попали в самую точку!

Услышав фамилию подруги Теребовой, Гордеев невольно вздрогнул, и это не ускользнуло от взгляда Елены Петровны, которая расценила это по-своему.

— Вы, Юрий Петрович, так реагируете только на актрис? Или они волнуют вас больше других женщин?

Гордееву показалось, что в тоне, каким был задан последний вопрос, проскользнули нотки ревности. Интересно, с чего бы это? Но отвечать было надо.

— Ваш вопрос представляется мне несколько интимным. Но я тем не менее постараюсь на него ответить, — сказал Гордеев. — В данное время женщины меня и очень волнуют, и, как вы заметили, интересуют. Это относится, в частности, и к вашей подруге, Кире Бойко... Кстати, она не замужем?

— Похоже, вы действительно ею заинтересовались!

— Даже не представляете себе насколько! В последнее время я только и думаю о такой, как ваша Кира Бойко.

— Увы, я вас разочарую. Кира замужем. Правда, в настоящее время ее муж отсутствует.

— Она соломенная вдова?

— Вроде того.

— Но ее сердце не занято, надеюсь?

— Увы, еще как занято! Но другим... а совсем не мужем.

— Но где же находится благоверный вашей лучшей подруги? В служебной командировке?

— Нет. Он в казенном доме. А находится, как вы изволили выразиться, под следствием. Его подозревают в организации убийства. Убийства собственного сотрудника...

— Мужа Киры Бойко зовут случайно не Федором Евгеньевичем Невежиным?

Вот теперь пришло время вздрогнуть Елене Петровне. И это у нее получилось неплохо.

— Вы с ним разве знакомы? — удивленно спросила она.

— Знаком. И даже больше...

— Погодите-погодите, — помахала пальцами Теребова, — сейчас соображу... Ведь вы же, Юрий Петрович, адвокат? И значит, вы адвокат Федора?

— Да, — не стал скрывать Гордеев. — Я адвокат Невежина Федора Евгеньевича. И буду защищать его в суде. Если, конечно, дело дойдет до этого. Но пока все складывается не в его пользу. Обстоятельства, по которым можно было бы закрыть его дело, никак не открываются. Вот я и подумал, что, может, именно с вашей помощью, Елена Петровна, что-то появится и прояснится. Помогите мне. Помогите мужу вашей подруги. Вашей лучшей подруги, как вы ее называете. Хотя ей, скорее всего, это как раз и не нужно. Ведь все ее показания свидетельствуют против мужа.

— Но если Кира так показывает, значит, она искренне считает его виновным!

— А может, она просто заблуждается? Или ее запугали? Возможно, она хочет за что-то отомстить своему мужу? Вот и наговаривает на него. А когда обида пройдет и она спохватится, будет уже поздно. Человека осудят. Причем невиновного. Да и ее могут посадить потом за дачу ложных показаний, тут уж как повернется...

Гордеев замолчал. Молчала и Теребова.

— Расскажите мне о Кире, Елена Петровна, — нарушил наконец паузу Юрий. — Я до сих пор никак не могу с ней встретиться. Она избегает меня. То в разъездах, то говорит, что болеет, то... ну вы сами знаете, что женщина, особенно красивая, при желании может найти великое множество причин. В суд она, конечно, будет вынуждена явиться, где и ответит на все мои вопросы. А они могут оказаться для нее очень неудобными. Но если есть хоть какая-то возможность не доводить дело Невежина до суда, то я, как адвокат Федора Евгеньевича, просто обязан ее использовать.

Теребова тяжело вздохнула.

— Расскажите, расскажите, Елена Петровна, — вновь настойчиво попросил адвокат.

Теребова внимательно посмотрела на Гордеева и жестко сказала:

— Ответьте мне прямо, Юрий Петрович, вы знали, что Кира, жена вашего подзащитного, является моей подругой? Признайтесь, что весь этот спектакль, который вы разыгрывали вокруг бильярдного стола, предназначался только для того, чтобы разговорить меня. Ведь я же видела, как вы ни старались это скрыть, что играть на бильярде вы умеете, и, вероятно, довольно-таки неплохо. Удар у вас, во всяком случае, поставлен. Опытному игроку это сразу бросается в глаза. Так, как поступили вы, обычно поступают в публичных бильярдных люди, которых в другой игре называют шулерами. Они сначала усыпляют бдительность новичка-простофилю своей плохой игрой, предлагают сыграть на деньги, а потом обдирают бедолаг как липку. Знаете, чем вы отличаетесь от новичка? Тем, что новичок старается правильно выполнить удар, вы же очень старались все делать неправильно.

Теребова замолчала и вопросительно посмотрела на адвоката, а Юрий искренне рассмеялся:

— За спектакль, Елена Петровна, меня извините. Я был, конечно, не прав. Прошу прощения. Но вот того, что Кира Бойко является вашей подругой, я, поверьте, никак не мог и предположить. Цель моего сегодняшнего визита к вам — это действительно разговор с вами, но не о вашей подруге и жене моего подзащитного, а о майоре Пасечнике, который, к сожалению, ничего уже из того, что меня сильно интересует, не расскажет. Ни мне, ни кому-то другому.

— А что с ним случилось?

— Во время ураганного ветра ему на голову упал рекламный щит. Пасечник погиб на своем боевом посту. На том самом. Правда, не как герой. А как тип, которого судьба наказала.

— Нет! Это место действительно заколдованное! — очень серьезно сказала Теребова и механически перекрестилась.

— Может, и так. Кто знает? Но меня, уважаемая Елена Петровна, интересует совсем другое.

— Вы снова о Кире Бойко?

— Да. И теперь не только из-за дела Невежина, как вы сначала подумали, но и в связи с майором Пасечником. Может, это простое совпадение, стечение обстоятельств, однако именно она, Кира, попросила вас подвезти ее к посту майора, затем именно у нее вы забыли документы на ваш автомобиль...

— Он не мой. Я езжу на нем по доверенности.

— Не важно, на чьем автомобиле вы ездите, а важно, что майор вас остановил и машина какое-то время оставалась без присмотра. А дальше — глядите, какая выстраивается цепочка. Майор Пасечник появляется у вашего ресторана в то самое время, когда я в нем впервые обедаю, он вывешивает свой фальшивый знак, затем штрафует моего приятеля, после чего у его автомобиля отваливается переднее колесо, а сам автомобиль с пассажирами, то есть с нами, чудом остается цел. И в этом автомобиле нахожусь я, адвокат Гордеев, которому предстоит защищать Федора Невежина, в то время как против него свидетельствует его законная супруга, Кира Бойко, и ваша, Елена Петровна, лучшая подруга.

— Но тогда именно Кира Бойко должна быть вам вдвойне интересна? Не так ли, Юрий Петрович? — спросила Теребова.

— Вы попали в самую точку. Вот поэтому я и прошу вас рассказать мне о ней. И я был бы вам очень признателен, если бы вы на это согласились.

Елена Петровна задумчиво покачала головой:

— Придется нам с вами перейти в мой кабинет. Здесь становится шумно. Кажется, новые партийные бонзы дозрели для игры на бильярде.

Гордеев обернулся и увидел, как помещение

бара заполняется одинакового вида мужчинами. Все они были в черных брюках и в белых рубашках, две-три верхние пуговицы у всех были расстегнуты, галстуки ослаблены. Все мужчины были примерно одной упитанности, хорошо навеселе, и все они с одинаковым шумом вываливались во входные двери бара.

«КОРОЛЕВСКАЯ ОХОТА»

Стелла Рогатина с трудом отыскала в ворохе всевозможных бумаг нужную ей визитную карточку и, подойдя к телефону, стала накручивать диск. Она набирала номер за номером, которые были напечатаны на картонном прямоугольничке. Но ни один из них, принадлежащих продюсерскому центру «Халябов и Сын», не отвечал.

Стелла взглянула на обратную сторону: там от руки был записан еще один номер — мобильного телефона генерального продюсера центра — Халябова Рюрика Самуиловича. Певица набрала его, но услышала короткие гудки.

«Занято», — обрадовалась Рогатина и положила трубку.

Но едва она отошла от аппарата, как тут же раздался звонок.

— Здравствуйте, Стелла, — сказал мужской голос.

— Добрый день. Слушаю вас... — Голос показался знакомым, но кому он принадлежал, Рогатина вспомнить не могла.

— Стелла, моя фамилия Халябов. Я генеральный

продюсер центра «Халябов и Сын», — представился незнакомец. — Надеюсь, что вы меня еще помните?

«Это какая-то мистика. Ведь только минуту назад я сама пыталась к нему дозвониться», — подумала она, но вслух сказала:

— Конечно, помню. Продюсеров, которые сами предлагают певице работу, не забывают. А тем более — генеральных!

— Приятно слышать. Как вы поживаете, Стелла?

— Спасибо, прекрасно.

— Такие слова приятны вдвойне, особенно когда они сказаны вашим хрустальным голосом.

— Еще раз спасибо.

— А как ваше золотое горлышко?

— Я его берегу.

— Берегите. Оно того стоит, — сказал Халябов и продолжил: — Стелла, вы по-прежнему работаете в вашем ресторане?

— Да, пока...

— Скажите, Стелла, а ваши желания... они исполняются?

— О каких желаниях вы говорите?

— О заветных. Ведь ваш ресторан называется «Золотая рыбка»?

— Да. Название прежнее.

— Ну, раз вы его до сих пор не покинули, значит, наверняка ждете, когда ваша золотая рыбка исполнит для вас три самых заветных желания.

Рогатина рассмеялась:

— В сказки я уже не верю. Переросла!

— Стелла, — сказал Халябов, — наш продюсерский центр готов стать для вас такой волшебной рыбкой, и очень даже золотой. Вы знаете, в чем разница между сказкой и былью?

— В чем?

— В сказке золотая рыбка исполняла только три желания, но для этого ее необходимо еще поймать. А продюсерский центр «Халябов и Сын» сам плывет вам навстречу и готов исполнить не три желания, а намного больше.

— Рюрик Самуилович, вы, вероятно, помните о моем пусть не единственном, но главном желании?

— Напомните.

— Я буду работать только со своим музыкальным коллективом. Своих ребят я не брошу. Если вы обещаете его исполнить, то считайте, что я уже почти подписала контракт с центром «Халябов и Сын».

— А вы, Стелла, упрямая! Но это мне в вас нравится. Хотя, признаюсь, я надеялся, что вы все же передумаете... Что ж... Давайте еще раз встретимся и все обсудим. Как вы смотрите на то, чтобы это произошло сегодня?

— Я согласна. Давайте и встретимся в «Золотой рыбке». Перед моим выступлением.

— Нет! Только не там!

— Почему?

— Не люблю убогой обстановки. Она меня угнетает. Я предлагаю иной вариант.

— Какой же?

— Вы когда-нибудь бывали в ресторане «Королевская охота»?

— Нет.

— Это за городом. Там тихо и уютно. Свежий воздух. Хорошая кухня. Лучшей обстановки для деловой беседы не придумаешь. Скажите, где находится ваш дом, и я заеду за вами. Мы отправимся туда на моей машине. На работу вы не опоздаете. Это я вам гарантирую. Ну как? Согласны? Сколько времени вам понадобится, чтобы собраться?

— Дайте подумать... На сборы мне нужно минут тридцать пять. А живу я у метро «Преображенская».

— Преображенская площадь? — задумчиво произнес Халябов. — Прекрасно. Ждите меня у входа в метро. Со стороны первого вагона из центра. Через час. Приехать раньше я просто не успею. Поэтому не торопитесь. Времени на сборы у вас теперь на двадцать пять минут больше.

— Мне это только на руку, — сказала Рогатина. — Жду вас, Рюрик Самуилович, у метро. Через час.

— И еще, Стелла...

— Да?

— Пожалуйста, не называйте меня Самуилович. Давайте без отчества. Прошу вас.

— Хорошо, Рюрик.

— Тогда до встречи. Через час.

Ресторан «Королевская охота» находился за Московской кольцевой дорогой. Миновав МКАД, джип Халябова проехал еще десятка три километров и свернул с бетонного шоссе на асфальтовую дорогу, которая через четыре с половиной километра оканчивалась бетонированной площадкой со смотровой эстакадой. Далее — уже по просеке — шла грунтовая дорога. Она вела к небольшому озеру, на берегу которого и находился ресторан «Королевская охота». Это было двухэтажное строение из красного кирпича, цвет которого хорошо гармонировал с цветом коры высоченных сосен, растущих вокруг. Рюрик остановился и выключил зажигание. Кроме джипа Халябова у здания ресторана стояло еще несколько иномарок.

Внутреннее убранство залов поразило Рогатину. На стенах висели старинные ружья. В основном они были кремниевые, но не бутафорские, а настоящие и наверняка представляли большую музейную ценность. Кроме того, стены были украшены охотничьими трофеями. Шкуры и головы убитых животных красноречиво свидетельствовали о том, что настоящим царем природы является человек с ружьем. В дополнение ко всему на одной из стен висел огромный, написанный маслом портрет барона Мюнхгаузена.

— Впечатляет? — поинтересовался Халябов, когда они со Стеллой сели за стол.

— Это настоящий охотничий замок! — с восторгом ответила певица.

— Вы угадали. А на втором этаже находятся комнаты отдыха. В сезон здесь полно народа. Но простому смертному сюда не попасть.

— Да, без машины сюда не доберешься...

— И не выберешься, — усмехнулся Рюрик. — Но не только из-за этого. В этих угодьях охотятся только члены закрытого охотничьего клуба. А стать его членом очень не просто.

— А вы, Рюрик, член этого клуба?

— Не совсем. Я только кандидат в его члены. Но и это уже немало.

— Почему?

— Существует квота. В год из кандидатов принимают не больше трех человек. Да и то если на это дадут свое согласие все без исключения члены клуба.

— А сколько времени нужно быть кандидатом?

— Три года.

— И вы готовы столько ждать?

— Если будет нужно, то я согласен ждать и больше. Членство в клубе дает очень многое. Здесь что-то вроде небольшой масонской ложи. Сюда входят известные и очень влиятельные люди. Так что попасть в клуб очень и очень сложно.

— Вы, Рюрик, наверно, любите охотиться?

— Стелла, вы даже не представляете, что это для меня! Ну чтобы вам было понятно... Охота для меня — это то же, чем для вас является пение.

— Но ведь это же разные вещи. Петь и... стрелять.

— Тут главное — ощущения. То, что вы испытываете на сцене, я испытываю на охоте. Когда берешь в руки ружье и входишь в лес, то чувствуешь себя первобытным человеком, которому, чтобы выжить, необходимо добыть себе еду. Пищу. Только вместо мамонтов — медведи, волки, олени и кабаны или, в худшем случае, зайцы и лисы, а вместо каменного топора — отличный карабин или безотказное ружье. Кстати о еде. В этом ресторане подают только настоящую дичь. Никакой говядины, свинины и баранины... Вы, Стелла, уже выбрали какое-нибудь блюдо? Что будете заказывать?

— Не знаю. Тут почти все мясное, а я — убежденная вегетарианка, — ответила Рогатина.

— Извините, Стелла, меня об этом не предупредили. Вернусь в офис и устрою разнос своим консультантам. Поставить меня в такое неловкое положение! Жаль, что сейчас не охотничий сезон, а они не какие-нибудь зайцы. Всех бы перестрелял.

— Рюрик, неужели вы такой кровожадный?

— Ну что вы, Стелла! Просто это я так глупо шучу, — объяснил Халябов и, улыбнувшись, добавил: — Хотя мясо все же я предпочитаю с кровью... Но для вас, Стелла, сейчас принесут специальное вегетарианское блюдо, которого даже нет в меню.

Халябов поднялся из-за стола и скрылся за служебной дверью.

От нечего делать Стелла стала разглядывать посетителей ресторана. В дальнем углу веселилась компания молоденьких женщин и мужчин преклонного возраста, похожих на грузин, их было семеро. Слева два столика были заняты крепкими молодыми парнями, по три за каждым. Справа сидели еще двое явных кавказцев и, похоже, ссорились, поглядывая в ее сторону. Слов певица не слышала, и потому взгляд ее заскользил дальше, пока не остановился на каминной полке, где стояли большие модерновые бронзовые часы. Рогатиной всегда нравились новые веяния в искусстве, потому она подошла к часам и с нескрываемым интересом стала их рассматривать.

За этим занятием и застал Стеллу Рюрик Халябов, который вернулся к столу, как показалось Рогатиной, несколько взволнованным. В руках у него был мобильный телефон, а на лице блуждала неясная, вымученная улыбка.

— Сейчас нам все принесут, — садясь, сказал

он. — Вам, Стелла, — вегетарианское, ну а мне — свежую дичь.

Вскоре официанты в костюмах сказочных лесничих поставили на стол перед Стеллой и Рюриком еду и напитки, а еще спустя полчаса певица Рогатина и продюсер Халябов начали обговаривать условия и детали своей совместной работы, предстоявшей им в ближайшем будущем.

НЕВЕРНАЯ ЖЕНА

— С Кирой мы познакомились в ГИТИСе, — начала свой рассказ Елена Теребова, когда Гордеев удобно откинулся на спинку кожаного кресла, стоящего в дальнем углу ее небольшого кабинета.

— В ГИТИСе? — удивился Юрий Петрович.

— А что тут удивительного? Мы с Кирой поступили туда одновременно. Я — на режиссуру. Кира — на музкомедию. В институте, хотя сейчас это уже академия, мы сблизились и подружились. Это произошло ближе к концу первого курса. Вместе бывали на студенческих вечеринках, посещали премьеры, смотрели новые фильмы. Вкусы у нас оказались схожими. Нам нравились не только одни и те же книги, кинокартины, но и во взглядах на вашего брата мы тоже сходились. Для меня идеалом, естественно, был мой отец. И Кире как человек он тоже нравился. Она часто у нас бывала. Иногда и ночевала. Жила она в общежитии в Зачатьевском и, в отличие от меня, уставала от постоянного тесного общения с сокурсниками. Оно ведь длилось круглые сутки. Поэтому через какое-то время, окончательно устав от такой жизни, она решила найти себе место потише. Стала подрабатывать — в театрах, на студии Горького и «Мосфильме» — в массовках. Копила, во многом отказывала себе, и вскоре у Киры появились какие-то деньги, на которые она сняла сначала комнату в коммуналке, но позже ее заработков стало хватать и на однокомнатную квартиру. Однако Кира все же мечтала иметь собственное жилье. И ее можно понять. Обычное желание для любой нормальной женщины. Но квартирный вопрос, как когда-то сказал Михаил Булгаков, портит не только москвичей. Приезжих он тоже портит, причем некоторых из них очень сильно. А жилье в Москве постоянно дорожало. Однажды Кире здорово повезло: ее взяли в новогоднюю бригаду, с которой она проработала все зимние школьные каникулы. Попасть туда было очень трудно. Хотя таких бригад по Москве в это время работает большое количество, но актеров, желающих улучшить свое материальное положение, еще больше. Вы же, Юрий Петрович, знаете, сколько в столице профессиональных театров, а сколько любительских студий плюс к этому студенты театральных училищ, ВГИКа и Института культуры?..

— Одним словом, жестокая конкуренция, — сказал Гордеев.

— Да, вы правы. Так вот, после этого она и сняла свою однокомнатную квартиру. Однако через несколько месяцев Кира вынуждена была вернуться в общежитие.

— Закончились деньги?

— Да. Какое-то время она пожила в общаге, но потом вновь сняла квартиру: теперь уже двухкомнатную

натную. Сказала, что ей удалось найти какую-то хорошую работу, за которую ей прилично платили. Потом, вероятно, заработки ее сильно подскочили. Она стала лучше одеваться, лучше питаться. Опять сменила квартиру. У нее появилась дорогая косметика. Каникулы она стала проводить на модных в ту пору курортах. Зимой это был Домбай. Летом — Рижское взморье. Кира стала тщательно следить за собой, что для актрисы — естественно и необходимо. Массажные и косметические кабинеты она посещала регулярно. Кроме этого, Кира регулярно ходила в бассейн «Чайка». Там мы плавали вместе. С абонементами в этот престижный бассейн нам помог мой отец.

— Кира рассказывала вам о своей работе?

— Я спрашивала ее об этом, но ничего определенного не услышала. Кира не любила говорить на эту тему. Лишь однажды она сказала, что работа связана с ее актерской профессией. Насколько я поняла, Кира то ли танцевала, то ли пела в каком-то ночном варьете. Она ведь училась на музыкально-драматическом отделении. О размере же ее заработков я ничего не знала и, честно говоря, даже не интересовалась. Мне с детства внушили, что интересоваться этим неприлично. Мой отец так и говорил: «Никогда не считай чужие деньги». Но могу только сказать, что однажды из-за этой хорошо оплачиваемой работы у Киры были крупные неприятности.

— В чем они заключались? — спросил адвокат Гордеев.

— Сути тогда я так и не узнала. Но произошло это в конце третьего курса. Во время летней сессии.

Неприятности у Киры, по-видимому, были очень серьезными. Она нервничала, переживала, не могла готовиться к экзаменам. Даже чуть было не завалила сессию. Ей с большим трудом удалось выкарабкаться. Летом того года мы с ней не виделись. Встретились только осенью. На четвертом курсе. У нас были некоторые общие потоки — главным образом, по теоретическим дисциплинам. Она сообщила, что у нее уже все выправилось и, слава богу, до окончания института больше ничего серьезного в ее жизни не происходило.

— В каком театре Кира стала работать после ГИТИСа? Куда ее распределили?

— В столичных театральных вузах и училищах распределения не бывает. В Москве выпускники сами ищут себе работу. Самых талантливых режиссеры присматривают еще во время учебы. Ну а остальные ходят по театрам и предлагают себя. Кого-то берут, а кого-то нет.

— Это, кажется, называется смотринами? — вставил Гордеев.

— Да.

— И кто же присмотрел Киру Бойко?

— В театрах никто. Кира поучаствовала в нескольких смотринах, но ее не взяли. На сцене, по своей специальности, она не работала. Как, впрочем, и я так и не поработала по своей, хотя ГИТИС все-таки окончила.

— В ресторанный бизнес вы вошли сразу же после окончания института?

— Нет, что вы! Сначала я надеялась заняться режиссурой. Но ко времени окончания ГИТИСа экономическая обстановка в стране сильно изменилась. Многие актеры, режиссеры, музыканты и певцы стали уезжать за границу. В области, в которой я предполагала работать, наступил спад. Да и работы просто не было. Не предвиделось. Какое-то время я сидела дома. Но потом, когда бездельничать надоело, решила попробовать себя в другой области. Пошла на курсы менеджеров. Ведь профессии режиссера и менеджера во многом схожи. И там, и тут необходимо умение руководить людьми, умение организовать их, поставить перед ними задачу, а затем контролировать действия подчиненных. После окончания курсов взяла ссуду и стала работать, — сказала Елена Петровна и замолчала.

Гордеев тоже молчал. Он ждал продолжения рассказа.

— А вы знаете, Юрий Петрович, что из режиссеров получаются отличные бизнесмены? — неожиданно продолжила Теребова.

— Вы это о себе, Елена Петровна? — улыбнувшись, спросил адвокат Гордеев.

Теребова рассмеялась.

— Не только. Взять хотя бы того же Ананова. Из Санкт-Петербурга. Был режиссером, а стал ювелиром. И так поставил свое дело, что его уже называют вторым Фаберже. Причем не только в России, но и за границей. Могу и других привести в пример... Но, — спохватилась она, — вернемся к Кире Бойко.

— Вернемся, — согласился Юрий.

— Тогда задавайте ваши вопросы.

— Бойко была хорошей актрисой или... плохой? Или она так и не сыграла на сцене ни единой роли? — спросил адвокат.

— Какой актрисой была Кира? — переспросила Елена Петровна и задумалась.

Гордеев, как обычно, не торопил Теребову и молчаливо ждал продолжения.

— Как бы вам поточнее ответить, Юрий Петрович... Ведь актерское мастерство — это... это... Впрочем, об этом как-то довольно точно сказал один мой приятель. «Хорошие актеры играют на сцене, а плохие — в жизни». Пожалуй, это в немалой степени относится к Бойко. Кира предпочитала, да и предпочитает играть в жизни. Если для одних актеров театр является всей их жизнью, то для моей подруги ее жизнь — это сплошной театр. И в этом театре она и главный режиссер, и первая актриса, и даже кассир, продающий билетики. А те, кто, сами того не подозревая, покупают билеты на ее спектакли, платят за них очень дорого. Одним достается место в зрительном зале, другим — на сцене, где им приходится исполнять ту или иную роль. Все зависит от того, какой спектакль ею объявлен. Но об этом знает только она сама.

— И много в ее репертуаре подобных спектаклей? — внутренне подобрался Юрий.

— Достаточно. Но репертуар Киры постоянно обновляется. Старые спектакли заменяются новыми, но любой из них всегда может быть восстановлен. Многое зависит от участников зрелища. Вы, Юрий Петрович, надеюсь, понимаете, что слово «зрелище» я беру в кавычки?

— А ее супружеская жизнь с Федором Невежиным — это тоже спектакль?

— И еще какой! Он начался задолго до того, как она вышла за него замуж. В этом спектакле было все. И сцены из «Ромео и Джульетты» и из «Укрощения строптивой»... Список огромен. Были в нем и сцены из пьес мне незнакомых. Но вот одно могу сказать точно. Именно в этом спектакле главным режиссером была вовсе не Кира.

— Тогда кто же? Как вы думаете?

— Не знаю. Ведь спектакль, как мне представляется, еще не закончен.

— Значит, есть надежда, что режиссер этого спектакля, как и автор пьесы, еще объявится? Они обычно выходят на сцену после закрытия занавеса.

— Наверно, вы правы.

— Скажите, Елена Петровна, как познакомились Бойко и Невежин? Вы наверняка знаете об этом?

— Да. Я знаю об этом все... или почти все! Знаю, когда они подали заявление в ЗАГС. Знаю, как познакомились и где познакомились. Даже известно, кто и ради чего их познакомил. Кира мне тогда многое рассказывала. Не все, конечно, но многое. Очень многое. В Москве я у нее не только лучшая подруга, но и, пожалуй, единственная... Я вижу, как вы насторожились. Значит, я снова попала в точку?

— Еще как!

— Они познакомились в девяносто четвертом. А через год расписались. Я была на их свадьбе.

— И кто же их познакомил?

— С Федором Невежиным Киру познакомил ее любовник.

— Любовник? — удивился, хотя и не очень, Юрий Петрович.

— Да. И с определенной целью.

— С какой?

— Держать при себе.

— Для чего?

— Ну для чего мужчина или женщина заводят любовные связи на стороне? Неужели неясно?

— Для чего — это понятно. И для чего выдают замуж — тоже понятно. А вот для чего продолжают, как вы выразились, держать при себе — тут не знаю!

— Все мужчины, как, впрочем, и женщины — собственники. Они не хотят отдавать тех, кто им когда-то принадлежал. Даже если те им уже не нужны. Они хотят знать и быть уверенными, что всегда могут дотянуться рукой до того, что им вдруг однажды может понадобиться. Поэтому и держат своих любовниц и любовников в поле зрения и на расстоянии вытянутой руки. Так случилось и с Кирой. Однажды она влюбилась. Влюбилась безумно. Это случилось с ней в девяносто втором году. Мужчина, которого полюбила Кира, был неженат, интересен, умен и, что немаловажно, при деньгах. Кира потеряла над собой всякий контроль. И неудивительно. Многие женщины на ее месте тоже бы все потеряли. С моей подругой происходило невероятное. Она скакала вокруг него, как котенок, который пытается схватить лапками качающийся на ниточке блестящий фантик. Кира готова была ради него на все. Ну а тот, в кого она влюбилась, был, как я уже сказала, не дурак и к тому же подобных ответных чувств к ней не питал и никогда не терял голову. Он был бизнесменом. А в бизнесе голову терять нельзя. Иначе нечего им тогда и заниматься. Короче, он стал использовать Киру в своих целях. Использовать ее внешность, ее мозги, а они, когда дело не касалось ее любовного увлечения, работали исправно. Стал использовать ее интуицию, ее хитрость. Ее актерские способности. Этот бизнесмен брал Киру на свои деловые встречи, где моя подруга была бриллиантом, оправой которому были мужчины. И эти мужчины на нее всегда клевали. Кира могла поддержать любую беседу. Многие сделки заключались лишь благодаря ее присутствию. Ведь деловые встречи обычно проходят в ресторанах, за обеденным столом. Кира и там держала себя превосходно. Актерская школа в ГИТИСе неплохая. Одним словом, моя подруга вела себя так, как это было нужно ее мужчине. Как он этого требовал. Она делала все, о чем он просил. А просил он порой, на мой взгляд, невозможного. Но она и это делала. Ради любви. Так она думала.

— А что невозможное, на ваш взгляд, делала ради него Бойко? — спросил Гордеев.

Елена Петровна замолчала. Было видно, что ей не хочется говорить на эту тему. Ее взгляд блуждал по кабинету, но потом остановился на адвокате. Теребова посмотрела ему прямо в глаза.

— Он подкладывал ее под своих деловых партнеров, — медленно, зло и брезгливо сказала она.

— Федор Невежин тоже был его деловым партнером?

— Сначала не был. Потом стал.

— Невежин, наверно, представлял для него особый интерес, если он выдал за него Киру Бойко?

— Не знаю. Все может быть. Но сначала он сам женился. Естественно, не на Кире.

— Вот как?

— Да.

— И как на это отреагировала Кира?

— А как могла отреагировать женщина, которую предали и бросили?

— Наверно, непредсказуемо?

— Вы почти угадали, Юрий Петрович. Кира чуть было не наделала глупостей. Непоправимых глупостей. И мне пришлось приложить много сил, чтобы этого не случилось. Но главную роль в том, что буря улеглась, сыграл ее любовник. Он сумел ей внушить, что у него не было другого выхода, что это все временно, пока он не разберется со своими долгами и не выкарабкается из этого смертельного для него положения. Словом, этакая паратовщина. Из «Бесприданницы»...

— Да, я понял, о чем вы. Но каковы же были все-таки его аргументы?

— Он заявил, что должен жениться на дочери человека, от которого сам очень сильно зависит. Что этот человек держит в своих руках не только его бизнес, его деньги, его судьбу, но и его жизнь. И что если он этого не сделает, его неминуемо ждет расплата. И потом, он же не отказывался от нее окончательно, то есть навсегда. Они по-прежнему продолжали встречаться. Только уже тайно. Хотя Киру и это устроило, если можно так выразиться. Она верила, что все временно и что в будущем ее мужчина будет принадлежать только ей одной.

— Она продолжала выполнять то, о чем он ее просил?

— Да. Ведь Кира была у него на коротком поводке.

— А на ком женился этот мужчина?

— На дочери какого-то генерала. То ли МВД, то ли КГБ.

— Бойко не поделилась с вами причиной, по которой решилась выйти замуж за Невежина? Может быть, к тому времени она уже охладела к своему неверному возлюбленному?

— К нему она не охладела до сих пор. И по-прежнему является марионеткой в его руках. Он сказал Кире, что хочет устроить ее судьбу, так как пока не может вырваться из капкана, в который угодил. Сказал, что его постоянно шантажируют. И еще говорил, что, после того как она выйдет замуж за Невежина, они смогут встречаться еще чаще и уже открыто. Ведь с будущим мужем Киры, который тоже не беден, они станут в ближайшее время не только партнерами по бизнесу, но и начнут дружить семьями. И их встречи уже ни у кого не будут вызывать подозрений.

— Скажите, Елена Петровна, Кира не знакомила вас со своим возлюбленным.

— Долгое время она не хотела этого делать, а я, со своей стороны, и не настаивала. Впервые я его увидела, когда у Киры был кризис из-за его внезапной женитьбы. Кира в то время жила у меня. Так что познакомились мы с ним в моей квартире. Но вас, Юрий Петрович, интересует, наверно, вовсе не это. Вы ведь хотите узнать его имя?

— Не откажусь, хотя боюсь, что уже догадываюсь.

— Его зовут Эдуард Поташев.

Гордеев уже был готов к тому, что услышит именно эту фамилию, и потому ни единый мускул не дрогнул на лице адвоката.

— А у вас с Поташевым сложились какие-нибудь отношения? — поинтересовался Юрий.

— Сначала, кроме брезгливости, ничего. Но потом, чтобы не огорчать Киру, отношения наши стали учтиво-холодными.

— А сейчас?

— Сейчас? — переспросила Елена. — Да, пожалуй, такими же и остались. Ну, может быть, иногда, когда они с Кирой заходят в мой ресторан, я становлюсь мягче. Все-таки Кира — подруга, а Поташев — клиент.

— Скажите, Елена Петровна, а какие отношения были между Бойко и Невежиным?

— Супружеские, — улыбаясь, ответила Теребова.

— Я имею в виду не только это, — усмехнулся Гордеев.

— Кира манипулировала им, — сказала Елена Петровна. — В семейной жизни Федор Невежин был человеком мягким и доверчивым. И это мне в нем нравилось. Но вот мужского опыта у него маловато. И Кира это очень быстро поняла. Психолог она неплохой. Да и опыт в общении с мужчинами достаточно богатый. И потом, Поташев ей порассказал о первой школьной любви Невежина к какой-то уехавшей еврейской девочке, после чего у Федора, вероятно, появился своеобразный комплекс, а может, он просто долго не мог забыть о своем непродолжительном счастье. Короче, Кира сумела стать именно такой, о которой помнил Федор Невежин. Но это продолжалось только до их свадьбы. Приручив Федора, она уже делала все, что хотела. И ей все сходило с рук. Однако когда она чувствовала, что начинает перегибать палку, то останавливалась. В этом ее контролировал уже Поташев.

— И Невежин так ничего и не замечал?

— Не замечал или не понимал... Как правило, люди, подобные Федору, узнают все последними, когда окружающим уже давно известно...

На этой нерадостной ноте и закончился их разговор. Гордеев искренне поблагодарил Теребову и покинул «Синюю саламандру», забыв, что собирался поужинать.

ДОБРОЖЕЛАТЕЛИ

На город опустились сумерки, жара немного спала, тротуары, освещенные ярким светом уличных фонарей, почти опустели, а количество иномарок, припаркованных перед рестораном, заметно уменьшилось.

«Вот так бы всегда! А то ведь, когда нужно, так нате, пожалуйста... Полно свободных мест!» — подумал Гордеев и направился к своим «Жигулям», оставленным на соседней улице.

Садясь за руль и опуская боковое стекло, Юрий Петрович машинально посмотрел на свои наручные часы. Было начало одиннадцатого. К этому времени Стелла обычно исполняла лишь треть своего ресторанного репертуара, а потому объективных причин, чтобы спешить в «Золотую рыбку», у Гордеева вроде бы не было. К тому же он хотел проверить свои подозрения. Он был почти уверен, что после убийства Раппопорта — вызывающе наглого, посреди бела дня — преступники обязательно должны были установить пристальное наблюдение и за ним, адвокатом, чтобы в дальнейшем предупреждать теперь и его, вероятно, слишком опасные для них действия. И Юрий Петрович тронулся с места, наблюдая в зеркало заднего вида, нет ли за ним хвоста. Хвоста пока не было. Однако Гордеев прекрасно понимал, что тот, кто сейчас следит за его передвижениями, может выдать себя позже либо, если дело у них поставлено грамотно, не обнаружить себя вовсе. Многое здесь зависело от профессионализма наблюдателей и от количества задействованных в слежке автомобилей.

Чтобы утвердиться в собственной правоте, Гордеев решил немного поколесить по ночному городу, благо времени у него для этого было достаточно — Стелле предстояло работать еще два-три часа, последний из которых Юрий Петрович решил употребить на ужин. Пиво и орешки даже с натяжкой не могли быть названы едой...

То, каким образом обнаружили свое присутствие его преследователи, поразило даже видавшего виды бывшего следователя, а ныне адвоката.

Все произошло на тихой, безлюдной улочке, в стороне от центра столицы. Здесь Юрий Петрович вынужден был остановить свои «Жигули» перед регулируемым перекрестком — горел красный свет. Ожидая разрешающий сигнал светофора, Гордеев решил включить автомагнитолу и послушать что-нибудь для души. Он открыл бардачок и стал искать подходящую кассету. Но неожиданно резкий толчок буквально бросил его на спинку соседнего кресла. От удара сзади его «Жигули» стали выкатываться на перекресток. Однако Юрий Петрович успел вовремя нажать на тормозную педаль. Машина остановилась. Поставив автомобиль на ручной тормоз, он обернулся и увидел, что в метре от его машины застыл здоровенный темный джип.

— Вот же черт! — зло сплюнул Гордеев и огляделся в поисках милиционера. Но перекресток был пустынным.

«Ладно, если сильно не помяли, можно будет обойтись без гаишников. Договоримся о ремонте или о возмещении ущерба и мирно разойдемся», — подумал Юрий Петрович и вышел из машины.

Обойдя «Жигули», Гордеев нагнулся над багажником и стал осматривать полученные повреждения. Услышал, как открылись дверцы стоящего рядом джипа и из него кто-то вышел. Поняв, что повреждение незначительное, была лишь разбита задняя левая габаритка, Гордеев облегченно вздохнул и выпрямился. И тут увидел перед собой пару крепких парней, которые посматривали то на свой джип, то на его «Жигули».

— Ну что будем делать, парни? — спросил Юрий.

— Как это что? — изумились в один голос владельцы джипа. — Будешь платить!

— Платить?! — удивился в свою очередь адвокат. — За что?

— За ущерб! — воскликнул стоявший справа и показал на мощные никелированные клыки на бампере, которые согнуть мог бы разве только танк.

Гордеев усмехнулся:

— Вы, парни, как мне кажется, чего-то не понимаете. Или не знаете правил дорожного движения.

— Ну уж правила-то свои мы знаем, — самодовольно сказал тот же.

— Тогда должны понимать, что нарушили. Не

соблюдали дистанцию. Поэтому ущерб возмещать будете вы... — Он уже понял, с кем имеет дело, но старался говорить спокойно.

Услышав это, парни из джипа громко и нагло засмеялись.

— А по-моему, это ты, козел, не умеешь ездить задним ходом, — высказался второй.

— Понятно, — кивнул адвокат. — Придется вызывать автоинспекцию. Пусть разбираются сами.

Юрий хотел было вытащить из футляра свой мобильный телефон, но первый парень перехватил его руку.

— Не придется! — подсказал второй.

— Да! У нас свои правила, — заключил беседу первый и неожиданно ударил Гордеева под дых.

Они оба были уверены в своих силах и потому не видели трудностей в разборке с водителем «Жигулей». Они ждали, что от внезапного удара водитель согнется, а добить его потом будет нетрудно. Тем более что на вид он силачом не казался.

Но все сложилось иначе. Гордеев мгновенно среагировал на удар и вовремя напряг брюшные мышцы. А в следующую секунду его кулак сокрушил нижнюю челюсть противника. Удар был настолько неожиданным и мощным, что противник Гордеева, резко откинув голову, стал тут же оседать на землю. Увидев такой поворот событий, второй парень застыл на миг от удивления. Но этот миг оказался для него роковым. Гордеев правой ногой нанес ему удар в пах, от которого громила, выпучив глаза и открыв широко рот, стал тоже безмолвно опускаться на колени. А второй в подбородок окончательно добил парня. Не избежал второго удара и первый, который, мыча, стал было поднимать голову, но едва он поднялся на четвереньки, как каблук Гордеева с хрустом врезался в его физиономию.

— Кто же они такие? — вслух спросил себя адвокат, разглядывая лежащих у его ног парней. — Впрочем, ответа я от них не добьюсь, поэтому придется узнавать самому.

И он стал осматривать содержимое их карманов. В его руках оказались пара наручников и несколько краснокожих удостоверений. Самыми интересными из них были удостоверения помощников депутатов Государственной думы от фракций ЛДПР и КПРФ.

— Да-а-а, — протянул Юрий. — Кто только сейчас не заседает в нашей Думе! Похоже, нынче вся братва решила пересесть с нар в депутатские кресла. Оно и понятно. В Думе сидеть мягче и безопасней. Хотя удостоверения могут оказаться и поддельными.

Юрий еще раз посмотрел на стонавших у его ног парней и сверил их перекошенные болью и злобой лица с фотографиями на удостоверениях. Все совпадало, и он положил краснокожие книжечки в свой карман. Затем подошел к джипу.

Тонированные стекла передних дверей были опущены, и Юрий заглянул внутрь. В салоне никого не было. Однако взгляд адвоката задержался на бардачке. Он был открыт. В нем Гордеев заметил пистолет «ТТ» с глушителем и еще одну пару наручников. Юрий взял и их и вернулся к парням. Одной парой наручников Гордеев пристегнул их друг к другу, а второй — к бамперу джипа. Затем Юрий поднял с асфальта валявшийся рядом с парнями их сотовый телефон и позвонил с него по 02.

На все это, включая и рукопашную, у Гордеева ушло не более пяти минут. И за это время ни один автомобиль, то ли к счастью, а то ли наоборот, так и не проехал мимо места происшествия.

Он не стал дожидаться приезда милицейского наряда и спокойно покатил к ресторану «Золотая рыбка».

Понимал Юрий, что никто, никакой депутат, ему теперь за разбитый левый задний фонарь платить не станет. Ну а раз так, пусть считают, что он хоть душу отвел. Пусть тратит деньги на лечение своих помощников.

Его мстительные мысли перебил неожиданный звонок мобильника.

— Алло.

— Добрый вечер, Юрий Петрович! — услышал Гордеев.

Мягкий и очень вежливый голос позвонившего был ему незнаком.

— Добрый вечер, — ответил адвокат и поинтересовался: — С кем я говорю?

— С тем, кто желает вам добра.

— Ох уж мне эти доброжелатели! От них обычно только неприятности.

— А иногда — очень большая польза, — возразил незнакомец.

— И что же вам угодно, господин доброжелатель?

— Ничего. Я просто интересуюсь вашим здоровьем.

— Спасибо. Но я пока ни на что не жалуюсь.

— Да? Но это вы именно пока не жалуетесь. А в

жизни может случиться всякое! Она такая непредсказуемая, эта наша действительность!..

— Вы из страховой компании?

— Нет. Ну что вы!..

— Тогда кто же?

— Я представляю совсем другую организацию.

— И какую же, если не секрет?

— Ту, которая очень желает, чтобы такой способный человек, каковым являетесь вы, Юрий Петрович, сумел полностью раскрыть свой талант.

— О каком таланте идет речь?

— Я говорю о вашем адвокатском таланте. Организация, которую я представляю, заинтересована в том, чтобы дело, которое вы сейчас ведете, не стало бы последним делом всей вашей жизни, то есть чтобы оно не стало завершением вашей столь успешной на сегодняшний день адвокатской карьеры.

— А вот это уже угроза, так надо понимать?

— Ну что вы, Юрий Петрович! — мягко и вежливо сказал незнакомец. — Всего лишь добрый совет. Или, если хотите, маленькая просьба.

— Так все-таки... Чего вы хотите?

— Буду откровенен.

— Постарайтесь.

— Юрий Петрович, откажитесь от дела Невежина. Отойдите от него.

— Вот как! — удивился адвокат.

— Да.

Подобные советы Гордееву приходилось уже выслушивать не раз за годы своей адвокатской практики. Менялись лишь интонации — от вежливых до угрожающих, суть же оставалась прежней: брось, отойди в сторону, а то плохо тебе будет. Чтобы не упустить нюансов, Юрий решил остановиться.

— Так почему же я должен отказываться от дела Невежина? — поинтересовался он наконец.

— Потому что вы его проиграете. А проигрыш любого дела, даже незначительного, сказывается на карьере адвоката.

— Вы в этом так уверены?

— В этом уверены те, кого я представляю.

— С чего бы это у них такая забота обо мне — рядовом адвокате.

— Ну не скромничайте, Юрий Петрович! Не надо!

Гордеев не ответил, и потому незнакомец продолжил:

— Вы, Юрий Петрович, им, оказывается, симпатичны.

— Чрезвычайно приятно! — с иронией заметил Гордеев.

— Я рад, что вам это приятно.

— Однако ваше предложение меня не устраивает. Поэтому передайте тем, кто вас уполномочил, что свои позиции я так просто не сдаю. А проигрывать, если приходится, я умею. Но умею и выигрывать.

— Мне жаль, Юрий Петрович, очень жаль, что вы не хотите прислушаться к моим добрым советам. А ведь вы уже вплотную подошли к той черте, переступив которую обречете себя на определенные неприятности.

— И к неприятностям я тоже привык.

— Да... Но те, которые ждут вас в будущем, могут

оказаться посерьезнее того, что произошло с вами только что.

— Это вы о чем?

— Я говорю о происшествии у светофора.

— Так то были ваши люди? — со вздохом облегчения спросил Гордеев, будто даже обрадовался.

— Да. И мы приносим вам наши извинения... За их безобразное поведение. Поверьте, Юрий Петрович, это была их самодеятельность. И они за нее понесут суровое наказание.

Гордеев усмехнулся.

— Для них это послужит хорошим уроком на будущее, — продолжал незнакомец, речь которого в течение всего разговора была тихой и мягкой. Говоривший являл собой саму вежливость. Однако за такой манерой говорить чувствовалась жестокая беспощадность хладнокровного наемного убийцы.

— Надеюсь, что я их не сильно покалечил? — поинтересовался Гордеев.

— Нет. Ничего существенного. Но в любом случае это пойдет им на пользу... в будущем.

— А где они сейчас? В травмпункте или в КПЗ?

— Ни там и ни там. Ваш звонок в милицию, Юрий Петрович, оказался напрасным. Его зафиксировали как ложный, потому как на указанном вами месте доблестные правоохранители никого не обнаружили.

— Ясно. Своих людей вы не бросаете.

— Да, Юрий Петрович, о наших людях мы заботимся.

— Что ж! Это похвально.

— Но мы, Юрий Петрович, заботимся не только о своих...

— Ну, например, и обо мне?

— И о вас тоже.

— Давайте уж о себе я позабочусь сам.

— Допускаю. А кто позаботится о ваших близких? Тоже сами? Но вы же, Юрий Петрович, физически не сможете находиться в нескольких местах одновременно. И я прямо не знаю, что вы будете делать.

— Спасибо за напоминание. Я над этим подумаю.

— Я знал, что вы, Юрий Петрович, умный человек.

— Да, да, — сказал адвокат Гордеев и нетерпеливо посмотрел на часы. — Ну а сейчас я с вами буду прощаться. Тороплюсь. А за рулем серьезные разговоры я не веду — небезопасно.

— Вы правы, Юрий Петрович. Абсолютно правы. Берегите себя. И не слишком спешите туда, куда едете. Не превышайте скорость. Может, это уже незачем? — сказал Гордееву незнакомец и прибавил: — До свидания, господин адвокат.

— Прощайте, — ответил Юрий и отключил телефон.

К ресторану «Золотая рыбка» Гордеев доехал без приключений. Машину он оставил на охраняемой стоянке.

Метрдотель проводил его к свободному столику, который находился вдали от сцены, и это адвоката очень обрадовало. Юрий не хотел прежде времени привлекать к себе внимание Стеллы. Она говорила, что стеснялась петь в его присутствии, и потому однажды попросила Юрия вообще не приходить в ресторан во время ее выступлений. Однако сегодня он решил нарушить обещание, данное Стелле. Этому способствовало не только желание послушать свою любимую певицу, но и потребность утолить голод.

Гордеев надеялся быть незамеченным и спокойно приступил к ужину.

Вскоре, после краткого перерыва, появились музыканты, взяли инструменты, включили аппаратуру и, проверив микрофоны, заиграли вступление, после которого должна была петь Стелла — она, по всей видимости, еще находилась за кулисами. Однако когда вступление было сыграно, вместо Стеллы запел бас-гитарист. Сама же Рогатина на сцене не появилась.

«Экспериментируют!» — подумал Гордеев и продолжил ужин.

После семи или восьми сольных выступлений бас-гитариста Гордеев подозвал к себе официанта.

— Чего изволите? — спросил официант у Юрия и приготовился записать в блокнот новый заказ клиента.

— Скажите-ка, приятель, а что, певица сегодня петь будет?

— Стелла? — для верности уточнил официант.

— Да, Стелла! — подтвердил Гордеев.

— Должна... вроде бы.

— Или она сегодня свою работу закончила?

— По-моему, нет, — как-то неопределенно ответил официант. — Обычно они, — он указал на сцену, — заканчивают все вместе.

— А сегодня она уже пела?

— Пока нет. Но без нее не обойдется. Будет. Обязательно. Не волнуйтесь. Не вы один пришли ее послушать. Многие из наших постоянных клиентов приходят ради нее. Когда у Стеллы выходной, посетителей в зале меньше трети. Стелла для нашего ресторана — свет в конце туннеля, — улыбнулся он своему сравнению.

— Спасибо, — поблагодарил Гордеев. — Вы меня успокоили.

Официант кивнул и спросил:

— Желаете что-нибудь еще?

— Позже.

Подождав, когда официант отойдет к другому столику, и посидев для приличия какое-то время, Юрий Гордеев направился в гримерную, чтобы лично убедиться, что со Стеллой все в порядке. Он опасался, что у Рогатиной могло что-то случиться с голосом.

Однако и в гримерной певицы не было. Вместо нее Гордеев нашел там Алекса, который отвечал за так называемый текущий репертуар и воскресные шоу-программы.

Тот не находил себе места и ходил из угла в угол стремительной и нервозной походкой, время от времени взъерошивая свои длинные волосы.

Приход Гордеева Алекс заметил не сразу, но потом, сообразив, в чем дело, остановился как вкопанный в центре гримерной. Взгляд его был полон растерянности и надежды.

— Привет, Алекс! — поздоровался Юрий, улыбаясь. — А где Стелла?

Надежду в глазах Алекса сменил испуг.

— Как это... где Стерра? — скороговоркой сказал

он. — Я думар, что ты, Юра, ее привез! Она ведь опоздара на работу. А это не шутки! Здесь все строго! Есри подписан контракт — его нужно выпорнять. Ири пратить штраф!..

— Ну-ну, Алекс, остынь. Может, она заболела? — предположил Гордеев, чтобы хоть как-то успокоить арт-директора «Золотой рыбки».

— Тогда она доржна быра сообщить об этом, предупредить! Этот пункт записан в контракте. Она сама настояра на нем.

— Ладно, Алекс, успокойся и расскажи... Ты куда-нибудь звонил? Узнавал?

— Да! Звонир домой — ее родитерям. Но там ее нет! Звонир к тебе на квартиру! Там ее тоже нет! Никто не ответир мне!! Может, ты, Юра, мне скажешь, где Стерра и почему она не на работе? У нас соридный ресторан, а не дом отдыха! Здесь надо работать и работать!.. Почему мистер Арекс может работать двадцать восемь часов в сутки, а другие не могут работать сторько, скорько обязаны? Почему, Юрий, почему?!

— Может быть, Стелла звонила сюда, когда тебя не было, и просила передать, что где-то задерживается? Мало ли что может случиться? Всего ведь не предвидишь.

— Сегодня Стерра сюда не звонира! Я спрашивар об этом всех.

— Всех?!

— Но я спрашивар тихо... чтобы не поднимать шума. Зачем хорошему работнику ришний шум?

— Ты прав, Алекс! Лишний шум никому не нужен, — сказал Гордеев.

Алекс вопросительно посмотрел на адвоката.

— Где Стелла, я тоже не знаю, — ответил на немой вопрос арт-директора Юрий. — Она и мне не звонила. Утром я пообещал ей, что заеду после того, как она закончит работу. Днем мы не созванивались. Значит, планы свои она менять не собиралась. Иначе бы позвонила. Предупредила. Да и я бы, Алекс, в ваш ресторан сегодня не приехал. Некогда.

Алекс, который все это время нервно перекатывался с пяток на носки, вновь нервозно забегал из угла в угол своей дерганой походкой. Гордеев же сел на стул и стал думать о том, где сейчас могла находиться Стелла и что помешало ей приехать на работу. Он перебрал множество вариантов, но ни на одном из них не остановился и потому продолжал искать новые, отгоняя от себя — подсознательно — самые худшие.

Его размышления снова прервал мобильный телефон на брючном ремне.

Алекс резко остановился и посмотрел на адвоката:

— Может, это Стерра?

— Не знаю, — с тревогой в голосе ответил Гордеев. — Но что-то мне подсказывает, что это не Стелла.

Он вытащил из кожаного футляра трубку:

— Слушаю.

В ответ услышал уже знакомый ему мягкий и вежливый голос недавнего собеседника.

— Как отдыхается, Юрий Петрович?

— Ваша забота меня очень трогает. Но я предпочитаю, чтобы вы оставили меня в покое.

— Я бы и рад это сделать... Но не могу.

— Что же вам мешает?

— Вы, Юрий Петрович. Мне нужен ваш ответ.

— Я же вам сказал: «нет»!

— Юрий Петрович, мне нужен ваш положительный ответ. А он звучит иначе.

— Другого ответа не будет.

— Могу предположить, что вы, Юрий Петрович, просто еще не успели хорошенько подумать. Ведь вы сейчас немного не в себе, не так ли? Вы раздражены или обеспокоены...

— С чего вы это взяли?

— Мне почему-то так кажется.

— Да? — удивился Гордеев.

— Ведь вы, Юрий Петрович, приехали в «Золотую рыбку» за вашей подругой? Хотели поужинать, немного расслабиться. Послушать, как поет Стелла... Я правильно назвал имя вашей девушки?

— Правильно.

— Красивое имя. И я бы даже сказал — астрономически красивое. Но вашей подружки на работе не оказалось. И вместо того чтобы сейчас получать удовольствие от ее пения, вам приходится разговаривать с нервозным пройдохой от шоу, так сказать, бизнеса, который и слова не может выговорить нормально.

— Зря вы, он неплохой парень. Просто сильно переживает за свою работу.

— Если он и переживает за что-то, так это только за свои бабки, а не за работу.

— Но эти вещи бывают взаимосвязаны.

— Не буду спорить. Это не тема нашего разговора. Меня интересуете вы, Юрий Петрович. А вас, вероятно, сейчас заботит только одно.

— Что же? — осторожно спросил адвокат.

— Где находится Стелла? И почему ее нет на работе? — сказал незнакомец и замолчал.

— Продолжайте, — сказал Гордеев.

— Хорошо, — согласился незнакомец. — Пройдоха импресарио понятия не имеет, где сейчас находится Стелла. Это заставляет и вас нервничать. Тем более что об исчезновении вашей подружки вы узнаете от меня. А это наводит вас на определенные размышления. И слава богу! Думаю, что теперь вы, Юрий Петрович, сделаете правильные выводы.

— Что со Стеллой?

— Ну, морги вам, Юрий Петрович, обзванивать не стоит. Там вашей Стеллы пока нет. Я это подчеркиваю — пока! В списках приемных покоев московских больниц ее фамилию вы тоже не найдете. А вот...

— Где она? — перебил своего собеседника адвокат.

— Этого я вам пока сказать не могу. Хотелось бы перед этим услышать ваш положительный ответ. Но только не рубите сплеча, Юрий Петрович. Не горячитесь. Подумайте хорошенько. Стоит ли ваш гонорар за дело Невежина тех нервных клеток, которые, если что, сгорят безвозвратно? Они ведь, кажется, не восстанавливаются?

Гордеев молчал и слушал.

— Да и лишиться можно не только нервных клеток, — продолжал незнакомец.

— Стелла у вас? — резко спросил Гордеев.

— Да как вам сказать...

— Как есть, так и говорите.

— Я могу повторить только то, что уже сообщил. Не скрою, лично мне, может быть, и хотелось, чтобы вы, Юрий Петрович, спали спокойно, но это, увы, не в интересах тех людей, которых я представляю. Так что думайте. У вас впереди ночь. Но летом ночи коротки, — сказал он и неожиданно прервал разговор.

«Что ж, подождем до утра», — подумал Гордеев и выключил свой мобильный телефон.

— Стерра приедет? — скороговоркой спросил Алекс, когда понял, что разговор закончен.

— Что? — переспросил Гордеев, так как ничего не разобрал из того, что сказал ему Алекс, — видимо, по причине волнения изо рта шоумена раздавалась не членораздельная речь, а вываливалась какая-то словесная каша.

— Стерра сегодня приедет? Ей работать еще портора часа, — уже спокойнее сказал Алекс.

— Нет, — ответил Юрий, — сегодня она уже не приедет.

— С ней все в порядке?

Гордеев не ответил, а лишь неопределенно пожал плечами.

— А завтра она будет? — не унимался арт-директор «Золотой рыбки».

— До завтра, Алекс, еще нужно дожить.

— Да, да! Утро вечера мудренее! — согласился Алекс.

— Да. Утро вечера мудренее, — подтвердил адвокат и грустно усмехнулся.

Расплатившись с официантом, он покинул ресторан, сел в свои «Жигули» и поехал домой. Ехать ему предстояло минут тридцать пять.

Ночь, он чувствовал, предстояла ему действительно трудная и тревожная.

...Москва спала. Опустели улицы, стали нерегулируемыми перекрестки, о чем сообщали желтые мигалки светофоров, и потому Гордеев, где только было возможно, выжимал из своего несчастного автомобиля максимальную скорость.

Когда до дома оставалось уже несколько кварталов, он свернул в первый же попавшийся двор и остановился. Заглушил двигатель, выключил фары и габаритные огни. Достал из кармана пиджака трубку мобильного телефона, который вручил ему для экстренных случаев Денис, и стал нажимать на светящейся панели кнопки набора. Потом он долго слушал длинные гудки. Набрал другой номер — та же картина. И только на третьем номере удача улыбнулась адвокату.

— Слушаю, — раздался сонный голос Дениса.

— Ты что, спишь? — почему-то удивился Гордеев, который в данный момент даже и не подумал о времени.

— Юрка, ты, что ли?

— Я! Я, Денис, открывай глаза! Просыпайся!

— Да какой уж теперь сон! Ты хоть иногда на часы поглядываешь?

— Сейчас не до этого.

— А что случилось? Наши футболисты стали чемпионами мира?

— Нет, тогда бы вся Россия не спала. Стелла исчезла.

— С чего ты взял? — Голос Дениса построжел. — Ты звонишь-то сейчас откуда?

— Из своей машины.

— А телефон чей?

— Да твой, успокойся! — почти выкрикнул Гордеев, торопясь поделиться своими неприятностями.

— Это ты давай успокойся и подробно рассказывай, что с тобой опять произошло.

И Гордеев, взяв себя в руки, постарался сжато, но не опуская важных, с его точки зрения, деталей, пересказать череду событий сегодняшнего дня, начиная с посещения «Синей саламандры».

— Значит, она актриса? — неожиданно прервал Юрия Денис.

— Кто? — опешил Гордеев. Он уже пересказал кратко свой диалог с Еленой Петровной и давно переключился на «доброжелателя» с его невежливыми молодцами, который за один только вечер уже дважды достал его лично.

— Да Бойко же, господи!

— А при чем здесь она? Я говорю про Стеллу — ее ведь действительно нигде нет!

— Подожди, Юра, не все сразу. А поскольку ты меня разбудил, изволь слушать. К Стелле мы вернемся, не торопись. Так вот, я бы на твоем месте попросил срочно прислать сюда из Новосибирска фоторобот той красавицы.

— Мы с Вадимом уже договорились: он созвонится. Но там была темноволосая женщина, а у Киры, я видел на фотографии, короткая светлая стрижка. Или ты полагаешь, что это она ухлопала Котова?

— Она актриса, Юра. Для нее менять ту же прическу дело привычное. А я к тому говорю, что уж как-то все это очень близко лежит. Показания Котова, его убийство... Ну ладно, об этом действительно можно и завтра поговорить. Вернемся к нашим баранам. Ты далеко от дома?

— Минута езды.

— Будь предельно внимательным. Я не уверен, что после всех этих звонков и нападения у тебя дома безопасно.

— Нет, я не думаю, что сегодня они мне захотят преподнести еще один сюрприз.

— И тем не менее... Словом, давай договоримся так. Ты едешь домой, не позже чем через двадцать минут мне перезваниваешь, что с тобой все в порядке. Потому что, если ты молчишь, я буду вынужден мчаться к тебе на выручку. И не один, естественно. Усек?

— Так точно, товарищ большой начальник. Но вернемся к Стелле.

— Хорошо, давай обсудим. Хотя я бы предпочел отложить этот разговор тоже до утра. Ну сам пойми, где мы ее сейчас станем искать? Если они ее в самом деле похитили, обязательно должны тебе об этом сообщить. Чтобы ты поскорее принял нужное им решение. А если все это липа чистой воды? Блеф? Ты разве исключаешь, что она могла встретить неожиданно какую-нибудь старинную подругу? Да мало ли что может задержать взрослую женщину! Поехала куда-нибудь. А машина сломалась. И время позднее. И телефона поблизости нет. Ну? Но те, кто об этом знает, тем более если они еще и слежку установили за дамой твоего сердца, вполне могут использовать ситуацию, в которой нет ничего криминального, в свою пользу. Разве не так?

— Я понимаю, что ты хочешь меня просто успокоить... Но дело в том, что Стелла очень ответственно относится к своей работе. И пропустить по какой-то незначительной причине свое выступление она, конечно, никогда не решится.

— Не возражаю, поскольку ты ее знаешь лучше, чем кто-либо другой. Но тем не менее поезжай домой и будь предельно внимательным и осторожным. А мне обязательно перезвони через двадцать минут. Иначе придется поднимать на ноги всю Москву.

В своем дворе Гордеев ничего подозрительного не заметил. Хотя что можно разглядеть в кромешной темноте. Не горела ни одна лампа на столбах освещения. Лишь под козырьками подъездов тускло светились закрашенные при очередном косметическом ремонте плафоны. Юрий взглянул на окна своей квартиры — они были темными. Пусто было и в подъезде.

Прислушавшись к тишине в ожидании хоть какого-нибудь подозрительного шума, но так ничего и не услышав, Гордеев нажал кнопку лифта. А когда кабина открылась перед ним, поднялся на два этажа выше своей квартиры, чтобы, спускаясь затем по лестнице, иметь хоть какое-то преимущество, если его в самом деле могли подстерегать у квартирной двери. Но и на его площадке было все нормально. А вот за дверью...

Он прильнул ухом к дверному замку, в котором было маленькое сквозное отверстие — для ключа, созданного местным, дворовым умельцем и названного им «секретным». Ключ этот был длинным и неудобным, поэтому и пользовался им Гордеев очень редко, лишь когда уезжал надолго и хотел создать видимость дополнительной охраны двери. Но сейчас, вслушиваясь в странные шорохи в квартире, он понял, что там кто-то находился. Но не рядом с дверью, а в комнате: шумок, похожий на шуршание подошв по полу, как бы доносился из глубины квартиры. Да, в ней кто-то определенно был. Однако света не зажигал, а сейчас, скорее всего, учинял в квартире осторожный обыск, наверняка подсвечивая себе фонариком. И если этот деятель увлечен своей работой, то он едва ли услышит осторожный поворот ключа.

Все дальнейшее происходило как в хорошем кино про шпионов. Осторожно провернув ключ в замке, Юрий без скрипа приотворил дверь, снова прислушался к внезапной тишине, потом резким движением кинул пальцы на выключатель — вспыхнул свет. А Гордеев распахнул дверь настежь и громко приказал — сам себе, естественно:

— Мужики, я первый! Держите дверь под прицелом!

Это он хотел создать у находившихся в квартире впечатление, что сюда ворвалось, защищая хозяина, как минимум отделение спецназа. Но все было спокойно и тихо, никто не отреагировал должным образом. Только большая серая тень с испуганным мяуканьем метнулась из комнаты в кухню.

— Твою мать! — уже ничего не стесняясь, едва ли не завопил Гордеев. — Кто не закрыл балконную дверь?! Сколько раз повторять!

Впрочем, ярость он с таким же успехом мог выплеснуть и на самого себя. Поди, сам и не закрыл, поскольку ночью было душно. А Стелла ни в чем не виновата, она вчера тут не ночевала. Хотя вполне могла заехать за чем-нибудь и днем. Нет, вряд ли, она бы позвонила.

— Ну ты даешь, Юрка, — раздался за его спиной грубый и явно нетрезвый голос. — Чего ты разорался? С бабой, что ль, чего не поделил?

Это сосед вышел на шум. Ну конечно, поддатый. А кот его так и норовит на чужой балкон проникнуть, ворюга.

— Ну опять твой котяра у меня обретается! Сколько можно просить тебя, Вася? Я из него однажды в самом деле шашлык сделаю!

— А где он? Я ж его, гада, весь вечер ищу!

— Иди на кухню, там он.

Шлепая тапочками, сосед побрел на кухню. Оттуда донесся его призывный голос, затем грохот упавшей табуретки, кошачий крик и короткий мат хозяина кота. Через мгновение Вася вышел, держа извивающегося кота за шкирку, которого он тут же с непереводимым проклятьем зашвырнул за свою дверь, а затем обернулся к Юрию.

— Ко мне никто не приходил? — опередил его вопросом Гордеев.

— Не-а, — помотал тот головой. — Юрок, а у тебя случайно... это... не найдется?

Гордеев понял суть не очень осмысленного вопроса и кивнул, скорее от облегчения, чем от прилива гостеприимства:

— Заходи, налью стаканчик.

— Вот за это наша тебе благодарность, сосед! — восхитился Вася и зашлепал прямиком на кухню.

Удалился он минут через десять. Гордеев облегченно закрыл за ним дверь, размышляя о том, что хороший сосед — это большая удача, и в глубине души смеясь над собственными страхами. Что-то он должен был еще срочно сделать...

Но тут его мысли прервал резкий телефонный звонок. Гордеев схватил грязновский мобильник и вспомнил. Но его опередил голос Дениса:

— Двадцать минут, между прочим, уже давно истекли!

— Да, прости. Со мной все в порядке.

— Ну считай, что тебе повезло: я не паникер, иначе бы...

— Извини, тут соседский кот хозяйничал, вот я и смотрю, все ли в порядке... Вроде в норме. Следов борьбы нет тоже. Нет, определенно все, кажется, спокойно, — говорил Юрий, обходя квартиру и прижимая трубку плечом к уху.

— Ну на нет и суда нет, — облегченно вздохнул Денис. — Тогда давай отложим все остальное до завтра. Кстати, ты автоответчик прослушал?

— Нет еще.

— Так чего ж тянешь-то? Немедленно прокрути и, если будет что, снова перезвони. Сон у меня уже пропал из-за тебя, так что можешь не стесняться.

Отключившись, Гордеев прокрутил пленку автоответчика и поставил на прослушивание. Звонков было много, но ни один, хотя бы приблизительно, не имел отношения к исчезновению Стеллы. Этот процесс стал уже утомлять Гордеева. Он вдруг почувствовал, что его клонит в сон. Да и пора бы. Выслушивая просьбы и советы, записанные на пленку, он неожиданно заметил торчащий из-под аппарата кончик белого картона. Юрий машинально вытащил... визитную карточку. Прочитав незнакомую ему фамилию, стал соображать, как она могла тут очутиться. Ни с каким Халябовым, а тем более с Сыном — именно так, с прописной буквы — он ни разу дел не имел. Но карточка тем не менее оказалась под телефонным аппаратом, куда сам Гордеев никогда ничего не запихивал. Каким образом? Снова перечитал: генеральный продюсер. Значит, шоу-бизнес? И вдруг сообразил: так это же наверняка Стелла, ее проблемы? Но когда она успела ее засунуть? Ничего нельзя было понять.

Записи между тем закончились, послышалось одно шипение. Гордеев отключил запись и снова поставил пленку на перемотку. Завтра с утра он собирался ее еще раз прослушать и записать себе в книжку те звонки, которые могли оказаться полезными.

Раздумывая, стоит ли звонить Денису и сообщать, что ничего существенного на пленке тоже нет, Гордеев стал раздеваться, чтобы перед сном принять душ. Но от этого занятия его отвлек новый телефонный звонок. Звонил, кстати, не мобильник, а домашний телефон. Кто мог ему звонить в такое слишком позднее время? Поднимать трубку или нет? Щелкнула автоматическая запись. И Юрий решил не мешать технике. Пусть тот, кто звонит, считает, что его нет дома. А если Стелла? Тогда ей будет достаточно сказать, что с ней все в порядке. Но, может быть, это ее похитители?

Словом, пока Гордеев размышлял, запись закончилась. Он тут же перемотал пленку и включил прослушивание.

Голос был знакомым.

— А у вас, Юрий Петрович, хорошие нервы. Крепкие, — одобрительно констатировал все тот же «доброжелатель». Он был по-прежнему мягок и вежлив. — Спать в такую ночь, когда о любимом человеке ничего неизвестно? Ни где она, с кем, да и вообще жива ли!.. Но я хочу вас успокоить: с ней действительно пока все в порядке. Пока. Потому что все дальнейшее зависит исключительно от вас. Хорошая девочка. И, честно говоря, весьма заманчиво сделать ее еще и очень послушной. Во всем, понимаете, Юрий Петрович? Некоторые мужчины отлично с этим справляются. Особенно когда их много. Ну ладно, не переживайте, я ж сказал, что какое-то время вашей Стелле ничто не будет угрожать. Думайте, Юрий Петрович. Спокойной ночи.

Гордеев едва не разбил аппарат, так хотелось трахнуть по нему с размаху кулаком. Этот гад издевается!

Но понял он и другое. Над Стеллой действительно нависла опасность. Шантаж шантажом, тут Денис вполне может оказаться прав, однако этому мерзавцу доброжелателю и в самом деле ничего не стоит дать команду своим головорезам, ну а уж те, конечно, постараются...

Так что же делать? Запись штука хорошая, современная техника хорошему специалисту поможет вычислить шантажиста. Точнее, выделить его голос из компании других. Однако для этого надо иметь под рукой всю компанию. А вот как ее вычислить — тут большущий вопрос. Хотя... Извечная истина: кому выгодно? Вот и думай, адвокат, кому выгоднее всех остальных посадить-таки Невежина. Думай, думай...

НОВОСИБИРСКИЙ СЛЕД

Проснулся Гордеев от телефонного звонка, который иглой вонзился в его мозг. Открыв глаза, он никак не мог понять, где находится и почему так затекли плечи и поясница. Сообразил, что заснул, сидя в кресле: сел подумать о дальнейших своих делах и... отключился. Телефон, однако, продолжал настойчиво трезвонить.

Юрий поднял трубку, поморщившись, приставил ее к уху и услышал голос Вадима Райского. Но именно он сейчас меньше всего занимал адвоката. Все мысли снова вернулись к Стелле. Поэтому и спросил недовольно:

— Ты чего по ночам не спишь?

— Какая ночь?! — возмутился Вадим. — Ты в окно взгляни!

В самом деле, было светло. Гордеев посмотрел на наручные часы: без двадцати восемь. Ничего себе!

— Увидел? — продолжал Райский. — Вот так! А теперь танцуй!

— Что танцевать? — еще не понимая, о чем речь, спросил Гордеев.

— Еврейский танец танцуй! Семь сорок! Ты же увидел время?

— Чушь какая-то, — недовольно сморщился Гордеев. — При чем здесь твои семь сорок? — И наконец дошло: ну правильно — без двадцати восемь — как раз и есть семь сорок. И что? — Так радость-то какая?

— Я разговаривал с Новосибирском.

— Ну и молодец, — сразу оборвал Вадима Гордеев. — Я скоро подъеду, обсудим. Вадик, я тебя сто раз просил: не звони мне с ранья и не рассказывай о своих личных делах!

Райский ошеломленно молчал. Потом, видимо, догадался, что Юрий не желает обсуждать дела по телефону, и промычал нечто невнятное таким тоном, будто он обиделся. Понял, слава богу, решил Гордеев и, не прощаясь, положил трубку на место.

Из Новосибирска Райский мог получить лишь одно: известие, в какой руке покойный киллер держал перед смертью пистолет. Юрий был уверен, что в правой, ибо любой левша взял бы его в левую. Ну и что бы дало это известие? Подтвердило бы версию о том, что сам киллер не причастен к самоубийству? И все? Или, если глядеть дальше, что это дело рук одной прекрасной дамы с ярко выраженными артистическими способностями? Хотелось бы так думать...

Юрий еще минуту посидел в кресле, в котором уснул, и вдруг насторожился. Ему показалось, что до него из прихожей донесся странный шум: такой бывает, когда кто-то пытается осторожно открыть входную дверь.

Быстро и бесшумно он поднялся, сделал несколько скользящих шагов в прихожую и снова прислушался. За дверью определенно кто-то находился. И пытался преодолеть сопротивление страхующего элемента замка, флажок которого Юрий не преминул опустить, оказавшись вчера в квартире. Он аккуратно поднял крышечку дверного глазка и выглянул на лестничную площадку.

Сил громко выругаться уже просто не хватило. Но широкая улыбка растянула его губы. За дверью, озабоченно пыхтя, пыталась осуществить неосуществимое Стелла Рогатина собственной персоной. На всякий случай Гордеев еще раз взглянул на площадку и, не заметив никого постороннего, кто мог бы использовать женщину в качестве подсадной утки, тихо перевел защелку вверх, открыл язычок замка и резко дернул на себя дверь. Стелла едва не повалилась на пол. Но Юрий успел подхватить ее на руки и тут же ударом ноги захлопнул дверь.

— Ты одна?

Вопрос ее изумил, что она и не преминула продемонстрировать.

— А кто еще может быть со мной? Ты в своем уме? Отпусти, мне же больно!

— Ах да... Так что же произошло? Я себе такого уже успел нафантазировать!.. И что тебя украли, и сделали заложницей. И вообще...

— Глупый, никто меня не воровал, я сама поехала. Это была деловая встреча, правда кончившаяся не совсем удачно.

— А чего же тогда ты крадешься так тихо? Как мелкий воришка?

— Да просто будить тебя не хотела. Я ж не знала, что ты закроешь замок на защелку! А ты что, не спал? Беспокоился? Всю ночь меня караулил? Боже, да если б я только знала, прилетела бы на крыльях!..

Далее некоторое время ушло на поцелуи, ничего не значащие слова и некоторые действия, которые могут представиться неожиданными лишь для тех, кто поутру вдруг не обнаруживал, что подружка, оказывается, чертовски соблазнительна и испытывает абсолютно те же самые желания, что и ты сам. Тем более что так бездарно была вычеркнута из жизни целая ночь! Это ж надо такое придумать!..

— Нет, ну а все-таки, почему ты не ложился? — отдышавшись, спросила наконец Стелла.

— Почем ты знаешь? — буркнул истинно утомленный Гордеев.

— Так ты ж даже не раздевался! Гордеев, ты меня потряс, — задумчиво заметила Стелла.

А он нахально добавил:

— Дважды! Но теперь будь любезна, объясни, что случилось? Я ведь действительно места себе не находил! Я был и в вашей «Рыбке», там тоже паника.

— Да, виновата... И перед тобой, и перед ребятами. Но я хотела сделать как лучше, а получилось...

— Ну конечно, как всегда, — хмыкнул Гордеев, вспомнив одного из недавних премьер-министров. — Но разве нельзя было позвонить, предупредить, что ли?

— Ладно, я тебе расскажу, чтоб ты не переживал, ну а с ребятами как-нибудь сама договорюсь... Дело в том, что мне вчера позвонил один продюсер...

— Халябов?

— Ага. И Сын. А тебе-то откуда известно? — Она всем телом повернулась к нему. — Ты что, следил за мной?

— А зачем? Я просто прочитал на карточке.

— Какой?

— Которую случайно обнаружил под телефонным аппаратом.

— Господи, ну слава богу! А я уж думала, что потеряла. Да, тот самый. Так вот, мы с ним уже вели некоторые переговоры: он думал, я прикидывала условия, — и наконец он вчера позвонил и предложил встретиться для окончательного принятия решения. Я согласилась, полагая, что успею провернуть диалог до начала работы. Но все оказалось несколько сложнее.

— Да уж, представляю! — невольно вырвалось у Гордеева.

Стелла строго посмотрела на него и сказала:

— Не нравится мне твой тон.

А Юрий отчего-то стал злиться. Ревность, что ли? Или слишком спокойная манера Стеллы излагать события?

— Ну хорошо, — сухо сказала она, — не желаешь слушать, я не настаиваю, — и она сделала движение, чтобы подняться с постели.

— Подожди, — одумался Гордеев. — Я ведь тебе не успел сообщить, что твое ночное отсутствие некоторыми лицами было использовано в качестве шантажа по отношению ко мне. И угрозы, доложу тебе, были весьма недвусмысленными. Они в первую очередь касались именно тебя. А тут появляешься ты и со смешком говоришь, что ничего не произошло, что все в порядке и так далее. Кому я должен верить? Тебе или собственным ушам?

Стелла затихла.

— Знаешь что, давай-ка я лучше все тебе расскажу по порядку, а уж ты сам делай необходимые выводы.

— Рассказывай, — согласился Гордеев.

И она посвятила его в суть вчерашних приключений в загородном ресторане «Королевская охота», в котором даже не оказалось телефона.

— Но такого быть не может! — возразил Гордеев. — Вы там что, оказались вдвоем?

— Нет, были еще посетители. Но их немного.

В основном кавказцы. И нагло посматривали на меня.

— Сегодня ни один уважающий себя бизнесмен, а уж тем более продюсер не обходится без мобильника. Могла бы с него позвонить.

— Могла бы... Если бы подумала об этом. Но... Понимаешь, сперва у Рюрика почему-то испортилась машина, и он куда-то послал за мастером. Но тот не приехал. А время бежало. Я уже опоздала на работу, а от этой «Охоты» до Москвы мы должны были ехать не меньше пятидесяти минут.

— Зачем же вы забрались в такую даль? Здесь разве нет приличных кабаков?

— Не знаю, наверное, он хотел меня поразить великолепием.

— И поразил? — Ревность давила Гордеева.

— Да нет. С чего бы? Ну красиво, дорого, а главное — эксклюзивно, как нынче выражаются. Для очень избранных.

— А откуда же кавказцы?

— Черт их знает, может, то были какие-нибудь миллионеры!

— Или паханы, — добавил Юрий и объяснил: — Руководители бандитских группировок. Это ведь сегодня тоже элита общества. Своеобразная.

— Не исключаю, — согласилась Стелла. — Словом, тянулось, тянулось, Рюрик куда-то выходил, возвращался, мрачнел, а потом сообщил, что с транспортом полная накладка, но с кем-то из пирующих он меня ни за что не отпустит в качестве попутчицы. И предложил отдельную комнату с ключом. Для ночевки. Эта «Охота» — что-то вроде гостиницы. Или охотничьего домика для богатеньких буратин. Элитный клуб, в котором сам Рюрик всего лишь кандидат в члены. Представляешь?

— Теперь уже все представляю. А он не... в смысле не домогался?

— Ах вот что вас больше всего волнует! — засмеялась Стелла. — Ну понятно, о чем еще может думать собственник мужчина, как не о том, что у него кобылу со двора свели! Не волнуйся, никто не увел. И не домогался это... покататься. Напротив, Рюрик был предельно вежлив и предупредителен. Но мрачен. Похоже, что-то подпортило ему, кроме моих условий, настроение. Во всяком случае, утром, вот недавно, высаживая меня у нашей арки, он пробурчал что-то невнятное насчет того, что ему надо будет основательно подумать, еще раз посоветоваться с кем-то, после чего он, пожалуй, представит мне проект договора. Или контракта. Но почему-то не очень охотно. Так, будто бы сам потерял интерес к собственному проекту.

— А вот это обстоятельство я как раз очень хорошо понимаю, — сказал Юрий. — Ты мне в любом случае этот проект, если он у тебя будет, покажи. Обязательно.

— А как же! На кого же я еще могу рассчитывать в порядке юридической помощи?

— Вот так. А остальное мы с тобой обсудим позже. Я тоже должен кое с кем посоветоваться по поводу прошедшей ночи.

— Но ты мне не рассказываешь...

— И не стоит пока. Нет причины зря тебя волновать. Это больше все-таки касается меня... Но почему же нельзя было позвонить?

— Я вспомнила! — встрепенулась Стелла. — Да,

и у Рюрика, и у других посетителей ресторана, конечно, были сотовые телефоны. Но ни один из них не работал.

— Почему? Забастовали?

— Да нет, — засмеялась Стелла. — Мне объяснили, что между тем районом, в котором находится ресторан, и Москвой расположена какая-то специальная воинская часть. И там в определенное время врубаются их радары, из-за которых связь тут же нарушается. И ни один телефон тогда не работает. По нескольку часов подряд. Вот мы и попали в такой переплет. А утром механик Рюрика приехал, что-то починил в машине, и мы отправились сразу в Москву. Он рано приехал, только рассветать начало.

— Ну ладно, с этим хоть стало ясно. Но Рюрик твой начал, значит, вертеть поутру носом? А в чем причина? Не отдалась? Или что-то более серьезное? И с кем он собирался советоваться, не говорил?

— Какой ты подозрительный!

— Профессия такая. Тем более что о вашем месте расположения очень хорошо были осведомлены именно те, которые меня пугали. Это просто счастье, что все закончилось спокойно... Если действительно закончилось!

— Но я так ничего и не поняла, при чем тут я? Почему именно меня выбрали в качестве инструмента шантажа? Я тебе кто?

— Интересный вопрос, — буркнул Гордеев. — Придется выяснить...

Вернулись они к этой теме уже на кухне, когда садились завтракать. Вернее, завтракал Гордеев, а Стелла только попила немного чаю и собиралась лечь, чтобы отоспаться. Всю ночь, как она сказала, пришлось подремывать урывками: место незнакомое, а потом она и сама не сильно верила в порядочность Рюрика Халябова. И вся эта история со сломанной машиной и молчащими телефонами ей тоже показалась подозрительной.

Заканчивая завтрак, который приготовила Стелла, Юрий сказал, что его профессия столь же опасна, как и многие другие, связанные с человеческими жизнями. И естественно, далеко не всем нравится, что он берется защищать людей, которых кому-то совершенно необходимо убрать с дороги. Отсюда и все неприятности, постоянные угрозы, а иногда даже и действия. Вот как вчера вечером. Он кратко рассказал, как на него наехал джип и что из этого получилось. Даже милиция не приехала.

Лицо Стеллы приобрело наконец серьезное выражение. Она, кажется, начала осознавать, что слова Юрия далеко не шуточные и тут есть о чем задуматься. Во всяком случае, она отнеслась уже серьезно к его словам, что без его ведома из дома выходить ей не следует, а когда понадобится ехать на работу, он что-то для нее придумает.

Короче, она пообещала больше не делать неразумных шагов, ничего не совершать, предварительно не посоветовавшись с ним, и вообще быть по возможности паинькой. Такой, как она была сегодня в постели? Да-да, именно такой!..

Хвост Гордеев заметил, едва отъехал от дома. Преследователи не догоняли и не отставали, они даже и не прятались, всем своим видом демонстрируя, что ничего не боятся. Это была новая машина, не вчерашний джип, а хищного вида приземистый «БМВ».

Ну уж эта машина не пойдет на таран, себе дороже. Так подумал Гордеев и решил «покатать» своих преследователей, посмотреть, на что те способны. А пока он достал грязновский мобильник и набрал номер Дениса. Тот отозвался сразу, будто ждал звонка.

— Все в порядке, — доложил Гордеев. — Стелла нашлась, но... словом, есть обстоятельства, которые хотелось бы обсудить.

— Ты полагаешь, что твоя тревога была ложной? — осведомился Грязнов-младший.

— Да как тебе сказать... С одной стороны. А с другой?..

— Ну так давай увидимся.

— Первую половину дня мне необходимо быть на работе, а вот во второй я бы, с твоего разрешения, подъехал.

— Я буду ждать. Кстати, по моим сведениям, сегодня должно поступить некоторое досье на твоего Орлова.

— Позвони, как только получишь. У Райского тоже кое-что имеется из Новосибирска. Так что будет что обсудить.

— Значит, до встречи.

«Жигули» Гордеева резво рванули от преследователей.

— Посмотрим, как вы играете в шашки! — сказал вслух Гордеев. — Проверим ваш профессионализм! Узнаем, на что вы способны и чего от вас ожидать!..

Он не ставил перед собой задачу уйти от преследователей, как не собирался раньше времени демонстрировать и свои способности. А потому, помотав «БМВ» по улицам, Гордеев позволил хвосту приблизиться и с таким вот почетным эскортом прибыл в юридическую консультацию на Таганку.

Он все-таки немного опоздал и, когда вошел в помещение, увидел возле своей кабинки нескольких посетителей. Жаль, потому что он хотел сперва поговорить с Вадимом, выяснить, что у него за новости. Но клиент — дело святое, и Гордеев начал прием.

Проблемы оказались несложными и длительных разъяснений не потребовали. И часа через полтора адвокат освободился.

И тут же, будто кто-то за ним устроил действительно постоянную и профессиональную слежку, зазвонил телефон на столе.

— Ну что ж, добрый день, Юрий Петрович! — Этот голос уже не узнать было нельзя. И Гордеев немедленно включил записывающую аппаратуру, которую подключил к телефону сотрудник Дениса Грязнова. Давно уже, еще с неделю назад. Правда, пока пользоваться ею не приходилось. Вот и настал нужный момент.

— Здравствуйте, — суховато отозвался Юрий.

— Как спалось? С кем провели ночь? — Мягкий голос слегка хохотнул, этак по-свойски, по-приятельски.

— Ах, это опять вы, — без всякого интереса «узнал» Гордеев. — Чем наконец обязан столь пристальному вашему вниманию?

— А я, представьте, доволен, что вы стали запросто меня узнавать и у меня нет нужды представляться.

— А следовало бы. Я не люблю вести разговоры, а точнее, болтать с бестелесной тенью.

— Ну я надеюсь все-таки, что вы не всерьез считаете нас тенями? И вероятно, очень хорошо запомнили то, о чем я вас, скажем пока так, просил? Ну и что, вы приняли решение?

— Еще вчера. И мой ответ вам уже известен.

— Юрий Петрович, зря вы подталкиваете нас к принятию жестких мер. Обычно, честно вам скажу, лично я всегда был против... нежелательных решений, которые иногда называются непопулярными среди обычных людей. Но они очень популярны в криминальных кругах.

— Ах так вот вы о чем! Ну слава богу, значит, все у нас и разрешилось. А я-то, каюсь, чуть было не подумал, что о моей судьбе печется какая-нибудь правоохранительная организация. Со специфическим, так сказать, уклоном. Оказывается, вы обыкновенные уголовники? Извините, господа, тогда совсем другое дело! Тогда это угроза в некотором роде должностному лицу при исполнении. Это хорошей статьей пахнет.

В кабинку Гордеева вошел Райский и хотел что-то сказать, но Юрий остановил того резким движением руки и показал на стул, садись, мол, и молчи.

— Я бы на вашем месте не стал, Юрий Петрович, торопить события.

В голосе «доброжелателя» прозвенели металлические нотки. Но и мягкости тоже не убавилось. Профессионал, ничего не скажешь. Не исключено, что собеседник мог в прошлом работать каким-нибудь следователем. Впрочем, почему мог? А если он и сейчас работает? Скажем, коллегой того же Дмитрия Ступникова, что доследует дело Невежина. Однозначно расследует. Будто выполняет чью-то волю: посадить человека, убрать с глаз долой, ну а на зоне с ним сами разберемся...

Дважды встречался со следователем межрайонной прокуратуры Гордеев и оба раза поражался непонятной упертости этого Дмитрия Константиновича. И ведь нестарый еще, чтоб бояться за свою карьеру. Странным показалось Гордееву и то, что расследование убийства поручили именно ему, хотя обычно такими делами занимаются «важняки» и чаще всего из Генпрокуратуры. Но позже понял, что на все убийства «важняков» просто не хватит. А со Ступниковым как вышло. Кто-то сверху дал команду, вот и поручили. А он и рад стараться, оправдывать доверие...

— Так вот, — продолжал «доброжелатель», — я бы не стал доводить свои капризы до абсурда, понимаете? Это я о вас, Юрий Петрович. Вы, наверно, полагаете, что дело это принесет вам если не славу, то хотя бы хорошие деньги, ведь так? И сильно ошибаетесь при этом. Объясню популярно. Но начну, с вашего разрешения, несколько со стороны. Как себя чувствует ваша Стелла? Она ведь только под утро сумела добраться к вам домой. И то лишь потому, что мы, надеясь на ваше благоразумие, решили не трогать девочку. Я вам несколько завидую, знаете ли! Очень приятная подружка! И ведет себя вполне достойно, и перспективы неплохие: хороший голос, очень симпатичная мордашка, затем ножки там и все прочее — тоже в большом порядке.

Так мне показалось. Ну просто фотомодель. А теперь представьте себе, что вашу красавицу где-нибудь перехватит группа дрессированных мальчиков с большими сексуальными наклонностями, а? Говорят, причем специалисты, что после подобных групповых изнасилований, с учетом, естественно, всякого рода извращений, певички навсегда теряют свои божественные голоса. А прибавьте к этому какого-нибудь сексуального маньяка, которого и судить-то ни один суд не возьмется, а сразу отправит в психушку, и вот этот самый псих плеснет в прелестное личико флакон серной кислоты. Каково? Куда девушке деваться? Куда податься, кроме как на церковную паперть? Вы сильно любите нищих, Юрий Петрович?

— Я им подаю.

— Значит, вы не лишены милосердия. Похвально. И это говорит о том, что Стеллу вы не оставите без своего внимания. Вы милосердны к убогим, но почему-то не любите здоровых и молодых! Абсурд?

— Это вас, что ли?

— Зачем?! Себя, своих близких, свою девушку, наконец? И не желаете ей добра из-за каких-то, поверьте, никому не нужных принципов. Я не понимаю вас.

— А я это понял еще во время нашего первого разговора. Ничего удивительного. Пугать вы умеете, в этом я уже убедился...

— Я бы на вашем месте, Юрий Петрович, постарался не оставлять Стеллу одну. Вот она сейчас отдыхает, а дверь-то в вашей квартире — тьфу! Ткни ногой — и развалится. И сигнализации никакой. И замки — из каменного века. Но вы же человек принципов? — В голосе «доброжелателя» уже откровенно слышалась насмешка. — Вы же не оставите службу и не кинетесь домой? Защищать свою даму кулаками...

— Вы знаете, когда человека все время пугают, он перестает бояться. Какова ваша цель? Или, точнее, сколько времени вы еще намерены меня пугать?

— Да не пугаем мы вас, а просто предупреждаем. Если хотите, по-дружески. До поры до времени. Но учтите, наше терпение на пределе.

— Ну хорошо, допустим, вы одного, или одну, изуродуете, кого-то убьете, с вас станется, а дальше-то что? Выведу я вас на чистую воду и сядете вы как миленький, несмотря на все ваши угрозы.

— Но ведь и вы не бессмертны.

— Верно, все под Богом ходим. Кроме вас.

— Это почему ж для меня такое исключение?

— А потому что вы еще и под следствием походите. Если я правильно понимаю ваши опасения. Ведь в противном случае вы не стали бы мне угрожать. Да еще столь изощренно.

— Ну ладно, наш разговор, Юрий Петрович, становится каким-то односторонним. Это неинтересно. Действительно, похоже на болтовню. Я прерываю его. Даю вам последний срок. Позвоню завтра. Если вы не примете нужного нам решения, мы начинаем действовать, и уж тогда не обессудьте... — И тут же раздались короткие гудки отбоя.

Гордеев устало положил трубку и вытер обильный пот со лба. Вадим смотрел настороженно и даже испуганно.

— Плохой разговор? — спросил наконец.

— А ты сам послушай. Я его записал. — И Гордеев включил перемотку. — У тебя там, — кивнул он за занавеску, — кто-нибудь есть?

— Никого, — мотнул головой Райский.

— Тогда, пока ты слушаешь, я сделаю один срочный звонок.

Юрий зашел в кабинку Райского и набрал номер Дениса.

— Мне нужно тебя срочно увидеть.

— Приезжай, я жду. Что, снова «доброжелатель»?

— Он самый. Я записал.

— Очень хорошо. Привози. А другие новости?

— Сейчас узнаю.

— Ну жду...

Разговор, записанный на пленку, закончился. Райский сидел, облокотившись на стол, и лицо его было мрачным.

— Что скажешь? — спросил Гордеев.

— Тебе начали угрожать...

— Вот именно.

— И давно?

— Со вчерашнего дня.

Гордеев коротко ввел Вадима в курс своих встреч и переделок. Райский заметно переживал. И, видимо, не только из-за приличного гонорара, на который рассчитывал, но еще и потому, что угрозы касались здоровья и жизни товарища. А что такие угрозы совсем не пустой звук, уж это-то Вадим знал получше многих...

— Что будешь делать? — спросил он и тут же поправился: — Что мы будем делать?

— Продолжать начатую работу, — как о само

собой разумеющемся заметил Гордеев. — Их угрозы лишь подтверждают, что мы с тобой, Вадим, на верном пути. Что дал Новосибирск?

— Я шел к тебе с этим. Вот смотри, — он протянул лист бумаги из факса, на котором был изображен фоторобот женщины. — Они там сработали оперативно. Конечно, пришлось пообещать свою помощь в раскрытии убийства Котова.

— Нет возражений... Ты сказал — убийства?

— Вот наконец-то! — Райский торжествующе поднял указательный палец. — А я уж решил, что ты не обратишь внимания! Именно убийства, Юра! Я позвонил в Новосибирск в семь утра...

— Так рано?

— Семь плюс четыре — одиннадцать. А позже там уже никого в кабинетах не застанешь. Короче, Котов держал пистолет в правой руке. Ты оказался прав.

— Можешь мне не верить, — улыбнулся Гордеев, — но я этого и ожидал.

— Еще короче. Ты, я вижу, торопишься? Твое мнение я передал новосибирским ребятам. Ну и пообещал, если что... сам понимаешь. А за это они мне максимально быстро организовали фоторобот мадам Свинаренко. Той, что выдавала себя за вдову стоматолога. Кстати, с помощью проводника вагона и водителя такси им удалось даже отыскать старушку, которая ехала в поезде с этой дамой. Она тоже дала подробное описание попутчицы и молодого человека, бывшего сослуживца ее сына, и сообщила, что сама и познакомила убитого с Натальей Михайловной Свинаренко. Это точно. Но я тут что-то недопонимаю.

— Ничего странного, Котов и твоя Свинаренко вполне могли не знать друг друга лично. А описание киллера она получила от подлинного «заказчика» убийства, то самое, которое передала затем следователю. Он же ее не знал точно. Иначе бы не видать нам больше этой свидетельницы. Но почему бы ей не ехать именно с целью убрать киллера, который так благополучно сбежал от правосудия. Или ему специально помогли. Ну а дальше дело техники.

— Послушай, Юра, — вдруг снова насторожился Райский. — У меня складывается ощущение, что ты знаешь что-то важное, но мне не сообщаешь по непонятной причине. Это от недоверия?

— Чудак ты, Вадим! — засмеялся Гордеев. — Ты ж сам только что добыл превосходные факты, которые, правда, еще нуждаются в проверке специалистов. Но за этим дело не станет, уверяю тебя. Впрочем, если ты хочешь очередную версию, получай.

Гордеев достал из кармана желтый пакет, вынул из него фотографии и ту, на которой были изображены хозяйка «Синей саламандры» и ее подруга, положил перед Вадимом:

— Смотри внимательно. Сравни с фотороботом.

Райский стал разглядывать снимок, потом перевел взгляд на фоторобот, вернулся опять к снимку. Глаза его забегали. Наконец он шумно выдохнул и ткнул пальцем в подругу:

— Очень похожа на нее. Правда, цвет волос другой. А форма лица, носа, подбородка... Ты это хотел мне сказать?

— Молодец. Эта женщина зовется Кирой Бойко. Она супруга Невежина, а также любовница его друга, господина Поташева. В прошлом актриса погорелого театра. Но с амбициями и без всяких принципов. Хорош портрет?

— Ты уже с ней разговаривал?

— Пока не удостоен. Но теперь, полагаю, не задержится. Ладно, все это, а также кассету с записью я забираю с собой. Позже позвоню. — И уже на выходе поинтересовался: — А что у тебя с тем майором?

— Выясняю, Юра. Ты же знаешь, что у них каждый грамм правды отдается с трудом. Стараюсь.

— Валяй старайся! А я поехал в «Глорию».

ИСТОРИЯ ПАДЕНИЯ

— Кто начинает? — спросил Денис, когда Гордеев уселся в кресло напротив директора агентства, и с шумом выдул стакан ледяной минералки.

— То есть? — не понял Юрий.

— Либо я тебе рассказываю об Орлове, либо ты мне о Стелле. Все зависит от того, насколько срочное решение мы с тобой должны принять. Если у тебя все спокойно, давай начну я. А что, все угрозы оказались пустыми?

— Тебе лучше самому послушать. — Гордеев вынул из кармана две мини-кассеты. — Вот это утренняя запись на домашнем телефоне, а этот диалог записан уже на Таганке. Звонил по служебному.

Денис тут же извлек из стола диктофон. Гордеев сидел откинувшись в кресле и тоже слушал, стараясь выловить что-то новое для себя, но ничего, кроме закипающей злости, не испытывал.

— Да, это серьезно, — кивнул Денис, отключив диктофон.

— Ты так думаешь?

— Если б не думал — не говорил. А теперь, Юра, давай-ка все сначала и не упуская ни одной детали... Конечно, какие-то интимности можешь опускать. Но мне важны условия, атмосфера, несущественные мелочи с твоей точки зрения — словом, все, из чего мы с тобой сложим общую картину двух твоих прошедших дней.

И Гордеев начал свой неспешный рассказ с последних фактов, полученных сегодня утром Вадимом Райским из Новосибирска. А затем вернулся к Стелле, к неожиданно возникшему на ее творческом пути Халябову, странным переговорам в «Королевской охоте» — эксклюзивном охотничьем замке где-то у черта на куличках, где пируют кавказские товарищи, где из-за каких-то военных не работают мобильники и прочему, связанному опять же с ней, со Стеллой. Он повторил рассказ и о несостоявшемся мордобое на вечернем перекрестке, и последовавших один за другим звонках «доброжелателя».

— Нет, это не шутка, — подтвердил и Денис, выслушавший исповедь Гордеева. — Хотя и напоминает хамский розыгрыш... Если не знать, что ты адвокат Невежина, на которого старательно навешивают ярлык «заказчика» убийства. И если не обращать внимания на огромные деньги, замешанные в этом деле.

— Ну конечно, — добавил Юрий, — если еще не принимать во внимание рассказанного мне в присутствии твоей Татьяны господином Булгаком и записанной мной, с его разрешения, на магнитофон истории с попыткой разорения фирмы «ВДП», которую активно предпринимает Поташев, засадивший своего друга и партнера в тюрьму. В общем, не знай ты этой грязной игры, действительно подумаешь, что кто-то, пользуясь удачно сложившимися обстоятельствами, решил устроить не очень честный розыгрыш.

— Вот видишь теперь, сколько у нас накопилось фактуры, которая просто вопиет, чтобы ее уложили в стройную схему? Так, а что сама Стелла говорит о продюсере Халябове?

— У нее сложилось впечатление, что после каких-то секретных телефонных переговоров у того вдруг появились сомнения относительно их дальнейшей совместной работы.

— Но ты же сказал, что телефоны там не работали, поэтому она и не могла дозвониться до тебя, чтобы предупредить о задержке?

— Ну да, так оно и было. Но позже, вечером, когда стало ясно, что механик не приедет чинить машину.

— И ты веришь этому? — скептически взглянул на Юрия Денис. — Впрочем, такие вещи нетрудно проверить. Просто не хочется гонять человека так далеко. Но лично мне вся эта история представляется самой обыкновенной липой. Я не хочу говорить, что продюсера специально подвели к твоей подружке. Это могла быть и его личная инициатива. Но потом те решили использовать нечаянно сложившуюся ситуацию. И, как видишь, не промахнулись. Припугнули. Правда, подобная публика действует обычно куда более решительно.

— Ну да, наглое убийство Раппопорта — это, конечно, игрушечки!

— Я не о нем. Там была прямая опасность. Вот они ее и ликвидировали. А теперь хотят отстранить и тебя, поскольку пока не знают, какими сведениями ты располагаешь. А в качестве повода избрали самое уязвимое твое место: ваши отношения со Стеллой. Не получится, припугнут родителями. Схема известная, и к ней надо быть готовым. Во всяком случае, Стеллу необходимо на какое-то время куда-нибудь отправить.

— Пустой номер. Она ни за что не согласится. Тем более что только из отпуска, работы, говорит, по горло. Нет, даже и не думай.

— Ладно, придется брать под свою охрану. Татьяна у меня сейчас занята, поэтому два-три дня за ней походит Ваня Сурчан, толковый паренек двухметрового роста. Ну а потом приставим Таню.

— А что, Булгак уже отвалил на родину?

— Если так можно назвать Молдавию, то да. Но это, по его словам, недели на полторы. А что будет дальше, он пока и сам не знает.

— За телохранителя, Денис, спасибо. Я и сам хотел уж попросить тебя об этом... Просто опередил.

— Опережать — это и есть наша работа, — с улыбкой подмигнул Денис. — А теперь я хотел бы еще разок вернуться к этому Халябову.

— Так я ж о нем ничего толком не знаю. Исключительно со слов Стеллы.

— Что она рассказывала? И известны ли тебе его координаты?

— Ты хочешь его пощупать?

— Я думаю, что это просто необходимо в создавшихся условиях.

— Тогда записывай... — И Гордеев продиктовал по памяти все то, что было записано на визитной карточке генерального продюсера Рюрика Самуиловича Халябова.

— Гляди-ка, нет даже и следов склероза? — завистливо заметил Денис. — А теперь — предположение. Тебе не кажется, что его предложение о сотрудничестве со Стеллой было в определенной степени взяткой?

— Да какая же это взятка? — удивился Юрий. — Стелла даже контракта не получила, были общие разговоры типа прикидки, рисовались перспективы, но, как только она заявила, что без своих ребят, без оркестра, к нему на «раскрутку» не пойдет, это вызвало у него негативную реакцию. Ну не так чтоб уж совсем нет, но... словом, надо подумать, то, другое. И, кстати, он довольно долго молчал, а потом вдруг объявился. Вчера. Снова обговаривать, но уже с более конкретными предложениями, которые, как я уже рассказывал, закончились... необходимостью снова подумать. То есть, как я понимаю, пшиком. Так что о взятке речь вряд ли...

— А не следует понимать впрямую, — возразил Денис. — Он мог начать действовать по приказу своих хозяев, наобещать девушке златые горы, блестящие перспективы, а потом тянуть, пока ты не пришлешь нужное им решение.

— Чтобы затем взяться за «раскрутку» Стеллы?

— А что в этом странного? Она очень больших денег стоит, между прочим. Ты ж сам утверждаешь — талантлива, красива и тэ дэ.

— Это не я, это специалисты говорят.

— Хорошо, подумаем. А теперь давай перейдем к новой фигуре. — Денис положил перед Юрием папку: — Открывай и читай. Эту информацию я выцарапал с огромным трудом. Почему, поймешь сам. Я не набиваю себе таким вот образом цену, но даю понять, что личность эта очень серьезная. Такие птицы, как Орлов, доступны не всем. Они летают за пределами видимости человеческого глаза. Однако, — не удержался все-таки от легкого хвастовства, — у фирмы «Глория» есть некоторые мощные телескопы...

— А микроскопы? — усмехнулся Гордеев, открывая папку.

— Тоже найдутся. Читай... А я пока пойду займусь Халябовым. — И Денис вышел из кабинета.

Виталий Борисович Орлов родился шестьдесят три года назад в шахтерском поселке в Луганской области. Родители были людьми простыми, труд их был связан с шахтой. Учился в поселковой школе, в лидерах замечен не был, но пионерские и потом комсомольские поручения выполнял ответственно, за что и избрали его секретарем школьной комсомольской организации. Звезд, как говорится, с неба не хватал, зато обладал земной, деловой хваткой и исполнительностью. То есть качествами, которые очень помогали обычным людям выбиваться в начальники. В поселковой школе оказалась занесенная каким-то ветром превосходная учительница французского языка. Орлов увлекся и ко времени получения аттестата зрелости хорошо говорил по-французски, а кроме того, самостоятельно изучал английский язык.

Как когда-то Ломоносов, луганский парень прибыл покорять столицу. И без всякого блата и чьей-то помощи поступил в МГУ на экономический факультет. Там же, незадолго до окончания, способный студент был принят в партию.

После окончания университета его взяли на работу в институт экономики. А через полтора года, после беседы в дирекции с незаметным человеком в штатском, Орлов был направлен «для продолжения образования» в школу КГБ, окончив которую получил офицерское звание и должность в Пятом управлении КГБ.

Служил Орлов верой и правдой. Последними для него на этом пути стали звание генерал-майора госбезопасности и должность заместителя начальника управления. Во время кадровой чехарды, устроенной в органах руководством страны, когда в конце горбачевской перестройки было расформировано Пятое управление, новоиспеченный генерал, находившийся во вполне дееспособном возрасте, был под шумок отправлен на пенсию. Неугоден оказался кому-то или спасали таким образом — тут дело темное.

Поселился пенсионер на бывшей правительственной даче, своевременно приватизированной новоиспеченным хозяином. Но все время после отставки Орлов не терял связей со своими бывшими сослуживцами. Некоторые из них остались на службе в органах, а другие перешли в коммерческие структуры на должности вице-президентов, начальников служб безопасности, управления кадров и так далее.

Официально Орлов жил на свою генеральскую пенсию и зарплату внештатного консультанта спецслужб. Но через некоторое время тоже ударился в коммерцию. Последней его должностью в настоящее время был пост исполнительного директора в фирме «ВДП». Однако после того как по подозрению в организации заказного убийства был взят под стражу вице-президент фирмы Невежин, Виталий Борисович Орлов приставил к своему еще и его кресло.

В папке были собраны также фотографии, на которых фигурировал в качестве центрального персонажа господин Орлов, и сведения о его нынешнем семейном положении.

Супруга Орлова трудилась в подведомственной ФСБ поликлинике врачом-стоматологом, сын, закончивший офицерское училище, служил в одном из столичных военкоматов, а дочь в последнее время руководила пресс-службой и рекламным отделом крупной банковской структуры. То есть все были хорошо устроены, все при деле. Сын имел свою семью и жил отдельно от родителей. А вот дочь Виталия Борисовича, болевшая в детстве полиомиелитом и с тех пор прихрамывающая на левую ногу, семьей обзавелась довольно поздно. Ее мужем был глава фирмы «ВДП» Эдуард Владимирович Поташев.

— Черт! — воскликнул Гордеев, когда дошел до этой информации.

— Прочитал? — спросил Денис, уже вернувшийся и снова устроившийся за своим рабочим столом с новой папочкой в руках.

— Прочел... Значит, наши родственнички, тестюшка и зятек, решили сделать из акционерного общества чисто родственное предприятие?

— Получается, что так.

— А единственный человек, который выступает против этого грубого захвата, отправлен в Бутырки... Ловко!

— Вот именно. И обвинения построены таким образом, что тебе, Юра, не удастся вытащить оттуда Невежина по крайней мере до суда. А до суда, судя по аппетитам генеральской семейки, может очень многое случиться. Даже самое скверное и нежелательное.

— Перспективу ты мне нарисовал, мягко говоря...

— Не вешай носа. Как видишь, во всей этой истории наиболее заинтересованным лицом в убийстве Перетерского и устранении Невежина является в первую очередь Эдуард Поташев. И его тесть генерал Орлов. Хотя ради справедливости их надо поменять местами. Но и тот и другой обладают совершенно реальной властью, и у них имеются толковые исполнители. Комитет всегда держал под рукой необходимые кадры, и в криминальной среде — тем более. Отсюда мог быть вызван и долго находившийся в федеральном розыске Котов. Я не исключаю, что кличка Майор произошла от его звания. Отсюда и та легкость, с которой Котов совершил последний побег. А потом был устранен, как ненужный и, более того, очень опасный свидетель...

Знаешь, почему я думаю, что первое место в этой компании должен занимать Орлов?

— Мне будет это интересно услышать. Но я прошу тебя, Денис, учесть то обстоятельство, что сам генерал пришел в фирму гораздо позже Поташева.

— Вот-вот, и я сперва так подумал, пока мне не передали вот этот документ. На-ка посмотри внимательно. — Грязнов достал из своей папки лист исписанной бумаги и протянул Гордееву.

Юрий взял ксерокопию и углубился в чтение. Потом постучал по бумаге пальцами, вернул Денису.

— Ну и что? Такие подписки еще ни о чем не говорят. А если бы нашей прессе разрешили опубликовать фамилии всех тех, кто давал подобные подписки, то среди них наверняка не оказалось бы разве что Юрия Владимировича Андропова. И то потому, что ему этого было не надо, он сам и заправлял. Так что для суда такая бумажка не аргумент.

— Да, но ведь ни КГБ, ни теперь ФСБ никаких фамилий не называет. А почему? Потому что подписанты по-прежнему у органов на крючке. С которого практически невозможно соскочить. Если человек, по своей ли воле или по нелепой случайности, был вынужден пойти на сотрудничество с КГБ и хотя бы раз настучал на своих друзей либо знакомых, его в любой час его жизни могут заставить повторить свой «подвиг» вновь.

— А эта ксерокопия действительно с документа? Не фальшивка?

— Можешь не сомневаться, Юра. Согласие на

сотрудничество написано собственноручно Эдуардом Поташевым.

— А как тебе удалось это достать?

— Секрет фирмы.

— Ну а может, по-дружески?..

— Ни фамилий, ни должностей не раскрою. Скажу, что еще десяток лет назад подобное было бы просто невозможно. Но сегодня отдельные работники бывшего комитета не столь неподкупны. А многие даже сами ищут покупателей. Секреты-то хоть и устарели, однако иной раз хорошо срабатывают.

— Дорого стоило? — улыбнулся с пониманием Гордеев.

— Ты прекрасно и сам знаешь: то, что нельзя купить за деньги, можно за очень большие деньги.

— Понял. Расходы, как ты понимаешь, будут возмещены. В том случае, если удастся выиграть процесс, ну а...

— Не бери в голову. За этот ксерокс, кстати, я не платил. Просто у нас произошел обмен взаимно важной информацией. Ты, между прочим, обрати внимание на дату подписания сего документа.

— Семьдесят пятый... Точно! В этом году у Невежина с Поташевым вышла в Германии, в ФРГ, книга, которая называлась «О становлении рынка и демократии в СССР», после чего их начали вполне заслуженно считать диссидентами. А еще что есть в твоей папке?

— Я дам тебе почитать. Но многое из того, что в ней находится, ты и так знаешь. Правда, здесь более подробно. К примеру, о диссидентстве наших мальчиков. А то, о чем тебе неизвестно, могу вкратце рассказать и я, чтобы сжать время. Я о том, почему считаю, что идея ликвидации Перетерского и захвата фирмы принадлежит в первую голову генералу Орлову.

— Абсолютно не возражаю, если твой рассказ сократит нам время.

— Тогда послушай... Ты, я надеюсь, в курсе того, как в СССР боролись с инакомыслием?

— Можешь не спрашивать.

— Да, конечно. Диссидентов подвергали репрессиям, объявляли сумасшедшими или заставляли публично отрекаться от своих взглядов. Однако, как ни странно, Невежина с Поташевым это не коснулось. Их не посадили, не заставили лечиться в дурдоме, и от своих воззрений они ни по чьему приказу не отказывались. Интересная деталь? А все потому, что чекисты считали ребят способными людьми. Перспективными экономистами. Немного, правда, подергали, но позволили поступить в аспирантуру, закончить ее и даже защититься. Так все выглядело внешне. В общих чертах. Мы к этому вернемся. А дело в том, что, когда книга вышла в «Посеве», когда резонанс, вызванный ее выходом, докатился до Москвы, Пятое управление немедленно взяло авторов в оборот. Их вызывали на Лубянку, с ними обоими работал один следователь, мужик, по общему убеждению, способный, хороший психолог. Что за вопросы им задавали, объяснять не надо. Каким образом переправили рукопись? Кто указал канал переброски? Почему именно в «Посев»? Наконец, кто подбросил такую тему? Кроме политики у них пытались узнать какие-либо фамилии соучастников. Даже предложили написать другую книгу, противоположного характера, или же публично отказаться от своих ошибок. Грозили разными карами и одновременно склоняли к сотрудничеству. Обработка была умелая, но парни честно говорили, что взглядов менять не собираются, и приводили в свою защиту вполне достойные аргументы, которые неграмотным в экономическом отношении чекистам крыть было попросту нечем. Значит, с одной стороны, был продемонстрирован юношеский максимализм, а с другой — работал опытный психолог. И он оперировал такими перспективами для молодых ученых, которые в конце концов подготовили почву для согласия на дальнейшее сотрудничество. У одного из них, заметь!

— Ты имеешь в виду Поташева?

— Именно! И его письменное согласие ты только что читал. Но о том, что Поташев дал подписку, никто, разумеется, не знал — ни Невежин, ни кто-либо из общих знакомых. Вот поэтому к обоим авторам и была применена одинаковая система наказания. Довольно-таки мягкая. Их публично побичевали, для острастки исключили из комсомола. На чем все и завершилось.

— Ага, и никто из диссидентов ничего не мог понять, зато и подозрений ни у кого не возникло, — покачал головой Гордеев.

— Абсолютно верно. Но не забывай, что в ту пору в трудовых коллективах, если говорить об идеале КГБ, предполагалось наличие как минимум двух стукачей. Они могли фрондировать, высказывать крамольные мысли, провоцируя товарищей, они, не зная при этом друг друга, в смысле принадлежности к отряду стукачей, нередко доносили друг на друга...

— И тем самым доказывали шефам свою лояльность!

— Вот именно. Теперь ты представляешь, что должен был думать о Невежине Поташев? Уж кому, как не ему, и знать-то было характер Федора, который был действительно максималистом и ни на какие уговоры, конечно, не поддавался. А сам Поташев принял протянутую КГБ руку. И даже пострадал так же, как и его товарищ. Для видимости.

— Если это так, то Поташев мог подставить Невежина не только из-за денег. Это могла быть и застарелая месть предателя...

— Разумеется, Юра!

— Тогда своеобразной местью можно назвать и то, что Поташев выдал за Невежина свою любовницу. С которой, кстати, потом продолжал постоянно встречаться. А объяснил ей свой поступок тем, что был просто вынужден в силу драматических обстоятельств жениться на дочери Орлова. Вот уж истинно — красиво жить не запретишь!..

— А между прочим, к твоему сведению, Поташев и не очень-то лукавил. Его жизнь в тот момент, Юра, действительно была под угрозой.

— То есть?

— Но вовсе не из-за его стукачества. Он активно занялся бизнесом. А мы с тобой давай отложим в сторону высокую политику и выяснение вопросов, куда при развале Союза исчезли миллиардные суммы, куда девалась партийная касса, часть золотого запаса страны и так далее. Об этом, если помнишь, много тогда писали в газетах, все задавали вопросы и сейчас задают, но никто, за исключением немногих, не знал на них ответа. Однако когда на месте Союза образовалось пятнадцать независимых государств, у нас, в России, стали появляться многочисленные коммерческие структуры, в которых, по общим прикидкам, крутились просто баснословные деньги. А гендиректорами, учредителями, президентами в них сидели бывшие партийные бонзы, крупные госчиновники, а также люди из КГБ — недавние майоры, полковники, генералы госбезопасности. Но все они могли лишь организовать ту или иную структуру, вложить в нее средства, а вот собственно для дела им понадобились грамотные специалисты. И тут наступило время Поташева и ему подобных. Подобных я называю не в уничижительном плане, потому что тот же Поташев — специалист в своем деле, каких немного. Итак, по приглашению, надо полагать, генерала Орлова Эдуард Владимирович взялся за дело, торговал, как тебе известно, лесом, нефтью и оружием. «Крышей» для него являлось Пятое управление, бывшее уже, поскольку основная масса сотрудников нашла приют в других управлениях и отделах ведомства на Лубянке, а связи там по сей день крепкие. Но однажды случилась у Поташева крупная неприятность. При продаже большой партии оружия неожиданно оборвались концы. Исчезло и само оружие, и деньги за него. Что это было: подставка, провокация или результат наезда каких-то крутых конкурентов, — помоему, до сих пор никто толком не знает. Вполне возможно, что кто-то решил «кинуть» Поташева, а может быть, это была его собственная попытка нагреть «контору». Словом, в этой истории крайним оказался именно он. И его, скорее всего, нашли бы после этого совсем уже остывшим или вовсе не нашли, если бы его жестко не взял под свое крыло генерал Орлов.

— А если они провернули эту аферу совместно? — спросил Юрий.

— Я думаю, что, вероятнее всего, дело было устроено так, чтобы Поташев с той минуты и до самой смерти оказался во всем зависимым от тестя.

— Будущего?

— Естественно. Женился-то он позже. И ни о какой любви там речи тоже не было — Бойко тому живой пример. Ну а в качестве приданого Поташев получил богатство жены, надежную «крышу» генерала и его связи. И последний штрих. Тем самым «опытным психологом», следователем, который работал в семьдесят пятом с нашими ребятами на Лубянке, был, еще майор в ту пору, Виталий Борисович Орлов.

— И Невежин, увидев его среди сотрудников своей фирмы, не возмутился?

— Юра, не забывай, что формально Орлов был всего лишь пенсионером и тестем Эдуарда Владимировича, который дал фирме в критический момент необходимые и очень крупные средства.

— Значит, — невесело заметил Гордеев, — Орлов — всему голова?

— Получается, так.

— А Поташев — талантливый, как ты утверждаешь, профессионал — все-таки исполнитель.

— Вот именно. Организовавший в качестве свидетельницы обвинения свою любовницу, которая без зазрения совести заложила собственного мужа, правда нелюбимого.

— А я все никак не могу с ней встретиться. Не хочет. Избегает. Но полагаю, время уже пришло...

РЕШЕНИЕ ВОПРОСА

Четыре дня сотрудник агентства «Глория» Иван Сурчан ни на шаг не отходил от Стеллы. Поначалу ей было как-то не по себе от постоянного присутствия рядом с собой постороннего человека, который повсюду, пусть и с благой целью, ходил за ней двухметровой тенью. Но другого приемлемого варианта не было: Рогатина обещала Гордееву выполнять все его требования, связанные с обеспечением ее безопасности. Однако к четвертому дню Стелла незаметно для себя привыкла и к нелепой ковбойской шляпе, которую Сурчан нигде не снимал, и даже к отвратной манере постоянно напевать себе под нос хриплым баском какие-то пошлые песенки. К тому же «певец» был начисто лишен музыкального слуха. Поэтому когда Юрий сообщил ей, что с завтрашнего утра у Стеллы будет другой телохранитель, она хоть и с легким сожалением, но все-таки почувствовала некоторое облегчение. Испытание «музыкой» было для нее слишком утомительным...

— А кто это будет? Как его зовут? — спросила Стелла.

— Не он, а она.

— Вот еще! Одна баба будет охранять другую? Нет, дорогой, ничего путного из этой комбинации не получится. В конце концов, я и сама сумею себя защитить!

— Так, как она? Не думаю.

— А я думаю! — упрямо настаивала Стелла. — Если уж от одной бабы толку мало, то от двух — вдвое меньше!

— Ты не права. Она — профессионал.

— И тоже двухметрового роста? Как Иван?

Гордеев на минутку представил себе подобную телохранительницу рядом с мешковатым Булгаком и рассмеялся.

— Дело, понимаешь ли, не в том, какого роста телохранитель. Хотя рост — тоже не самое последнее качество. Профессионал не должен идти грудью на опасность. Он ее обязан предвидеть, всячески избегать и лишь в крайнем случае применять оружие.

— А у нее будет оружие? — уже с уважением спросила Стелла.

— Ну а как же!

— Тогда я подумаю.

— А вот думать уже поздно. Мы, кажется, давно решили с тобой эту задачку. И ты обещала выполнять мои требования беспрекословно.

Стелла молча кивнула.

Утром Гордеев, как обычно, умчался по своим делам, Стелла же, покончив с домашними заботами, занялась собой. Телефонный звонок застал ее в ванной, где она принимала душ. Накинув халат, прошлепала к телефонной трубке. Звонил шоумен Алекс:

— Стерра? Арро, Стерра!

— Привет, Алекс, я тебя слушаю.

— Как поживаешь, Стерра?

— Хорошо, Алекс.

— Что дераешь?

— С тобой разговариваю, — засмеялась Стелла.

— Это тоже хорошо!

Прекрасно знавшая манеру Алекса по каждому пустяку напускать на себя значительность и при этом растекаться мыслью по древу, Стелла, чтобы сократить напрасно теряемое время, заторопилась:

— Алекс, мне очень приятно слышать твой мужественный голос, но дело в том, что этот звонок в буквальном смысле достал меня в ванной. Если несложно, то что у тебя за срочные дела?

— Арро, Стерра! Шеф вызывает тебя на ковер. Он назначир на поровину третьего. Ты будешь?

— Ну а как же! Конечно, так и передай.

— Хорошо, Стерра, мистер Арекс обязатерьно передаст. Пока.

Рогатина положила трубку и посмотрела на часы, шел двенадцатый час, и, значит, следовало торопиться. Высушить волосы, одеться, нанести макияж. Директор «Золотой рыбки» привык ее видеть всегда собранной, в самом лучшем виде.

В четверть второго Стелла была готова к выходу, но все не решалась покинуть квартиру. Неудачная ситуация. Новая телохранительница Татьяна должна была подъехать к двум часам. Но тогда Стелла определенно опоздала бы к директору. Что делать?

Поколебавшись и понимая, что звонок к Юрию на службу, если он еще находится там, а не поехал по другим делам, ничего не даст, он конечно же запретит ей одной выходить из дома, но и шеф терпеть не мог расхлябанности у сотрудников, Стелла решилась на самостоятельный шаг. В конце концов, за четыре дня никто так и не покусился на ее свободу и, скорее всего, в осторожности Гордеева больше опасений, нежели реальной угрозы. Стелла написала записку, чтобы оставить ее в двери, снаружи, для телохранительницы, и быстренько сбежала по лестнице во двор, никого не встретив ни на лестнице, ни у подъезда.

Но во дворе она на всякий случай, как это постоянно делал Иван, внимательно огляделась и, ничего, по ее мнению, подозрительного не заметив, привычным маршрутом, через двор наискосок, отправилась к станции метро. Идти до «Преображенки» было минут десять.

На выходе из двора, прямо на асфальтовой пешеходной дорожке, стоял автомобиль — с поднятым капотом и распахнутыми настежь дверцами. Двое парней ковырялись в двигателе. За рулем сидел водитель. Машина стояла неудобно, пришлось обходить ее по газону. Стелла подумала, что это непорядок — загораживать людям дорогу. Она уже огибала парней, когда услышала стук опущенного капота, и в тот же миг почувствовала, как ее плечи сжали сильные руки, а неприятно пахнущая ладонь запечатала ей рот. Еще через мгновение Стелла плюхнулась на заднее сиденье машины, на нее навалились с двух сторон, а водитель включил зажигание. Ее так прижали, что она и шевельнуться не могла, не говоря о том, чтобы крикнуть. Попалась! Дура безмозглая!.. Она ругала себя, но ничего не могла даже промычать, поскольку лицо ее было вжато в кожаное сиденье машины.

Водитель рывком взял с места и по той же асфальтовой дорожке поехал в противоположном направлении, к другому, дальнему выезду со двора. Но перед аркой ему пришлось сбросить газ: дорожку пересекала глубокая узкая траншея, прикрытая сверху досками. Электрики тянули кабель. Водитель посигналил, требуя, чтобы ему уступили дорогу. Рабочие отошли в сторону. Водитель стал осторожно переезжать через траншею, но в этот момент во двор въехала невзрачная «Нива» и затормозила прямо перед бампером «БМВ», передние колеса которого уже переехали через траншею, а задние еще оставались на другой стороне. Разъехаться автомобили могли лишь в том случае, если бы «Нива» подалась назад, за арку. Или «БМВ» вернулся во двор.

Водитель «БМВ» нажал на клаксон и, высунувшись в боковое окно, нервно замахал рукой, требуя, чтобы «Нива» немедленно отъехала. Но шофер «Нивы» не собирался уступать дорогу, более того, он тоже посигналил, а затем вдобавок еще и поморгал фарами, желая, чтобы уступили дорогу ему.

Так они и стояли некоторое время друг против друга, сигналя и мигая фарами. Рабочий класс с интересом наблюдал веселую сценку, однако предусмотрительно к действующим лицам не приближался.

Наконец первым не выдержал один из парней в «БМВ». Он вылез из машины и с угрожающим видом направился к «Ниве». Навстречу ему вышел и водитель «Нивы», точнее, водительница — молодая симпатичная женщина в светлых джинсах и легкой курточке. Она приветливо улыбалась.

— Ты чего встала, коза? — грубо крикнул хорошо накачанный парень. — Отгоняй свою телегу!

— А по-моему, это мужчина должен бы уступить дорогу даме, — мило улыбнулась женщина.

— Назад давай, кому говорю! А то сейчас твоя кошелка окажется в яме, — парень ткнул пальцем в траншею.

— А вы попробуйте, — подначивала женщина, — ну-ка покажите, какой вы сильный!

— Да чего ты с ней возишься? — высунулся водитель «БМВ». — Дай ей под зад как следует!

Парень словно ждал команды. Он тут же ухватил женщину за плечи, развернул и крепенько шлепнул ладонью по обтянутому джинсами кокетливому заду:

— Брысь отсюда!

Она резво отскочила и, повернувшись к нему, возмущенно закричала:

— Как вы смеете?! Что вы себе позволяете?!

— Да заткни ты ей пасть, наконец! — заревел разъяренный водитель.

Парень потянулся было к женщине, чтобы добавить от души, но та, сделав почти неуловимое движение, сумела перехватить его руку и продемонстрировать такой ловкий приемчик, что грубиян, взвыв от неожиданности, головой вниз рухнул на дно траншеи и там затих. Только ноги торчали.

А женщина вмиг оказалась возле открытого окна «БМВ» и больно ударила в ухо водителя стволом пистолета:

— Ключи! Живо!

Тот был ошарашен и молчал с изумленным видом. На заднем сиденье шевельнулся парень, навалившийся на Стеллу. Женщина перевела вороненый ствол на него и сказала спокойно:

— Даже не думай. Руки на спинку, ну! Отодвинься!

Тот послушно выполнил команды.

— Стелла! Приди в себя! — Та подняла взлохмаченную голову. — Посмотри его карманы, если есть оружие, выбрось в окно! Да не стесняйся! Эти козлы больше всего боятся, когда им больно делают.

— Ничего нет, — растерянно сказала Стелла, приходя в себя.

— Тогда быстро из машины! Садись в мою «Ниву», я сейчас, только договорю с ними! — Она с силой ударила рукояткой пистолета по пальцам, лежащим на спинке сиденья, отчего и второй парень взвыл, словно захлебнувшись, а затем снова уперла ствол в ухо водителя: — Я сказала: ключи сюда!

Тот наконец одумался, выключил работающий двигатель и протянул женщине ключи. Она взяла их и напоследок ткнула-таки в ухо, отчего голова водителя дернулась, а сам он медленно повалился на соседнее сиденье.

Вся операция прошла настолько стремительно, что зрители, пожалуй, так ничего и не успели сообразить. Они наблюдали, как дергаются ноги, торчащие из траншеи, остальное прошло мимо их внимания.

Женщина, садясь в свою машину, крикнула рабочему классу:

— Не надо им помогать! Сами очухаются. А в следующий раз постараются быть более вежливыми с женщиной!

Народ облегченно захохотал, а «Нива», дав задний ход, стремительно выкатилась из-под арки и исчезла.

— Я Татьяна, — сказала женщина, повернувшись к Стелле.

— Значит, это вы?..

— Да, — спокойно ответила Татьяна, — именно я и буду дальше охранять вас. Но меня надо слушаться, дорогая моя, иначе может случиться беда. Вот как только что не случилась. Поправьте прическу, — добавила уже с улыбкой. — Зеркальце в бардачке.

— Ой! — Стелла действительно пришла в себя и только теперь, кажется, осознала, от какой опасности избавилась. — Спасибо вам большое, и, пожалуйста, извините меня, что я доставила вам столько забот... и неудобств.

Татьяна искоса взглянула на нее и сказала, теперь уже без улыбки:

— Надеюсь, что впредь вы не будете столь легкомысленны. Если к вам прикрепляют профессионала, значит, на то есть серьезные причины.

— Да-да, — послушно закивала Стелла. — Но скажите, как вы узнали, что в этой машине они меня... украли?

— Я просто видела, как они вас туда затащили. Сегодня мой первый день работы с вами, а у меня есть правило: обязательно оглядеться на месте. Вот я и приехала пораньше. Правда, Ваня Сурчан, передавая вас, обрисовал двор и все окружающее, но я больше доверяю своим глазам. Ну а фотографию вашу мне показали в агентстве. Дальнейшее вы могли наблюдать сами. Если у вас была такая возможность.

— Вы не представляете, как я вам благодарна! —

искренне воскликнула Стелла. — Это же такой ужас!..

— Такова моя работа... Куда едем?

— В «Золотую рыбку», пожалуйста. По адресу...

— Я знаю, — коротко кивнула Татьяна. — Приводите себя в порядок. А я пока сделаю один звонок. — И она достала из бардачка трубку мобильного телефона.

Гордееву позвонил Денис. Сказал с заметной даже по телефону ухмылкой:

— А ведь только что была попытка похитить Стеллу.

— Как?! Когда?!

— Спокойно, все обошлось. Татьяна вовремя оказалась на месте.

— Но где это случилось?

— В твоем дворе. Стелла, понимаешь ли, решилась-таки проявить самостоятельность и вышла из дома без сопровождения.

— Но я же говорил ей! — воскликнул раздосадованный Гордеев. — И она дала слово! Черт возьми! У меня просто нет слов!

— Значит, плохо говорил, — философски заметил Грязнов. — Не уставай повторять. У красивых женщин, как правило, очень короткая память. За редким исключением.

— Ну да, за исключением, конечно, Татьяны? — не удержался от легкого укола Юрий.

— Ты на нее теперь хвост не задирай. Она тебе, можно сказать, невесту спасла. Или кто она тебе, твоя Стелла?

— Да, разумеется, я все понимаю, — постарался уйти от щекотливого вопроса Гордеев. — Я поговорю с ней еще раз. И строго. Поймет ли... Хотя теперь, я думаю, должна.

— Ну и славно. Но я не только по этому поводу звоню...

— Что еще случилось? — снова забеспокоился Юрий.

— Успокойся, ничего из ряда вон. Дело в том, что мы тут посоветовались — помнишь такую старую формулу? — и решили, что настало время трубить в охотничий рог. Пора обкладывать зверя.

— Наконец-то... Раппопорта, между прочим, уже похоронили.

— Значит, начинаем действовать. С руководством МУРа я кое-какие детали уже обговорил. План операции мы рассмотрели и в принципе утвердили. Теперь необходимо твое присутствие на военном совете.

— Вячеслав Иванович дал «добро»? — Юрий имел в виду начальника Московского уголовного розыска генерал-майора милиции Грязнова-старшего.

— А то ты его плохо знаешь! Едва заходит речь о подобных делах — дядька первый! И ему не понравился тот мужик, киллер, который застрелил Раппопорта. Говорит, очень дерзок и опасен. И к тому же спокойно разгуливает по столице. А где последует очередной выстрел из его дробовика, никто не знает. Вот и надо его выманить на свет божий. Кстати, операцию решили назвать «Бомба». У тебя, надеюсь, нет возражений?

— Это вы в том смысле, что материалы, о которых говорил тогда Раппопорт, должны были стать бомбой под задницей у Поташева?

— Вот именно.

— Когда начинаем?

— А вот для этого нам и нужно прямо сегодня встретиться в МУРе и подвести черту. Надо подумать, кто тебе должен позвонить и сообщить, что его потрясла внезапная гибель Владлена Семеновича, так?

— Да.

— И он, потрясенный этим обстоятельством, не сразу и сообразил, что надо делать и куда обращаться. А у него имеются копии тех материалов, которые держал в руках Раппопорт. Так что дата начала операции будет зависеть от этого звонка. От того, насколько он тем, кто будет вас прослушивать, покажется натуральным, естественным, а не попыткой дезинформации. И еще важно точно определить, куда должен быть звонок: к тебе на службу, на твою квартиру, на твой мобильник... И чтобы он не вызвал ни малейшего подозрения у наших будущих клиентов. Они в этом смысле высокие профессионалы, и лапшу им на уши не навесишь. И еще — звонок должен оказаться неожиданным.

— Для меня?

— А чем ты лучше других? Шутка. Нет, главным образом, для них. И срок передачи должен быть жестким. Чтоб у них не оставалось времени для перехвата, как это случилось с Раппопортом. Наверно, лучше, чтоб звонок был по мобильнику с «жучками». А место встречи мы обозначим максимально неудобное для них. Придумаем, тут есть некоторые соображения у моего генерала.

— Но кого же выбрать в качестве...

— Ты боишься сказать слово «жертва»? Не думай об этом, все детали будут неоднократно обговорены и безопасность подставной утке обеспечена.

— Так-то оно так, — с сомнением тянул Гордеев и наконец решился: — А может, попробуем уговорить Чупрова? Он, правда, еще не очень пришел в себя после сотрясения. Но если вы гарантируете, что резких телодвижений ему совершать не придется...

— Юра, все это предмет особого разговора. Надо еще, чтоб твой Чупров согласился.

— Я постараюсь. Все-таки погиб его товарищ. Опять же из-за этих документов, о сути которых мы теперь ничего не знаем. А может, это только с точки зрения Раппопорта была бомба. А на самом деле самая обыкновенная и ничего не значащая информация? И на повтор с ней никто уже не клюнет?

— А вот это мы и должны будем проверять. Кстати, уже известную этой гоп-компании информации, оказавшуюся у них, можно усилить новыми, неизвестными им документами. Надо продумать, о чем они должны говорить. Чупров может оказаться нам в этом смысле очень полезным... Кстати, ты с Невежиным-то встречался после всех открывшихся фактов?

— Я собирался это сделать сегодня, во второй половине дня.

— Значит, он еще ничего не знает о роли Поташева и Орлова в его судьбе? О супруге Кире Бойко?

— Ну откуда же! И вообще, Денис, я не хочу сейчас выплескивать на него массу негативной информации. Он находится в очень угнетенном состоянии, а я боюсь, что известия об истинном лице друга и жены могут привести к тяжелому нервному срыву. Надо как-то подготовить...

— Юра, у нас уже нет времени! И ты должен выступать в роли не терапевта, а хирурга. Больно, но это истина. И он в первую очередь мог бы дать тебе такую информацию, на которую не сможет не клюнуть генеральская семейка. Подумай об этом. И последнее, чтобы не отрывать тебя от государственных дел, — перешел на шутливый тон Денис. — Подумай, что сделать, чтобы твои вояжи на какое-то время стали недоступными для слежки. Ведь «жучок» в мобильнике засвечивает тебя в радиусе одного километра. И те, кто пасет тебя, отлично это знают. Поэтому им ведомы все твои передвижения. И в тот же МУР тебе с мобильником, да еще накануне операции, ехать никак нельзя. В общем, думай... А со Стеллой мы что-нибудь сообразим. Есть у меня одна мыслишка, но пока она не созрела, не буду тебя посвящать в нее. Пока.

Закончив разговор, Денис Грязнов посидел, уставившись в стол, потом нажал клавишу переговорного устройства.

— Сережа, просьба к тебе, если не сильно занят. Залезь, пожалуйста, в нашу кладовую и добудь мне, что там имеется на Велиева. Полностью его имя Мансур Самед Юсуф-оглы, директор ресторана «Золотая рыбка». Найди и сделай распечатку.

Ждать пришлось недолго. После короткого стука в дверь в кабинет в привычной своей манере стремительно влетел Сережа с развевающимися волосами и положил-припечатал к столу директора агентства лист бумаги — распечатку досье на директора

«Золотой рыбки», где по вечерам трудилась Стелла Рогатина.

— Спасибо, Сережа, свободен, — сказал Денис и отпустил сотрудника. Но когда тот взялся за дверную ручку, неожиданно остановил: — Послушай, Сережа, извини. Помнишь, мы тебе как-то показывали мобильник с «жучком»?

— Это что у адвоката?

— Тот самый. Там был еще и «маячок», если помнишь.

— Да, с радиусом действия километр. Но вы велели оставить все как есть.

— Правильно. Подумай, что можно сделать, чтоб «маячок» вдруг стал капризничать. Но не так, словно кто-то залез в аппарат с гвоздем, а естественно, сам по себе — клемма там какая отошла или еще что-нибудь. Чтоб через день-другой он как бы погас сам собой. Но прослушка должна при этом остаться. Можно такое сообразить?

— Подумаю.

— Дело, понимаешь, в том, что ему плотно сели на хвост. А нам надо, чтобы на какое-то время, скажем на пару суток, они его потеряли. И информацию черпали исключительно из «жучка». Но я также не хочу, чтобы Юра лишний раз появлялся у нас, в офисе.

— А где он работает? В каком месте?

— На Таганке, в юрконсультации.

— Так давайте я соберу чемоданчик и сам подскочу к нему.

— Отлично, Сережа. А Юре скажи, чтоб он, как бы между прочим, выдал кому-нибудь по своему мобильнику информацию, что, мол, уронил там трубку или что еще, но после этого она стала заметно хуже работать и надо бы показать мастеру. Словом, сообразите вместе. Пусть хвост забеспокоится.

— Бу сделано, Денис Андреич! — Сережа шутливо кинул к своей гриве ладонь, отдавая честь.

— Позвони ему и предупреди, что подъедешь. По нашему мобильнику. Номер помнишь?

— Так точно, сам делал, — улыбнулся Сережа и так же стремительно вышел.

— Ну вот, — сказал Денис, берясь за досье на Мансура Самедовича, как звали директора в миру. — Посмотрим, посмотрим, чем ты, дорогой, дышишь...

А через пятнадцать минут в кабинете Велиева раздался телефонный звонок. Молодой и приятный голос попросил извинения за беспокойство и поинтересовался, нельзя ли пригласить к телефону уважаемого Мансура Самедовича? Велиеву, взявшему трубку, понравилось вежливое обращение. Но голоса он вспомнить не мог, несмотря на свою хорошую память.

— Велиев слушает, дорогой. Прости, с кем имею честь?

Он говорил по-русски чисто, просто форма построения фразы сразу указывала на Восток. Там любят цветистость, велеречивость и, даже посылая к черту, говорят: дорогой.

— Мы с вами, к сожалению, лично не знакомы, поэтому представление отнимет у вас много дорогого времени, а в этом нет никакой необходимости, уважаемый Мансур Самедович. Я думаю, вам будет вполне достаточно, если я скажу, что являюсь вашим искренним доброжелателем...

Такую постановку вопроса можно было расценивать как угодно, главное — не перегнуть палку, чтоб собеседник не потерял к тебе интереса. Поэтому сразу быка за рога.

— Вспомните, пожалуйста, вам нигде не встречалась такая фамилия — Халябов? А зовут Рюриком Самуиловичем. Он подвизается в шоу-бизнесе. Утверждает, что раскручивает молодые таланты. Не помните?

— Наверно, слышал, дорогой, — не очень охотно отозвался Велиев. — Но какое отношение ко мне...

— Самое прямое, Мансур Самедович. У вас в «Золотой рыбке» замечательно поет Стелла Рогатина. Об этом известно далеко за пределами вашего великолепного ресторана, можете мне поверить. Так вот этот Рюрик совершенно определенно положил глаз на госпожу Рогатину и собирается предпринять целый ряд усилий, чтобы отнять ее у вас. Талант сегодня не только сам по себе дорого стоит, но и обязан приносить хороший доход тому, кто им владеет. Я имею в виду не певицу, а ее доброжелательного хозяина. Не так ли?

— Ты определенно прав, дорогой. Но откуда тебе все это известно? Извини, но я хотел бы знать, с кем разговариваю.

— Вы считаете, что если узнаете мою фамилию, то ваше доверие к сказанному увеличится? — наивно удивился Денис.

— Опять ты прав, дорогой. Но...

— Давайте не будем тратиться на мелочи. Тем более что Стелла в настоящий момент уже подъезжает к вам. Мне кажется, что, если бы вы сами задали ей прямой вопрос, она не стала бы лукавить и ставить вас в затруднительное положение.

— И что ты советуешь, дорогой?

— Для начала немного всыпать, чтоб ей было неповадно срывать собственные выступления. Хотя она здесь, в общем, не виновата. Это ей специально подстроил Рюрик. Но тем не менее. А потом посожалеть о том, что она хочет принять важное для себя решение, не посоветовавшись предварительно с мудрым и уважающим ее человеком. То есть с вами. Если же она спросит, откуда вам это известно, вы можете сказать ей что угодно, начиная с того, что слухами земля полнится. Уверен, она будет поражена вашей прозорливостью.

— Ты уверен, дорогой? — уже с подозрением спросил Велиев.

— Однозначно, Мансур Самедович. Но учтите, пожалуйста, уважаемый, что окончательного решения ни она, ни этот Рюрик еще не приняли и, если ее ответ ему будет отрицательным, Стелле может грозить определенная опасность. Мне примерно известно, какие круги представляет Халябов, и я знаю, что там очень не любят, когда «золотая рыбка» соскальзывает с крючка. Понимаете? Уже сейчас Стелла вынуждена пользоваться личной охраной. А что будет дальше, известно одному Аллаху.

— Ты все знаешь, дорогой?

— Далеко не все, но многое.

— У тебя зуб... против этого Халябова?

— У меня, уважаемый Мансур Самедович, вообще зуб на жуликов. И Рюрик Самуилович далеко не безгрешен. Тем более когда решил переманить Стеллу, даже не поставив вас в известность.

Денис блефовал. Халябов с Велиевым вполне могли быть знакомы. Но Денисова истина заключалась в том, что ни в каком случае Мансур не пригласил бы Рюрика взяться за «раскрутку» Стеллы. Братья Велиевы, владевшие сетью ресторанов и других увеселительных заведений, даже собственным турагентством, при нужде могли бы и сами заняться этим прибыльным для себя делом. Варяг тут не нужен. Тем более варяг, пусть даже в самой малой степени связанный с бывшими чекистами.

— Хорошо, — подвел итог своим размышлениям Велиев. — Я хочу тебе верить, дорогой. Но чем я обязан тебе, скажи.

— Однажды мы познакомимся, и тогда я с огромным удовольствием выпью с вами настоящего бакинского чая. Из знаменитых ваших «тюльпанчиков». Всего наилучшего, Мансур Самедович.

Денис отключился, не дожидаясь ответа, и тут же набрал номер мобильного телефона Татьяны. Он попросил ее известить Стеллу о сути ее предстоящего разговора с шефом, который уже ждет. Сказал, что отвечать. И еще о том, чтобы она ни словом не обмолвилась об агентстве «Глория». А охрана ей организована лично Юрием Петровичем Гордеевым.

Татьяна ответила, что все поняла и проинструктирует подопечную. Они уже подъезжали к Тургеневской площади, в районе которой и находилась «Золотая рыбка».

Вечером Стелла с искренним изумлением повествовала Гордееву о состоявшемся разговоре с шефом, ради которого он и вызвал ее посреди дня. Задолго до начала ее работы.

Хоть она и была готова к такому разговору — Татьяна предупредила ее о возможных вариантах и посоветовала реагировать на все упреки, которые несомненно будут высказаны директором, искренне, — Мансур поразил ее знанием таких деталей, в курсе которых мог быть весьма узкий круг лиц. Стелла вдруг в упор уставилась на Гордеева и спросила с большим подозрением в голосе:

— Слушай-ка, дорогой, а все это уж не твоих ли рук дело?

— Я от тебя слышу впервые, — честно ответил Юрий, и Стелла поверила ему.

Но сам Юрий Петрович, отметив, что получена информация из уст Татьяны, а затем, вспомнив дневную реплику Дениса насчет еще не созревшей его мыслишки по поводу Стеллы, едва не продал себя машинальной улыбкой, которую постарался тут же погасить. Стелла, занятая своими мыслями, не уловила этого.

— Ты понимаешь, — вернулась она к рассказу, — он выказал такое искреннее огорчение по поводу моего возможного ухода из-под его «отеческого крыла» — он так и сказал, — что мне стало стыдно. А еще он очень огорчался вот по какому поводу. Спросил: может быть, мой талант не устраивает та оплата, которую он имеет? Талант, разумеется. Но в таком случае я должна была давно обратиться прямо к нему, к Мансуру, и мгновенно решить этот важный вопрос. Я клялась всеми святыми, что и не мыслила покинуть его самовольно. Я просто хотела узнать об условиях, которые готов был, пока на словах, предложить Халябов, чтобы затем прийти к нему, Мансуру, и попросить отеческого совета. Кажется, это у меня здорово получилось. Я думаю, что он также увидел, что все произнесенное мной сказано без подготовки. То есть на полном голубом глазу, как мы говорим. И вот тут случилось совершенно уже невероятное. Я не знала, что Велиевы — это целая семья, которая держит в Москве ресторанный бизнес. Ну не заходила раньше речь об этом, вот я и не интересовалась. Да и потом, я как-то не привыкла считать деньги в чужом кармане. Словом, у старшего брата Мансура есть еще, оказывается, собственное туристическое агентство. Имеется даже собственный теплоход, который совершает постоянные круизы по Средиземному морю — юг Европы и арабский Восток. Так вот, мой дорогой, я получила предложение хоть прямо завтра отправиться со своими ребятами в этот круиз, где буду заниматься тем же самым, чем занималась в ресторане. То есть петь для богатеньких буратин. Но только уже не наших, постсоветских, а для иностранцев, которые обожают путешествовать на наших судах. И дешевле, и сервис, кстати, не хуже. Как ты на это посмотришь?

— Очень положительно. Но мне надо будет уточнить некоторые детали.

— И все это, — с блеском в глазах продолжила Стелла, — исключительно ради того, чтоб я в любом случае дала Халябову отрицательный ответ. Как ты полагаешь, после всего происшедшего мне очень нужно снова встречаться и оправдываться перед этим?..

— Думаю, он может обойтись... Так когда ваше отплытие? И насколько?

— Срок — две недели. Но не исключено, что мне

могут предложить два-три тура подряд. Ты сильно соскучишься?

— Не во мне дело. Знаешь что, приготовь-ка нам что-нибудь вкусненькое, а я сделаю один звонок. А кстати, почему ты сегодня не работаешь?

— Так я ж объяснила: вылет в Одессу завтра-послезавтра. Мы должны за два дня подготовить соответствующий репертуар, собрать все необходимые материалы и вещи и еще успеть показать на совете.

— Это еще что за совет?

— Мансур, его брат... и другие заинтересованные лица. Словом, шеф очень просил не ударить в грязь...

Когда Стелла вышла на кухню, Юрий по грязновскому мобильнику набрал номер Дениса.

— «Глория» слушает, — отозвался Грязнов-младший.

— Мне тебя благодарить? — без предисловия спросил Гордеев.

— Неужели сработало? — засмеялся Денис. — А я, честно говоря, не очень и надеялся. Хотел просто заронить в благородную восточную душу алмазное зерно сомнения.

— Предлагается срочный двухнедельный круиз по Средиземному морю с целью пропаганды российской ресторанной песни. И, как говорится, по срокам — все уже вчера.

— Мансур Самедович, скажу тебе, благородный человек. Ну что ж, прекрасно. За Стеллу можно больше не беспокоиться. Твои руки развязаны.

— Ты уверен, что там ее никакие опасности подстерегать не будут?

— Уверен, Юра. Потому что Татьяна уже больше года не была в отпуске. Вот ей повод хорошенько прокатиться и покупаться в море.

— Денис, я просто преклоняюсь перед твоим талантом!

— Об этом мы поговорим позже, в застолье. Про свой мобильник ты все понял?

— Да, Сережа объяснил.

— Начинай действовать. Но учти, абонент, которому позвонишь, должен быть нейтральным. Мы не можем дать каждому охрану. Прерывай разговоры на полуслове, перезванивай, извиняйся, то есть всячески демонстрируй неисправность. О твоем посещении Бутырок не спрашиваю, думаю, не ко времени. Проводишь Стеллу, звони. Спокойной ночи. Меня, естественно, не афишируй.

— Спасибо, дружище!

ОПЕРАЦИЯ «БОМБА»

Вячеслав Иванович Грязнов еще с тех времен, когда бегал в МУРе простым опером, не терпел длинных и, как правило, малорезультативных совещаний. Оперативник в душе, он любым речам предпочитал решительные действия. И даже, что называется, в критическом для начальника МУРа возрасте, надев генеральские погоны, считал чрезвычайно важным для себя не только возглавлять отдельные операции, но и принимать личное участие в задержании особо опасных преступников. Вот и сейчас представлялась такая возможность.

Анализ имеющихся материалов, как-то: свидетельства самого Гордеева, принимавшего непосредственное участие в разработке операции, другие показания, акты судебно-медицинской экспертизы и прочее указывали на то, что преступник пользуется, скорее всего, обрезом охотничьего ружья для выполнения своих «заказов». Оружие, прямо надо сказать, экзотическое по нынешним временам, когда к услугам киллера может быть предоставлен богатейший арсенал не только мастеров-оружейников всего мира, но и огромной массы народных умельцев. Значит, имелся тут свой смысл. Как в известной песне: «Привыкли руки к топорам...» И менять свой стиль киллер, вероятно, не собирался. Два выстрела, практически подряд, картечь на волка — кто сможет после этого выжить! И при этом убийца человек безжалостный, его абсолютно не заботит возможный разброс дроби, от которого могут пострадать совершенно посторонние люди.

Муровские аналитики подняли материалы об убийствах с использованием оружия подобного рода за последние три года и неожиданно обнаружили, что нечто похожее имело место год назад в подмосковном городе Раменское, где точно так же, двумя выстрелами, произведенными почти в упор, был убит один из местных уголовных авторитетов. Расследование вело Управление уголовного розыска областной милиции. Подозревался в совершении преступления некто Коняхов, незадолго до того освободившийся из заключения. С покойным у него были разногласия денежного характера. Но Коняхов тогда сумел обеспечить себе алиби, а оружие не было найдено. И все свелось тогда к внутренним разборкам оргпреступных группировок. В настоящее время бывший подозреваемый нигде не работал под предлогом занятия индивидуальным бизнесом — то ли охранял кого, то ли челночил. Но проживал в Орехове-Борисове в однокомнатной квартире, имел свою машину — потрепанный «ниссан» — и квартирный телефон.

Грязнов не мог быть уверен в своих подозрениях, но приказал взять Коняхова под наблюдение, а телефон его поставить на прослушивание. Хотя у того наверняка для деликатных дел имелся и мобильник.

Но здесь Вячеславу Ивановичу очень важно было знать, какие телодвижения предпримет возможный киллер, когда состоится телефонный разговор адвоката Гордеева и находящегося в клинике Чупрова.

Эта, по сути, главная сторона дела была тщательно продумана. А затем проведена и грамотная в оперативном смысле подготовка.

Хвост уже не скрывал своего навязчивого «расположения» к адвокату. Машины у них были всякий раз новые, чаще иномарки, но Юрий Петрович, еще по старому своему опыту работы в Генпрокуратуре, умел быстро распознавать преследователей. Умел он и уходить от них — на стареньком «жигуле» стоял хороший движок. Ну и помимо всего прочего, Гордеев не без успеха использовал богатейший опыт, переданный ему тем же Вячеславом Грязновым и его другом, являвшимся одновременно и старшим товарищем Юрия, «важняком» Александром Борисовичем Турецким.

Так вот, вспомнив уроки своих практических учителей, Юрий Петрович быстро и четко показал дубовым в оперативном отношении браткам, сидевшим на этот раз в серебристом джипе «тойота», как можно при желании исчезнуть буквально из-под носа «почетного эскорта». Тем более что и мобильник с «жучком» Гордеев «нечаянно забыл» в сейфе на Таганке.

Естественно, что жизнью Владимира Чупрова, оправляющегося после сотрясения мозга и прочих травм в семьдесят первой больнице, что на Можайском шоссе, никто из оперативников рисковать и не решился бы. Но уже то обстоятельство, что Чупров был задействован в операции, ставило его здоровье под угрозу.

По предложению генерала Грязнова Чупров, потрясенный гибелью товарища, должен был лишь сообщить по телефону Гордееву, что знает о причинах гибели Раппопорта. Более того, они вместе рассматривали материалы, лишь малая часть которых была в той папке, что собирался передать Юрию Петровичу Владлен Семенович. Нет, недаром так болела душа у Чупрова, не зря он уговорил Раппопорта снять ксерокопии всех материалов и оставить у него, Чупрова, мало ли что! А ведь среди них есть расшифровка аудиозаписи переговоров Поташева с канадским миллионером Булгаком, состоявшаяся здесь, в Москве, совсем недавно. Как удалось ее сделать — секрет фирмы, поскольку переговоры были в высшей степени конфиденциальными. Ведь речь шла о подготовке скорого банкротства фирмы «ВДП» и переносе производства отечественного перлара за рубеж. То есть фактически о грандиозном финансовом преступлении, которое полностью раскрывает опять-таки преступные замыслы Поташева против российской промышленности, производственного коллектива, а также против мешавших ему соучредителей фирмы, один из которых убит, а второй посажен в следственный изолятор.

Естественно, никакой аудиозаписи не было, ее идея родилась у Гордеева, проанализировавшего собственный доверительный разговор с Булгаком, возмущенно отклонившим идею Поташева. Но поскольку у них такая беседа велась, то отчего бы не быть и тайной аудиозаписи? В тексте, который должен был произнести по телефону Чупров для прослушивающих его Поташева или Орлова, это не важно, было столько скрытых крючков, на которые те не могли бы не клюнуть: информация была действительно очень опасной для них.

Но сам Чупров в силу состояния здоровья не мог пойти на встречу с Гордеевым и передать ему уже однажды частично похищенные материалы. Для этого требовался посредник. На эту роль очень хорошо подходил один из оперативников Вячеслава Ивановича, который, как человек «неопытный», должен был явиться на встречу в «шпионском» обличье, то есть в плаще и шляпе — несмотря на теплый, даже жаркий день, — скрывавших соответствующие доспехи. Береженого, как говорится, и Бог бережет.

Безопасность же самого Чупрова должны были обеспечить двое новых «больных», занявших соседние койки в его палате. Ну а оперативника, изображавшего начитавшегося детективов племянника Чупрова, охранял весь МУР во главе с его начальником.

Откровения Булгака в изложении Гордеева оказали на Чупрова ошеломляющее воздействие. Нет, он, конечно, мог бы и догадаться о такой подлости, однако... всей глубины ее познать ему было не дано. И тем не менее вместо растерянности Чупров согласился немедленно действовать.

Итак, с ним все было в порядке.

Не менее важным для Гордеева было и посещение следователя Ступникова.

Сравнительно молодой человек, недавний выпускник юридической академии, он был самонадеян, но недостаточно опытен, чтобы не оказаться игрушкой в более умелых руках. А такие люди, как Орлов, обеспечивающий своими старыми связями и специфическими кадрами действия Поташева, знали, как подбросить необходимые ретивому следователю доказательства, «случайные» улики, которые, если их рассмотреть под определенным углом зрения, вполне могли пригодиться ему в качестве свидетельства вины подозреваемого.

Внутренне Гордеев понимал Дмитрия Ступникова, его горячность и чрезмерную уверенность в своих силах и способностях. Юрий Петрович, было дело, и сам проходил эту стадию, но у него вовремя оказались нужные учителя. А они, в свою очередь, не старались убивать в нем стремление к самостоятельности, но умели вовремя и тактично указывать на некоторые неточности, несовпадения, натяжки, которые, развиваясь в ходе следствия, могли запросто уничтожить все его логические построения.

Вероятно, у Ступникова таких учителей не было.

И Гордееву оставалось его только жалеть. Ко всему прочему, этот, в общем, даже достаточно симпатичный парень был настолько уверен в себе, в своих преждевременных выводах, что высказанные в весьма мягкой форме сомнения Гордеева им и на дух не принимались.

Что ж поделаешь: каждый сам кузнец своего счастья. И наоборот соответственно. Поэтому Юрий не стал разворачивать дискуссий, а поинтересовался, имеется ли в деле завещание Перетерского, которое, кстати, может сыграть немалую роль в установлении истины. Завещания, естественно, не было. Тогда Ступников в свою очередь сурово спросил адвоката, откуда тому вообще известно о завещании? На это Юрий Петрович посоветовал следователю обратиться к тому, кто, по сути, инициировал это дело, от кого — не впрямую, а опосредованно — и получал изобличающие Невежина улики следователь.

— Ну хорошо, — с легкой иронией констатировал Гордеев, — что касается важнейших документов, то тут у вас пусто. А как обстоят дела с наследниками покойного Перетерского? Не могут ли они прояснить некоторые нестыковки в вопросе о гибели Владимира Дмитриевича Перетерского? Нельзя ли получить их адреса?

— Никаких родственников у покойного нет, — твердо заявил следователь. А Гордеев подумал: «Э-э, милый, да ведь тебя, как тряпичного Петрушку, держат на короткой веревочке!..»

— И о странном самоубийстве племянницы Владимира Дмитриевича вам ничего не известно?

Ступников из сурового законника превратился в грозного обвинителя:

— А вам-то это от кого известно? Преступник сообщил?

— Вы имеете в виду подозреваемого? — наивно поинтересовался Гордеев. — Совсем нет. Это же на фирме известно каждому второму служащему. Разве Поташев или его присные вам ничего не говорили? Странно, зачем им от вас скрывать очевидное...

— А что это меняет? — неожиданно спросил Ступников. — Снимает с Невежина подозрения?

— В какой-то мере. Ну представьте себе следующую картину. Невежин по какой-то причине нанимает киллера для устранения своего же коллеги Перетерского. Происходит убийство, вокзальная милиция при случайной облаве ловит киллера, вы получаете из его рук оружие и прочие улики, включая отпечатки пальцев все того же Невежина. А далее начинаются странные вещи: киллер ловко сбегает из-под стражи, а затем почему-то кончает жизнь самоубийством в далеком отсюда Новосибирске. Там же кончает с собой и единственная наследница Перетерского. Кому это выгодно? Невежину, который уже давно взят под стражу? Для какой цели? Ведь если его осудят, а все идет к тому, то и фирма, и все средства, и ноу-хау ему лично уже не светят. А кому светят? — вот в чем вопрос.

— Вы говорите как следователь, а не адвокат, — с иронией заметил Ступников. — Почему?

— А я в Генеральной прокуратуре оттрубил начало биографии. У Меркулова и Турецкого. Знакомы эти имена, надеюсь?

Ступников промолчал. А затем ехидно спросил:

— Но ведь ушли?

— Да. Не сошлись, как говорится... характерами.

— С такими-то учителями?!

— Нет. С генеральным. Тот приказал прекратить дело на одного мерзавца. А я отказался и швырнул заявление. Учителя, как вы изволили заметить, мне как раз крепко всыпали, но... генеральный заявление подмахнул. Мерзавец, к слову, уже давно проживает за границей. А бывший генеральный не так давно выпущен из СИЗО № 1. Вы удивлены, Дмитрий Константинович, зачем я вроде бы пытаюсь воздействовать на следствие? Скажу честно, я не испытываю к вам ни малейшей неприязни. А по собственному опыту знаю, как бывает горько, когда выстроенное тобой здание разваливают до основания. А ваше стоит довольно шатко.

— Это угроза или... предупреждение? — вернулся к прежней заносчивости Ступников.

— Ни то ни другое. Совет. И еще один — напоследок. Было бы очень неплохо, если бы вы существо этого нашего разговора оставили исключительно при себе. Многие знания, как сказано у Екклесиаста, чреваты... помните чем?

— Я читал Библию... когда-то. Ну и что из этого?

— Блестяще! Умри, Денис, лучше не скажешь... Благодарю за аудиенцию. Надеюсь, в суде не встретимся.

— Откуда у вас подобная уверенность?

— Дом может рухнуть гораздо раньше... Мое почтение.

Гордеев был искренен перед собой: он предупредил. И лишний раз убедился, что следователь готов оперировать лишь теми фактами, которые ему услужливо представила заинтересованная в расчистке жилплощади сторона. Никаких иных, по всей видимости, доказательств преступного умысла Невежина у него не имеется. Его даже не сочли необходимым поставить в известность о «самоубийстве» главного свидетеля и исполнителя невежинского «заказа». Гордеев проследил за реакцией и убедился в этом.

Кстати говоря, убийство племянницы Перетерского, в чем ни минуты не сомневался Гордеев, ловко опять-таки выданное за самоубийство, и все связанное с этим делом взялся по просьбе Юрия Петровича разузнать Денис Грязнов. Вероятно, он рассчитывал на помощь дяди в этом вопросе. Удалось получить копию судебно-медицинского заключения из Новосибирска. С учетом свидетельств соседей, того, сего и прочего причиной смерти Варвары Николаевны Седовой, материнская фамилия — Перетерская, явился суицид как результат нервного срыва. Причем способ ухода из жизни был выбран оригинальный. Очень полная сорокапятилетняя женщина была найдена в петле после звонка соседей, сообщивших в милицию, что из квартиры Варвары, женщины в общем-то аккуратной, несмотря на некоторые странности характера — нелюдимость там и прочее, проникает неприятный запах тления.

Женщину, как сказано, обнаружили в петле, сделанной из бельевой веревки и закрепленной на массивном крюке, вбитом в стену, на котором прежде висела большая картина библейского содержания, снятая ею перед самоубийством и стоящая на полу в сторонке.

На повод к самоубийству указывала также и телеграмма из Москвы, лежавшая скомканной под столом, в которой сообщалось, что Владимир Дмитриевич Перетерский приказал долго жить такого-то числа. Именно эти слова, словно издевательство, были в телеграмме. Но здесь-то все было подлинным, уже проверяли. И отправлена телеграмма была с Центрального телеграфа. Так что возбужденное дело было практически тут же и прекращено. А вот вопрос, зачем женщине нужно было выбирать способ столь неудобный и нелегкий даже с точки зрения приложения физических усилий, об этом следствие умолчало. Впрочем, от людей со странностями всегда можно ожидать чего-то оригинального, чтоб не как у остальных, даже при прощании с миром.

Из всего теперь уже известного Гордееву он мог сделать вывод, что в любом случае сработано все это весьма оперативно. И почти грамотно. Почти — потому что все же возникали вопросы. А ответить на них Юрий Петрович собирался немедленно после того, как закончится операция «Бомба». Он хотел для этой цели вылететь в Новосибирск, чтобы на месте постараться выяснить для себя все, что касается двух странных самоубийств, последовавших одно за другим. А если внимательно сравнить акты экспертиз судебных медиков, то, можно сказать, практически одновременно, иначе говоря, в один и тот же день.

Конечно, кому-то шибко торопливому в Новосибирске будет очень не по себе от вмешательства московского адвоката, пытающегося разворошить уже прекращенные дела, но Гордеев рассчитывал на помощь генерала Грязнова в этом вопросе. Ведь у Вячеслава Ивановича имелись в городе и свои каналы, с помощью которых можно было бы установить истину...

...Гордеев вернулся на Таганскую, в свою юридическую консультацию и по грязновскому мобильнику доложил Денису, что у него все в порядке. Хвост потерялся, но, видимо не желая заниматься пустой игрой в казаки-разбойники, вернулся к консультации на стоянку, где и дождался возвращения Юрия Петровича. Что ж, ребята рассчитали верно: зачем гоняться по городу, когда рабочий день еще в разгаре?

Денис сказал: «Лады» — и на короткое время отключился. Перезвонил он спустя час и сообщил, что «племянник» Чупрова выехал в больницу, что там уже все подготовлено для возможной встречи незваных гостей и, наконец, что вся предварительная работа завершена: условленное место оцеплено, генерал выехал. Можно было начинать.

Гордеев достал из сейфа свой мобильник и положил перед собой на столе. С минуты на минуту должен был позвонить Чупров.

Юрий поднялся из-за стола, вышел в большой холл и посмотрел в окно: хвост находился на месте. Серебристый джип «тойота» с затемненными стеклами. Гордеев неожиданно вспомнил, что не так давно, в день, когда он встречал возвращавшуюся из Болгарии Стеллу, на обратном пути в Москву его взяли в «коробочку» два джипа. Один был черный, а второй — вот точно как этот, серебристый, мощный. Мальчики похамили и уехали — даже и не угроза, а просто демонстрация силы. Ты, мол, козявка, захотим, бабу отнимем, а ты нам ничего не сделаешь! Ну-ну, посмотрим теперь...

Как ни ждешь звонка, он бывает неожиданным. Резкая трель прервала несколько мстительные размышления адвоката. Не торопясь он включил аппарат и, устало зевнув в трубку, спросил, кто это. Ну просто чиновник, обалдевший от писанины!

Чупров был сама искренность. Он начал с того, что потребовал от Гордеева подтверждения ужасной вести, которую привез в больницу племянник Гера: это правда, что убили Владлена Семеновича?! Гордеев начал мямлить в том смысле, что не надо волноваться, а то это плохо скажется на здоровье, и без того подорванном. Затем рассказал, естественно, как было дело и в чем оказалась причина. Его малоубедительные аргументы перебивались почти истерическими междометиями Чупрова. Ну просто отлично изображал Владимир полное отчаяние. А может, не изображал, а переживал заново?..

И когда уже все было сказано и Гордеев интонационно стал подчеркивать, что больше ему сообщить нечего, что пора завершать столь тягостный разговор, Чупров сказал наконец самое главное. Он решился... Он больше ничего не боится... Он знает причину, потому что они с Владленом все давно обсудили... Итак...

Пошел текст о Поташеве, о тайной записи и прочем, о чем подробно говорили Гордеев с Чупровым. Теперь настала очередь междометий Юрия Петровича. Он умолял Чупрова остановиться, ведь это же телефон! Да, он сейчас же готов оставить все дела и примчаться в больницу! Не надо никуда ничего везти!..

Но Чупров был решителен и неумолим. Его племянник знает, где спрятаны материалы, он получит все необходимое для Гордеева и привезет папку... Надо договориться о месте передачи.

Вячеслав Иванович Грязнов специально обговаривал этот вопрос. Поскольку киллер должен был выйти на живца и, скорее всего, повторить свой трюк с выстрелами и захватом материалов, необходимо было предусмотреть не только безопасность случайных прохожих, но и возможность максимально безопасного для остальных ареста преступника. Такое удобное место нашлось практически в самом центре столицы. И более того, подготовка к операции ни у кого из посторонних там не вызвала бы подозрений...

Но тут возникла еще одна проблема. При обсуждении деталей покушения на Раппопорта некоторые оперативники настаивали на том, что убийца мог быть не один. Во всяком случае, одному было бы трудно и наехать, и расстрелять жертву, и захватить папку, для чего тот должен был бы выйти из машины и, наконец, благополучно скрыться от преследования. Вполне возможно, что в этом случае срабатывал отвлекающий маневр: один стреляет, уезжает, а второй, как бы бросающийся к падающей жертве, успевает забрать нужные материалы и смешаться с набегающей толпой очевидцев кровавого события. И значит, напарник киллера мог покинуть машину за считанные секунды до выстрела, чтобы первым оказаться у места происшествия.

Генерал Грязнов не привык пренебрегать возможными фактами, если ты в них сомневаешься. И приказал предусмотреть и такой вариант.

Чупров настаивал, чтобы племянник привез папку прямо в юридическую консультацию на Таганку, но Гордеев категорически возражал: у него, сказал он, сложилось впечатление, что его в последние день-два начали активно пасти. Что это такое? Ну то есть следят за каждым его шагом, куда бы он ни поехал. Так что рисковать не стоит. Надо выбрать место спокойное и чтоб там народу было поменьше. Тем более что племянник на машине, и ему будет удобно подъехать, ну, например, к памятнику Юрию Долгорукому. Там позади коня есть небольшой скверик, как правило, пустой. Гордеев будет ждать Геру на второй скамейке справа от входа. Гера в плаще и шляпе? Очень хорошо. Они легко узнают друг друга, поскольку Чупров сможет описать племяннику, как выглядит адвокат.

Решив эту важную проблему, Чупров снова завсхлипывал-запричитал, демонстрируя естественную реакцию человека, скинувшего с плеч тяготивший его груз. Но Гордеев оборвал больного, сказав, что готов выехать на встречу с Герой. Время встречи — семнадцать ноль-ноль. Ну пять минут туда-обратно.

В распоряжении оперативников МУРа было около двух часов. Но ведь и у преступников столько же. Однако одни четко знали условия своей задачи, а другие лишь то, как должны выглядеть их жертвы.

Гордеев сунул ненужный теперь мобильник обратно в сейф, запер его, позвонил Денису и сказал, что все в порядке, время пошло. Затем выглянул на улицу из окна холла: джип словно водой смыло. Значит, там уже получили команду.

За себя Юрий Петрович не боялся, его надежно страховали муровцы и будут дальше, до центра, передавать от машины к машине, как бы нечаянно отсекая при нужде вдруг появившийся хвост. Но такового не было. Скорее всего, потому, что у противника не оказалось под рукой нужного количества людей. И все, что имелось на данную минуту, было брошено к месту встречи, чтобы перехватить секретную папку, содержащую воистину бомбу. В этом можно было уже не сомневаться. Да иначе бы и серебристый джип не исчез так быстро.

В скверике между хвостом коня Долгорукова и серой громадой бывшего Института марксизма-ленинизма шла своя жизнь. Бил фонтанчик, на лавочках отдыхали прохожие и жители соседних домов. Но приехала поливочная машина, и народ как-то сам по себе рассеялся. Не без ропота, направленного против дураков начальников, плюющих с высокого этажа на простой народ, которому теперь уже и отдохнуть негде. А после того как уехала поливалка, оставив лужи в скверике и мокрые скамейки, на которые теперь и не присесть, появился типичный дядя Федя, дворник со шлангом, который, как известно, «из своей прямой кишки поливает камушки». И стал он натурально поливать из шланга еще не просохшие скамейки слева от входа.

А за несколько минут до условленной встречи возле памятника остановился экскурсионный автобус, и из него повалили туристы с сумками, фотоаппаратами, почти не слушая экскурсовода, который вынужден был обращаться к немногочисленным женщинам. Мужчины же окружили памятник и стали фотографировать и его, и себя на его фоне, и здание Моссовета, и скверик с «дядей Федей», прилежно выполняющим свою дворницкую работу. И никто из них, конечно, не обращал внимания на

Гордеева, поднявшегося из глубины скверика и присевшего на второй лавочке справа, на подостланной газете. Занят же он был шнурками своего ботинка.

В это время со стороны Тверской, от книжного магазина, появился человек в светлом плаще и такой же шляпе. Едва он решился перебежать узкую улочку перед сквером, как снизу, со стороны Большой Дмитровки, навстречу ему рванул темный джип.

Одновременно с другой стороны сквера, по Столешникову вверх, покатил серебристый джип. Из него на ходу выскочил крепкий такой паренек в спортивном костюме и быстрым шагом направился ко входу в скверик. Несообразительный «дядя Федя» нечаянно направил в него сильную струю воды, и парень, выхватив руку из кармана, машинально закрылся ею от воды, забыв, что в руке был зажат пистолет. Мгновенье — его оказалось достаточно, чтобы парень получил сильнейший удар по шее, — и в ту же секунду его заломленные за спину руки уже оказались скованными браслетами. Серебристый джип рванул было вперед, но буквально уперся капотом в бок экскурсионного автобуса, который разворачивался в тесном пространстве площади. Дверцы джипа распахнулись, и сильные руки туристов выкинули из серебристого нутра еще двоих слабо соображающих «качков».

Черный джип успел бы, конечно, опередить человека в плаще и шляпе, но его нос как-то очень неловко подрезала до того стоящая смирно у обочины поливальная машина. Причем подрезала грубо, помяв крыло слева. Водитель джипа, вопреки логике, не обратил внимания на это наглое нарушение всех существующих правил и попытался уйти вперед, но тупой поливальщик продолжал теснить его к противоположному бордюру. И тогда водитель джипа, вероятно в качестве последнего аргумента, выставил в свое боковое окно двойное дуло обреза. Но уже ни сделать выстрела, ни чего-то сообразить он не успел, поскольку окно его полностью заслонил желтый бок поливальной машины, а правая дверца распахнулась, и водитель почувствовал сокрушительный удар в челюсть.

Пришел в себя он через несколько минут. И уж лучше б не открывал глаз. Увидел стоящего над ним в окружении группы туристов генерала в милицейской форме, услышал его слова:

— Дурак ты, Коняхов, снова за старое взялся! А ружьишко-то у тебя ничего, по двум делам уже проходит твоя «вертикалочка»...

Скверик вскоре опустел, просохли скамейки, и снова места на них заняли бабки с внуками из соседних домов.

ТЕНИ ПРОШЛОГО

В этот наполненный стремительными событиями день у Гордеева оставалось еще одно важное дело. И занять оно должно было всю оставшуюся часть вечера.

Стелле, лихорадочно готовящейся к отъезду, а точнее — к отлету в Одессу на теплоход, было не до него. Охрану ее осуществляла Татьяна, и тут можно было не беспокоиться. Но с другой стороны, Юрию ведь тоже предстоял, пусть и краткосрочный, вояж в Сибирь, и ему тоже требовалось подготовиться. Вот в плане этой подготовки и нужна была срочная встреча, а также помощь, если удастся уговорить, Елены Петровны Теребовой, хозяйки ресторана «Синяя саламандра».

«Жигули» Гордеева в обострившейся ситуации стали слишком заметны для тех, кто был, естественно, обозлен неудачей с захватом папки Чупрова и понесенными во время этой операции потерями. Бывший генерал Орлов или тот же уверовавший в собственную непотопляемость Эдуард Поташев не стали бы вслед за таким провалом совершать необдуманные поступки, поддаваясь эмоциям. Они бы проанализировали причины неудачи и лишь потом приняли новое решение. Не самое приятное для Гордеева, который ловко подставил их. Тут двух мнений не было.

Но долгопрудненская братва, к коей принадлежали задержанные «качки» в серебристом джипе, вполне могла отреагировать адекватно: вы — наших, мы — ваших! Зуб за зуб! Вот, значит, на какие кадры опирались в своей деятельности бывшие господа чекисты...

Учитывая непредсказуемость поведения бандитов в данных обстоятельствах, Денис предложил другу на оставшееся до отлета в Новосибирск время поменять транспорт. Синие «Жигули» Гордеева временно переходили в пользование агентства «Глория», а Юрий получал на ближайшие день-полтора невзрачную «Ладу»-«восьмерку» с усиленным двигателем, все как положено в крайних ситуациях. Ею он и мог безбоязненно пользоваться, пока в рядах противника царило некоторое смятение. Если, конечно, царило.

И вот на потрепанной «восьмерке» Гордеев отправился в «Саламандру». Предварительно позвонил и поинтересовался, на месте ли сегодня госпожа Теребова. Вежливый голос ответил, что она в зале. Этого Юрию было достаточно. Никаких закрытых мероприятий в этот вечер в ресторане также не предусматривалось.

Чтобы случайно не засветить свое новое средство передвижения, Гордеев оставил машину в квартале от ресторана, не стал заезжать на стоянку. У «Лады» была смонтирована и хитроумная сигнализация, и хорошая противоугонная система. Так что за нее, как и за все остальное, что выходило из агентства «Глория», можно было не беспокоиться.

Теребова мило улыбнулась и предложила приятному гостю отведать свежих устриц, если он, конечно, не испытывает к ним чисто российской неприязни. Гордеев не стал бы возражать, но столь изысканный ужин при свечах был для него все-таки слишком...

Он попросил Елену Петровну уделить некоторое время для весьма важного и конфиденциального разговора, Теребову явно заинтересовала такая таинственность. Они прошли в пустой еще бар и сели в уголке — она с привычным апельсиновым соком, а он попросил у бармена налить ему джина с тоником. Все же напряжение прошедшего дня давало себя знать. А разговор с синеглазой хозяйкой требовал максимум внимания.

Еще после первого, так сказать, знакомства всерьез с Еленой Петровной Юрий понял, что она относится к разряду людей, перед которыми не следует юлить, если ты хочешь посвятить их в какую-то тайну. И во время единственного пока урока игры на бильярде убедился в этом. Поэтому он и решил не обставлять свою просьбу какими-то условностями, оговорками и недоговоренностями, а сразу взял быка за рога:

— Елена Петровна, мне очень нужна ваша помощь. Причем такая, которую можете оказать только вы. Скажу сразу, вопрос щекотливый. И если откажетесь, я попрошу вас лишь об одном: все, что вам станет известно, должно остаться между нами. Иначе может быть плохо всем — и вам, и мне, и еще кое-кому.

— Насколько это важно... вам? — после некоторого раздумья спросила Теребова. — Я имею в виду жизненную важность, понимаете? Ведь если вы сказали, что зависят судьбы людей, наверняка дело связано с чем-то очень нехорошим? Криминальным?

— Да.

— И в этом замешан кто-то из близких мне или знакомых людей?

— От вас ничего невозможно скрыть, — улыбнулся Гордеев. — Но, впрочем, у меня и не было такой задачи. Да, человека этого вы знаете хорошо. Но я не буду просить вас пригласить его или, скажем, ее, для того чтобы допросить и поставить вас тем самым в очень неловкое положение. Нет, я хотел просить вас пригласить... вашу подругу Киру Николаевну Бойко сегодня же, в ближайшие часы, посетить ваш ресторан. Я не буду к вам подходить, я просто посмотрю на нее и уйду в глубокую тень.

А вы могли бы выпить с ней по коктейлю или по стакану вашего любимого джюса, поболтать о каких-нибудь ваших дамских делах и затем расстаться. Но... после ее ухода я заберу с собой тот бокал, из которого она пила. Потом я его верну.

— Это надо понимать так, что Мюллер собирает отпечатки пальцев Штирлица? — с иронией фыркнула она.

— Вы абсолютно правы. Но из этой акции компетентным органам станет ясно: виновна ваша подруга в убийстве человека или она просто взбалмошная, беспринципная стерва, готовая навесить на собственного мужа расстрельную статью. Хотя сейчас у нас и введен мораторий на смертную казнь, вечная каторга ему очень даже светит.

— И вы предлагаете мне... своими руками?..

— Я не предлагаю. Я прошу вас помочь и мне, и... истине. В конце концов, я мог бы и не просить вас о столь необычном одолжении. Вы наверняка читали или слышали, как проводятся негласные проверки. Для спецслужб все это семечки: и квартиру вскроют, и отпечатки соберут, и любую аппаратуру поставят, если нужно. Но у меня просто нет времени, чем больше я тяну, тем дольше будет сидеть невиновный Невежин в тюрьме и тем активнее будут распоясываться те, кто окунул вашу подругу по уши в дерьмо и уголовщину и продолжает держать на крепком крючке, с которого ей не сорваться. А люди эти, я не исключаю, вполне могут быть причастны ко многим нашим российским бедам, включая и гибель вашего отца.

— Это запрещенный прием!

— Нет, Елена Петровна, я не собираюсь давить

на вас, да это и не нужно. Просто, знаете, со временем, отойдя от дела вашего отца на какое-то расстояние, я подумал, что версия о какой-то там мести уголовников, происках организованной преступности, стремившейся присвоить себе банк вашего отца, навязав ему свою «крышу», на которой и остановилось тогда следствие, была слабоватой. Это не какие-нибудь солнцевские или ореховские орудовали. Тут берите много выше. Шел передел собственности, пересмотр направлений финансовых потоков. Уголовщина для этого уже не годится. Решения такого рода принимались на самом высоком уровне. А вывод можно сделать из простого ответа на самый, казалось бы, непритязательный вопрос: к какой финансовой группе отошел банк вашего отца? Это не значит, что я призываю вас к мести, но я почти уверен, что те, о ком я думаю, сыграли тогда в той трагической истории свою роль.

— Вы разбередили мою застарелую рану, Юрий Петрович...

— Честное слово, я не хотел этого делать... Простите, так уж получилось. Нехорошо, конечно...

— Вы предлагаете мне позвонить Кире... А о чем же я с ней смогу говорить?

— В последнее время ее не было в Москве. Но она появилась, и на все наши просьбы о встрече — мои и моего коллеги Вадима Райского, которого вы уже знаете, он тоже приятель Андрея и, кстати, первым привез меня в ваш ресторан, — отвечала отказом. Силой мы, естественно, не можем воспользоваться, и заставить больную женщину — так она сказала — отвечать на вопросы адвоката ее мужа, упеченного в тюрьму ее же стараниями, нам, увы, тоже не дано. Остается ждать судебного процесса, когда мы, уж будьте уверены, постараемся вынуть из нее душу. И из нее, и из ее любовника. Но это впереди. А невиновный тем временем пребывает среди уголовников, и за жизнь его не может оручиться даже тюремный надзиратель. Так что, не зная ничего из рассказанного вам мною, вы, по-моему, могли бы поинтересоваться, почему так долго ее не видели. Соскучились. Перемолвиться не с кем, все дела да дела. Устали. Настроение неважное. Мало ли что бывает у женщин. А может, какая-нибудь тайна личного плана, которой хотели поделиться... Не знаю. Лично мне нужно только поглядеть на нее вблизи, чтобы хорошо запомнить и взять стакан с отпечатками ее пальцев. И тоже так, чтобы это ни у кого не вызвало ни малейших подозрений. Тем более что все мои построения могут оказаться липой, а человек будет зря травмирован подозрением.

— А может быть, стоило бы ей все это объяснить? Вот как вы — мне.

— Я уже сказал: она не желает встречаться. Думаю, боится. Или у нее другие, более серьезные причины.

— Но какие же?

— Вероятно, она чего-то ждет. Что-то может резко измениться в ее жизни. А что в прошлом, ее уже, извините, не колышет.

— Не знаю, почему я готова поверить вам, Юрий Петрович... Но мне очень не хотелось бы фигурировать в ваших... соображениях ни в каком плане.

— Это я вам гарантирую категорически.

— Ну... хорошо, тогда я пойду к себе и постараюсь принять унылый вид. В знании психологии вам не откажешь. Отдыхайте пока.

Они прошли в центр зала и сели за столик вдвоем. Подошедший официант бара тут же зажег им свечу, принес от стойки бокалы.

Гордеев, сидевший в темном углу бара и не зажегший ни свечи, ни настольной лампы, вопреки стараниям официанта, мог наблюдать Бойко без всякого опасения, что она его увидит. А то еще и узнает. Чем черт не шутит!

Выглядела она великолепно, даже ослепительно. Ни о какой болезни, тем более душевной, и речи не могло идти. Рядом с ней очень броская Елена Петровна просто гасла. У Киры была короткая модная стрижка и светлые волосы покрыты блестками. Высокая шея, полная грудь, плавные движения оголенных рук — все указывало на то, что эта женщина знает себе цену. И бокал она держала чуть на отлете, а во второй, изогнутой лебединой шеей руке дымилась сигарета.

Елена Петровна что-то рассказывала, Бойко ее слушала, но, кажется, вполуха — между глотками и затяжками сигаретой. По всему было видно, что откровения подруги ее тяготили. Не настолько, чтобы прервать монолог, а просто как все необязательное, но с чем поневоле иногда приходится считаться.

Встреча не заняла и получаса. Последние десять — пятнадцать минут Кира почему-то вдруг заволновалась, стала оглядываться, словно слегка нервничая. Нет, она не должна была почувствовать на себе взгляд Гордеева, он не разглядывал красотку в упор, как это без всякого зазрения совести делали остальные, уже не совсем трезвые посетители бара. Кажется, и в разговоре у них произошел какой-то сбой. Может быть, не выдержала игры Елена Петровна, а подруга, как всякая актриса, вдруг почувствовала фальшь? Теребова, похоже, предложила ей перекусить, но Кира отказалась, судя по ее отрывистым жестам. Она уже порывалась встать и уйти. Неужели интуиция, будь она неладна!..

И тогда Елена Петровна поступила так, как и должна была: она забрала свой недопитый стакан, предложила то же самое сделать и Кире и, поднявшись, дунула на свечку. Обняв подругу за талию, Теребова медленно повела ее к выходу из бара. Они ушли, попивая на ходу и вызывая откровенную зависть у раздобревших было мужиков.

Минут двадцать спустя зазвонил телефон под стойкой у бармена. Тот снял трубку, выслушал и, найдя глазами Гордеева, позвал его к трубке. Жестами, не говоря ни единого слова.

Юрий взял трубку из его рук и услышал голос Елены Петровны:

— Вы можете зайти ко мне, Юрий Петрович. Я ее проводила.

В кабинете директора «Синей саламандры» в углу на столике с хрустальным графином и полоскательницей стояли два стакана. Один с недопитым соком, второй — пустой.

— Я никогда не подумала бы, что мне придется так трудно, Юрий Петрович, — тихо сказала Теребова и показала пальцем на пустой стакан. — Можете забрать.

— Понимаю вас, — ответил Гордеев, беря высокий стакан за край и донышко. — У вас в заведении случайно не найдется ненужного вам футляра от какого-нибудь напитка?

Теребова открыла высокий шкаф и достала оттуда круглую коробку с водкой «Юрий Долгорукий». Бутылку вынула и поставила на стол, а футляр протянула Гордееву:

— Подойдет?

Он посмотрел и хмыкнул.

— У меня сегодня весь день с ним связан, — сказал Юрий. — В самый раз.

Он взял из стопки бумажных салфеток парочку, расправил их и затем скомкал. Сунул на дно футляра. Туда же осторожно опустил стакан, снова сунул несколько скомканных салфеток и закрыл футляр крышкой.

— Теперь я могу быть спокойным.

— Да, но мне-то каково? — вздохнула Елена Петровна.

— Все, может быть, еще не так страшно, — задумчиво сказал Гордеев. — Я человек и могу ошибаться.

— Боюсь, что вы не ошиблись, — покачала головой Теребова, и получилось это у нее как-то обреченно.

— Почему вы так считаете? — насторожился Гордеев.

— Тут виновата, скорее всего, одна ваша фраза. Насчет прошлого, которое ее не колышет. Вы оказались абсолютно правы. А ведь ни разу ее в глаза не видели... Я специально нашла тему, чтобы чуть-чуть всколыхнуть это наше прошлое, юность, надежды... Ей было наплевать, она прямо-таки плавала в похотливых флюидах, сочившихся из глаз мужиков, там, в баре. Но потом вдруг забеспокоилась о чем-то, я сразу и не поняла. Она сказала: «Давай уйдем, мне что-то здесь не по себе...» И мы ушли сюда. Она выпила почти махом еще бокал чистого вермута, чего с ней давно не случалось, и сказала, что вспомнила о каких-то своих неотложных делах. Но я почувствовала: она чего-то испугалась. Может, вас?

— Я старался ничем себя не выдать.

— Она актриса. Изделие оригинальное... Вы считаете, что она могла поднять руку на... человека?

— Скорее всего, на такого же убийцу, как она сама, — спокойно ответил Гордеев и заметил, как вздрогнула Теребова. — Не считайте сие деяние чем-то исключительным. Особенно по нашим-то временам. Это, говорят, трудно в первый раз. А потом...

— И вам... ну, в силу вашей профессии, тоже приходилось?..

— Видите ли, Елена Петровна, — постарался уйти от прямого ответа Гордеев, — несколько дней назад прямо на моих глазах из ружья расстреляли человека, который нес мне свидетельства невиновности Невежина. Два выстрела почти в упор — в голову и в грудь. Неприятное зрелище. А сегодня, — он посмотрел на свои наручные часы, — три с половиной часа назад мы взяли того убийцу. Причем без единого выстрела. Просто он не успел, а мы оказались проворнее. Как в старом анекдоте.

Теребова с интересом посмотрела на адвоката, покачала головой и с легкой усмешкой спросила:

— А что это за анекдот?

— Старый. Один ковбой из Техаса попросил у

случайного попутчика, солидного человека, огонька, чтобы прикурить сигару. Тот достал из кармана игрушечную зажигалку-пистолет и протянул ковбою. Но ковбой оказался проворней...

Теребова засмеялась, но как-то грустно.

— И в кого он на этот раз собирался стрелять?

— У него были две точные цели. Я в том числе.

— Значит, теперь будете долго жить?

— Хотелось бы надеяться. Еще одну сентенцию напоследок, если позволите... Слышал когда-то, но никак не хотел верить в истинность. Прав окажется тот, кто проживет дольше. Точно, но ведь не здорово, да?

— Когда вы все закончите, расскажите мне эту историю, ладно?

— Я постараюсь. Но зачем вам это, Елена Петровна?

— Вы разбудили тени прошлого, и теперь, я чувствую, они долго будут мучить меня...

Садясь в машину, Гордеев прикинул по времени и увидел, что с ним у него негусто. Время уплотнилось. А надо было успеть снять отпечатки со стакана и составить дактилоскопическую карту по всем правилам науки. Но пока хотя бы иметь в руках фактуру, остальное можно и потом. И Юрий Петрович, понимая, что уже достал друга, набрал в который уже раз за день номер Дениса. Стал объяснять свою нужду. Тот молча выслушал и спросил лишь одно:

— Ты где?

— Рядом с центром.

— Ну подъезжай. А я поищу тебе специалиста...

Гордеев осторожно передал Денису футляр со стаканом, который аккуратно извлекли. Затем Денис сказал, что время позднее и ждать не стоит, а эксперт сейчас подъедет, и работы ему тут хватит и без их помощи.

Договорились, что Юрий заберет карту завтра прямо с утра по дороге на работу. А этот стакан Денис обещал передать дяде в МУР, чтоб все было по закону.

Возвращаясь домой, Гордеев позвонил Райскому, чтобы узнать, как у того обстоят дела. Занятый операцией «Бомба», Юрий Петрович все дела, касающиеся конкретно фирмы «ВДП», взвалил на плечи коллеги. Вадим должен был подъехать туда, постараться побеседовать с руководством, с сотрудниками, ведь не дело же, когда адвокат не знает и не интересуется мнением подчиненных об их арестованном начальнике. Миссия не из приятных, но необходимая. А Райскому не привыкать, у него имелась закалка, и он не боялся двусмысленных ситуаций.

— Ты куда исчез? — обрадовался он. — На службе не появился. Домашний не отвечает. Ну с мобильником мне все ясно. Как у вас прошло?

— Взяли, — кратко ответил Гордеев. — Кого видел?

— Вот! — торжествующе воскликнул Райский. — Зришь в самый корень! Из-за этого и разыскивал. Ну встретился я там с ними со всеми. Народ оказался подготовленный. Я имею в виду контору. А предприятие, производящее волокно, у них не в Москве, а в Дмитрове. Здесь же что-то вроде головного института или, точнее, большой лаборатории, даже нескольких, объединенных под одной крышей, экспериментирующих с различными химическими материалами. То есть они создают образец и всесторонне проверяют его на прочность и прочие необходимые качества. А собственно производство, как я понял, поставлено на широкую ногу на предприятии, которое прежде принадлежало оборонке. Вот такая ситуация. Ну, собственно, не в ней дело. Нежина, как я уловил, больше знали и соответственно воспринимали именно на предприятии, где он был своим. Перетерский же сидел на чистой науке, и всем он был, по сути, до лампочки. Представляешь, мозг, идея! — а им до лампочки. У них массовые заказы, необходимость их обеспечения, от чего зависит вся жизнь, начиная с высоких зарплат. И то, о чем ты мне рассказывал со слов покойного Раппопорта, весь этот патернализм, действовало в пределах предприятия. Никто, кстати, против этого не возражал. Производительность труда всегда главное мерило производства. А вот там несколько иное дело. Одни люди приходили, другие уходили — процесс естественный. При этом получалась явная неувязка с акциями предприятия. Кто-то их был вынужден продать, другие покупали. Короче, хищный капиталистический мир. И не нам его менять, раз сами отказались от собственного светлого будущего и ринулись в рынок. Вот, собственно, почва, на которой разгорелся сыр-бор. Зависть и все прочее. А Поташев тем временем, как президент фирмы, был на высоте. Он сдерживал страсти и эмоции, сколько мог, миря бывших неразлучных соратников, пока дело не кончилось трагедией. Смертью одного и моральной гибелью другого. Надеюсь, ты понимаешь, кого я имею в виду.

— И кто ж рассказал тебе такую исключительно прекрасную историю?

— Догадайся с трех раз.

— Сам президент.

— Нет, что ты, его я и не видел. Не допустили, сказали, что в отъезде. Хотя по некоторым моим наблюдениям он был на месте. Но не в своем кабинете, где меня имел честь принимать новый вице-президент отставной генерал Орлов. Весьма прелюбопытная личность.

— Чем же?

— Вежлив до изысканности, предупредителен, прост в общении, никакого снобизма. Одно сплошное сожаление по поводу случившегося. Внешне рослый и совсем не старый дядя, с богатой сединой, глаза темные и настороженные. Они его и выдают. Живут отдельно от гостеприимной улыбки. Он, кстати, очень огорчился, когда узнал, что я не Гордеев, а твой коллега. Поначалу никак не мог понять, кто же из нас чем занимается. Видно, он очень рассчитывал на встречу с тобой.

— В котором часу это происходило?

— Я с утра приехал, к началу рабочего дня.

— Понятно. И долго длилась ваша беседа?

— Около двух часов. А что?

— Это хорошо, что ты вовремя уехал. Ближе к полудню он бы не проявил понравившегося тебе гостеприимства.

— Вполне может быть, — спокойно ответил Райский. — Но ты мог бы и предупредить меня, чтоб я не попал как кур в ощип.

— Виноват, Вадик, но я и в самом деле не знал твоих планов. Ладно, мы еще поговорим подробнее на эту тему. Меня интересует, чем у вас кончилось.

— Мягкими взаимными упреками в непонимании сути вопроса. Но я приготовил-таки тебе хороший подарок.

— И что же?

— Мне показалось, Юра, что генерал Орлов и тот, кто звонил тебе в нашу контору, одно лицо. У меня, конечно, отсутствует музыкальный слух, но интонации я уловить способен. Юра, я почти уверен, что это был он. Начиная от построения фразы, словечек, выражений... Понимаешь?

— Но почему тогда «почти»?

— Но ведь и у меня могут же быть хоть какие-то сомнения!

— Логично. Ну спасибо, Вадик. На всякий случай теперь будь и ты поосторожнее. Разъяренный генерал госбезопасности, даже бывший, все еще представляет опасность. До завтра...

Это была очень хорошая новость.

Ну конечно, а кто бы еще смог взять на себя миссию объяснять то, что не подчинялось логике? Только один из шефов бывшего Пятого управления. Такая у них всю жизнь была работа: заставлять думать о том, чего на самом деле не существовало...

Стелла была в хлопотах. Улетали они с Татьяной завтрашним дневным рейсом. Стелла паковала чемоданы, у Татьяны же, скромно устроившейся в уголке под торшером с журналом в руках, была вместительная сумка — и все.

— Ой, ты мне только не мешай! — встретила его подруга.

— Были звонки? Что-то важное?

— Ой, да откуда я знаю?! Утром звонил Халябов. — Она рассказывала, перебегая от одного чемодана к другому, что-то заталкивая в распухшее чрево, а что-то, наоборот, выбрасывая, к чертовой матери, навсегда. — Ты представляешь, он еще решил высказать мне какие-то свои претензии! Будто я сорвала его планы, из-за чего он несет не только моральные, но и определенные финансовые потери. Ну я и сказанула, ты ж меня знаешь! Я говорю: не надо было мух ноздрей давить! Заключил бы контракт — и дело с концом. А теперь фигушки! Словом, поговорили. Вот, Таня свидетельница! Как я его? — Она обернулась к телохранительнице с победным видом.

— Вообще-то я не советовала Стелле быть резкой. Лучше бы просто посетовать на сложившиеся обстоятельства, на свои обязательства перед Велиевым, которых пока ведь никто не отменял. Халябов, насколько я поняла, только еще собирался с ним беседовать. А это не одно и то же. Ладно, я думаю, на пароходе особых трудностей не будет, хотя наперед ничего нельзя знать. А то теперь и новый фактор — насмерть обиженный продюсер. Кем бы он ни был...

— С тобой все понятно, — поглядел на Стеллу Гордеев. — А еще кто-нибудь звонил? Уже во второй половине дня.

— Были звонки, но я не брала трубку, некогда. Там, — она махнула рукой на аппарат, — записано.

Гордеев сел к телефону и прокрутил записи к началу пленки.

Позвонил Вадим и напомнил, что он с утра едет на фирму «ВДП», просил, если что-то нужно, перезвонить к нему домой.

Потом шли несколько незначительных звонков — с работы, Денис интересовался планами на день, какая-то дама назначала свидание у метро «Преображенская площадь». Чушь или чья-то провокация.

И вот наконец прорезался искомый голос:

— Юрий Петрович, я знаю, что вы не возьмете трубку, но мы хотим, чтобы вы знали наше отношение к тому, что вы сделали. Вы не вняли нашим предупреждениям, Юрий Петрович. А мы не относим себя к людям, которые позволяют с собой играть в непонятные игры. Мы заявляем вам, что вы заигрались, молодой человек. И этот номер у вас не пройдет. Присланный вами адвокат Райский показал, что он много умнее вас. У него, во всяком случае, есть будущее. У вас — нет. Очень жаль, потому что мы предполагали, что сумеем понять друг друга. У вас немало недоброжелателей, но мы, надеясь на взаимопонимание, старались по мере возможности отводить от вас опасность. Но теперь мы умываем руки. Защищайтесь сами, сколько вам будет угодно. И запомните, никакие ухищрения еще никого не спасли от того, что ему начертано судьбой...

Приятный текст. Дослушав, Гордеев обернулся и увидел, что и Татьяна внимательно слушала мягкий, вкрадчивый голос «доброжелателя».

— Это он?

— Да, он самый. Я теперь знаю, кто это.

— Иногда раскрытые карты приносят больше пользы, чем любое самое многозначительное умолчание.

— Вот я и думаю, что этим последним предупреждением дело не кончится.

— У вас тут имеется параллельная запись к разговору?

— Нет, на работе ваш специалист поставил, а здесь — нет.

— Давайте я сделаю, если есть дополнительный аппарат.

— Так на кухне — спаренный.

— Если он вам там необязателен, я его сниму и подсоединю. Сможете, если что, и поговорить, и записать свой разговор.

— Танечка, я вам буду признателен...

— Не стоит благодарности. Дайте лучше отвертку, если есть, или обычный нож.

Она немного пошуровала в аппаратах, что-то куда-то подсоединила, закрыла крышки и набрала какой-то номер. Сказала, когда там откликнулись:

— Видишь номер?.. Перезвони.

Через короткое время раздался телефонный звонок, включилась автоматическая запись, а потом Татьяна сняла трубку второго аппарата, послушала и сказала:

— Все в порядке, спасибо. Спокойной ночи. — Она положила трубку на место, обернулась к Юрию и добавила: — Денис Андреевич вам кланялся и сказал, что дактилоскопическая карта готова. Можете прямо с утра приехать за ней.

Вот оно что! Гордеев заулыбался, а Татьяна смущенно отвернулась, будто увидела, что он подумал о ней нечто вовсе уж несусветное.

ОТКРЫТЫЕ КАРТЫ

Директор Велиев выделил отъезжающей бригаде артистов автобус, и тот собрал всех еще с утра и доставил в «Золотую рыбку», куда уже съехался ответственный совет. Стелла со своим оркестром должна была продемонстрировать седеющим кавказским джентльменам любой номер из своей концертной программы — по их выбору. Татьяна постоянно находилась рядом с ней, поэтому Юрий не волновался. Хотя, честно говоря, навязчивые предупреждения «доброжелателя», под таинственной маской которого, по его мнению, скрывался не кто иной, как Виталий Борисович Орлов, его уже достали.

Отъезд Стеллы в этой ситуации был как нельзя кстати. Оставалось еще энергичностью собственных передвижений окончательно сбить с толку своих надоевших преследователей. И для этого у Юрия Петровича теперь были все возможности.

До отлета в Новосибирск, где, как предполагал Гордеев, могла быть поставлена точка на всех обвинениях против Невежина, он собирался переделать массу дел, провести несколько важных встреч и собрать необходимые факты, о которых хотел сообщить новосибирским товарищам.

Немалую роль в своих будущих действиях Юрий Петрович отводил Вячеславу Ивановичу Грязнову, который пообещал после весьма удачной операции по захвату Коняхова и славных представителей долгопрудненской братвы открыть перед адвокатом зеленую улицу. А генерал Грязнов, известно, свои обещания выполнял всегда и со скрупулезной точностью. И к тому же он полагал, что взятый на горячем Коняхов, которому теперь светил максимум даже при всех обещаниях российского правительства покончить со смертной казнью в пределах границ родного государства, не станет покрывать своего «заказчика». Нехорошие перспективы рисовались и перед долгопрудненскими, взятыми с оружием. Словом, вся эта компания становилась впечатляющим фактором, работающим против генерала Орлова с его удачливым до поры до времени зятем. И те, конечно, понимали, так рассуждал Гордеев, что, когда арестованные заговорят, а это может произойти в любую минуту, ибо того же Коняхова от пожизненного заключения может спасти лишь сотрудничество со следствием, — поташевской, или орловской, команде придется очень туго. А известие о наличии двух адвокатов у Невежина, на что особо рассчитывал Гордеев, и в самом деле должно было вызвать небольшой шок у преступников. Убрать Гордеева — это еще куда ни шло, но, оказывается, есть и второй адвокат, а там, может, и третий, и четвертый. Всех, как говорится, не перекокаешь...

Да, тут впору самим начинать сухари сушить. Вот этой растерянностью противника и хотел воспользоваться Юрий Петрович с максимальной выгодой для дела.

Орлов был, вероятно, хорошим психологом. Но в те времена, когда его психологическим опытам постоянно сопутствовал определенный страх, вызываемый его «конторой» у подопытных кроликов. Но времена резко изменились, а методы у него остались во многом прежние: нагнетание атмосферы, похищения, покушения, убийства, наглая слежка, сочетание кнута и пряника, особо доверительные интонации в отеческих беседах с «заблудшей овцой» и так далее.

Время похищений и угроз у Орлова прошло. Они, как он убедился уже, на Гордеева не подействовали. Более того, вызвали активное противодействие, приведшее к определенным потерям в команде отставного генерала. Значит, тому необходимо срочно менять тактику.

В последней записи интонация сочувствия сменилась интонацией сожаления. Мол, мы умываем руки, а ты сам виноват. Мы больше тебя не защищаем. От кого? От бандитов из Долгопрудного, услугами которых как раз и пользуется генерал Орлов? Это тоже угроза, но иного плана. С надеждой, что строптивый адвокат еще успеет одуматься. А значит, и разговоры еще будут. Акции предпринимаются против тех, кто несет откровенную опасность. Таковыми были Раппопорт с его папкой-бомбой, «племянник» Чупрова, наконец, первый из наиболее опасных — киллер Котов, сыгравший роль того мавра, который сделал свое дело и может удалиться... Но остался тот, кто удалил мавра, вернее, та, если Гордеев правильно понимал ситуацию. И вот тут вставал новый вопрос.

Подлинные взаимоотношения Поташева с Бойко не занимали адвоката. Скорее всего, как человек злопамятный, жестокий и целеустремленный — во всяком случае, пока у него складывался именно такой психологический портрет Эдуарда Владимировича, — Поташев не испытывал особых чувств к своей любовнице. Сексуальные услуги, причем наверняка втайне от генеральских соглядатаев, чисто криминальные связи — вот, пожалуй, и все, что их могло в настоящее время соединять. Нельзя также исключать, что о первом генерал догадывался, а второе курировал сам. Поэтому при первой же опасности разоблачения Киры Бойко в качестве лжесвидетеля по делу Невежина, а пуще того — исполнителя в отношении киллера Котова дамочка с артистической внешностью и большой способностью к мимикрии может превратиться в реальную угрозу для Орлова, Поташева и К°. И в таком случае ею немедленно пожертвуют.

Однако генерал Орлов, как лицо юридически грамотное, должен понимать, что ликвидация двух свидетелей обвинения на стадии предварительного расследования уголовного дела, возбужденного против Невежина, может привести в конечном счете к недоказанности участия обвиняемого в совершении преступления. Хорошо, пусть так. Но пока тянется время, господа Поташев и Орлов могут успеть фактически ликвидировать фирму «ВДП». Это ведь всего лишь господин Булгак оказался несговорчивым, не желающим марать свое имя честного бизнесмена явно криминальными действиями набивающихся в партнеры Поташева с тем же Орловым. А кто-то другой не только согласится, но и сам пойдет навстречу. Халявные проценты от сделки — серьезный аргумент во взаимоотношениях нечистых на руку дельцов нового поколения.

И тогда значит, что именно тут и находится главный помощник обвинителей — время. Им необходимо время, чтобы покончить с фирмой. Перенести производство за рубеж и после этого качать из Министерства обороны России, а в сущности из государственного кармана, новые сотни миллионов, если не миллиарды, долларов. На рубли-то ведь они ни за что не согласятся. Ну а Невежин — да черт с ним! Будет доказано в суде отсутствие в его деяниях состава преступления либо вообще его участие в совершении преступления, — значит, так тому и быть. Выходи на свободу. К пустому пепелищу. И начинай жизнь с нуля, если сможешь...

И ведь неплохо задумано!

Неоднократно встречаясь со следователем Ступниковым, лично против которого Юрий Петрович не имел ничего, видя, что молодца просто подставляют, Гордеев безуспешно убеждал того, что деятельность адвоката, в отличие от следователя или прокурора, не включает в себя собирание доказательств. Дмитрий же Константинович словно перекладывал на плечи адвоката собственные функции. Дай ему, понимаешь, свидетельства того, что он не прав, и все! Очень удобная позиция. Но она заставляла Гордеева заниматься именно тем, чем обязан был заниматься сам следователь. Хорошо хоть, что не впервой, уже имел такую практику Юрий Петрович и не гнушался черновой работы, которую должны были исполнять дознаватели.

Дело еще усугублялось тем, что клиент из Невежина был, мягко говоря, неважный. Возмущенный обрушившимися на него наветами, и в первую очередь из уст собственной жены, он поначалу, что называется, рвал и метал. А потом вдруг затих, ушел в себя, словно из него выкачали весь воздух, все силы к сопротивлению. Такое бывает. И Гордеев, встречаясь с ним, полагал, что это непротивление временное. Человек наконец придет в себя, осознает суть происходящего и с новыми силами кинется защищать и себя, и свои принципы. Такого не случилось. А все намеки насчет роли Киры Бойко в судьбе Невежина тот просто не воспринимал. Вера в близкого человека — это, конечно, великое дело, но не безоглядная же!.. И в измену Поташева клиент категорически отказывался верить. Не мог тот, и все! И вообще, похоже, он смирился с судьбой. Может быть, чувствуя какую-то свою вину во всем происходящем. Или за что-то прошлое? Черт их знает, эти умные головы — на какие неожиданные взбрыки они иной раз способны!..

Но так или иначе, а единственного теперь свидетеля следовало беречь как зеницу ока. Ведь одно дело снять обвинения с невиновного, а совсем другое — подсказать суду имя истинного виновника убийств и прочих уголовных преступлений. И тут уж без Киры не обойтись.

Сама же Кира, несмотря на неоднократные устные и письменные просьбы адвоката о встрече с ней, категорически от них отказывалась, мотивируя свои отказы то плохим самочувствием, то командировками. Вряд ли она имела при этом в виду поездку в Новосибирск.

Но на доказательстве именно этого пунктика в биографии свидетельницы обвинения и собирался строить свою защиту адвокат Гордеев. Следовательно, возникала и необходимость сохранения жизни этой свидетельницы, которая, переосмысливая суть старой песенки Булата Окуджавы, уже давно «по проволоке ходила»...

Денис передал Юрию дактилоскопическую карту отпечатков, снятых со стакана, из которого в течение некоторого времени пила Кира Бойко. Эксперт из криминалистического бюро провел эту работу по заказу частного охранно-сыскного агентства «Глория», так что тут вопросов не возникало.

Специалисты агентства убрали из мобильника Гордеева и «лишние детали», освободив адвоката от преследователей. Что после всего случившегося было вполне естественно. В первую очередь для того же Орлова, если он попробует применить в отношении строптивого адвоката иные меры, о чем захочет сообщить лично. Захочет, обязательно позвонит — в этом были уверены и Гордеев, и Грязнов-младший.

Денис же после некоторого раздумья согласился на какое-то время взять под негласную охрану и Киру Бойко. От посещения Гордеевым Новосибирска зависела ее дальнейшая судьба: или, если нет никакой ее вины, Денис отзывает охрану, или дальнейшую ее безопасность обеспечивает уже государство в лице своих правоохранительных органов.

Покидая друга, Юрий поинтересовался, как обстоят дела с некоторыми обещаниями о помощи со стороны Грязнова-старшего. Денис успокоил, сообщив, что все необходимые звонки сделаны, указания даны и Юрий может спокойно отправляться в Домодедово прямо к ночному новосибирскому рейсу. Этот рейс коммерческий, но одно место для адвоката от имени МУРа уже забронировано.

Зная, что Юрию предстоит еще одна миссия — отправка Стеллы, от которой Гордеев, естественно, не откажется, Денис посоветовал воспользоваться транспортом, который предоставлял отлетающей в Одессу группе сам Велиев. А из Шереметьева-2, не затрудняя ни себя, ни возможных генеральских соглядатаев лишней работой, пройти в линейный отдел милиции, а там ребята перебросят его прямо в Домодедово вертолетом. Это, кстати, предложение все того же Вячеслава Ивановича, надо будет лишь назвать либо начальнику отдела, либо его заму свою фамилию.

Все заранее предусмотрели Грязновы! Что бы он делал без них!..

Велиев и его джентльмены были довольны представленной программой — как классикой, так и чисто ресторанными шлягерами. Стелла сияла. Оркестранты и главный шоумен мистер Алекс, тоже отбывавший в Одессу, снисходительно улыбались, показывая этим, что довольны: их мастерство наконец-то смогли оценить серьезные люди. Татьяна была настороженa, но ничем не выказывала своей озабоченности. В просмотровый зал, где работала бригада, попытались было проникнуть некоторые личности, внешний вид которых никак не соответствовал тому, как должны бы выглядеть музыковеды. Охрана джентльменов, действовавшая по наводке Татьяны, немедленно выдворила «знатоков пения» за пределы здания и принялась выяснять, каким образом возле просмотрового зала оказались посторонние, да еще с неясными намерениями.

Словом, охрану усилили, выделили еще транспорт для сопровождения.

Таким вот образом, с мигалкой впереди и охраной сзади, группа прибыла в аэропорт. А все дальнейшее происходило, как обычно, суматошно и немного бестолково. И когда наконец, обронив пару слезинок, Стелла с бригадой ушла за линию паспортного контроля, Гордеев почувствовал облегчение. Одесса — уже заграница, и слава богу! Вряд ли нынешние способности семьи Орловых — Поташевых простираются и на владения братьев Велиевых. А если вдруг что, то коса определенно найдет на камень.

Покончив с одним, Юрий Петрович отправился в линейный отдел. Оттуда милицейский «газик» доставил его на вертолетную площадку. Борт в Домодедово должен был отправиться полчаса спустя.

Многое успел испытать в жизни Гордеев, но так случилось, что ни разу не доводилось летать вертолетом. Об этом его исподволь расспросил лениво отдыхающий в ожидании вылета пилот и так же лениво стал живописать некоторые неудобства передвижения этим видом транспорта. Особенно для новичка. И трясет, так что душу выворачивает, и безопасности, по существу, никакой, парашюты ж не предусмотрены, и вообще. Что «вообще», этот белобрысый «ветеран» лет двадцати пяти от роду не стал расшифровывать — страшно, одним словом. Лекарством же от страха могло быть только одно средство — порция хорошего коньяку.

Понимая игру, Гордеев искренно посожалел, что этого лекарства, как назло, не захватил с собой. Вот если бы знать заранее, тогда другое дело.

Пилот, сообразив, что «клиент клюет», сказал, что вообще-то мог бы, конечно, поспособствовать, поскольку время еще есть, да и посыльный — вон он, возле ангара ходит. Наивное желание парня было понятно Юрию Петровичу. Да и средства позволяли. И он пошел на поводу, решив, что сотка коньячку никак ему не повредит, а полет предстоит долгий. Кормить же в полете станут не скоро. Он дал сотенную на бутылку, пообещав, что выпьет лично сто граммов лекарства, а остальное, так уж и быть, пусть пойдет экипажу, который когда-то же должен опуститься на грешную землю.

Посмеялись. Посыльный сбегал, принес. Юрий честно отлил необходимое для поправки здоровья, а остальное пилот завинтил и сунул куда-то в гору тряпья в салоне...

Долетели, вопреки предупреждениям пилота, быстро и спокойно. Весело распрощались, посмеиваясь над так и не состоявшимися страхами. Юрий ушел в здание аэропорта, у диспетчера узнал, где находится его самолет. Оставался еще примерно час ничегонеделания.

Странно, что «доброжелатель» еще не позвонил. С бригадой артистов у него вышел явный прокол. Мобильный телефон адвоката перестал служить хвосту. Да и сам адвокат исчез из поля зрения — потерялся, другими словами. А ведь генерал вряд ли любил неопределенность, весь его служебный опыт тому противоречил. Звонок застал-таки Юрия в тот момент, когда он пил кофе, стоя у стойки бара в буфете.

Сотовый телефон давно уже стал деталью российского быта, но в ровном людском гуле необъятного помещения неожиданная трель все еще вызывает некоторую неприязнь тех, у кого нет под рукой мобильной связи. А то и вообще никогда не будет.

Поэтому Юрий, оставив недопитую чашку, под неодобрительными взглядами соседей удалился в сторону. Да, он был прав — звонил все тот же вежливо-настойчивый «доброжелатель».

— Ну, Юрий Петрович, что наконец скажете?

— А-а, это вы! Здравствуйте. Слушайте, а почему вы так и не хотите представиться?

— Какая в этом необходимость? Гораздо важнее, чтобы вам, Юрий Петрович, была максимально ясна наша точка зрения по поводу дела, в котором мы одинаково заинтересованы. Хотя речь о результатах противоположных по своей сути.

— Это-то как раз мне очень понятно. Неясно другое, неужели вы сами не понимаете, что угрозами каши не сваришь? Что всякому удару может быть противопоставлен чувствительный контрудар? Вы же умный человек.

— Откуда вам это известно?

— Виталий Борисович, да что ж вы меня за круглого дурака держите-то? Ну, во-первых, с вашими коллегами из Пятого управления мне доводилось встречаться, и не раз, поэтому манеру вести беседу я как-то поневоле усвоил. И кстати, не считаю ее такой уж предосудительной. У всякого дела свои методы в достижении результата. Во-вторых, все мои последние сомнения вмиг развеяла одна ваша фраза по поводу Вадима Райского...

Фраза насчет открытых карт, произнесенная Татьяной, упала на вполне плодородную почву да плюс соображения самого Вадима и, наконец, факты, выстроившие некую общую картину противостоящих сил, — все, вместе взятое, и привело Юрия Петровича к решению не бог весть какой задачки. Но сообщать об этом генералу он вовсе не собирался. Тем более что похвала в адрес Райского наверняка не случайно вылетела из уст прожженного демагога. И раскрывался он тоже грамотно: дурак ничего не поймет, а с умным можно повести совсем иной разговор. Вероятно, Гордеев теперь должен был выглядеть в глазах Орлова умным. А значит, больше угрожать ему не стоит, можно переходить к следующему этапу, рассчитанному на все тех же умных людей: там, где нельзя испугать, можно купить. Вот и валяй, начинай торговаться.

И кстати, процесс торговли, требующий выдвижения обоюдных условий, их обдумывания, согласования точек зрения и болезненных отказов от каких-то дорогих сердцу убеждений, требует определенного времени. И на протяжении этого времени войска обеих сторон замирают в ожидании очередного приказа, прекращается чаще всего бессмысленная пальба, от которой в основном страдают посторонние. Короче, конфликт вступает в фазу вынужденных дипломатических согласований и утрясок. А дело тем временем движется. И стремительно. Особенно когда ты чувствуешь, что приближается развязка.

— Я знал, что вы отметите данное обстоятельство, — бархатно рассмеялся Орлов. — Честно скажу, на это и рассчитывал. Значит, еще далеко не все потеряно. Терпеть, знаете ли, не могу упертых монстров. Тем более что по нынешним временам, и это вам наверняка известно, каждое дело, как тот магнит, имеет двухполюсную основу. Понимаете меня? С одной стороны плюс, а с другой — минус. Кому-то оно, это дело, очень полезно, а кому-то вредно. Но мы же не отказались от использования магнита?

— Красиво, но не очень по делу, — охладил красноречие бывшего генерала Гордеев. — Земля имеет знак минус, но она — Земля, и этим все сказано. Давайте лучше к конкретике поближе. Какие у вас имеются неясности?

— Напротив! Это как раз я и хотел услышать от вас. Чтобы по возможности, как вот с вашим же коллегой, постараться вывести вас, блуждающего меж трех сосен, на вольный простор взаимного понимания...

Эк разобрало-то генерала! Какой образец красноречия!

— Ну что ж, я в принципе совсем не против разъяснительной беседы. — Юрий постарался, чтобы в его ответе никак не проявился сарказм и чтобы генерал поверил в его искренность. — Иногда такие вещи приносят пользу. Обоюдную. Но у меня еще масса невыясненных вопросов. Разного плана и значимости. А я привык действовать самостоятельно и за советом обращаться лишь тогда, когда дело заходит в тупик. И кстати, как вы любите повторять, могу добавить, что подобный исход уже мне не кажется невероятным. Но я не созрел до такого рода контактов. Честно говорю.

— А я вот полагаю, — снова рассмеялся генерал, — что вы созреете до понимания гораздо раньше, чем вам самому это кажется.

— Откуда такая уверенность?

— Из жизненного опыта, молодой человек. Я

могу вас так называть, не обижайтесь. И потом мне импонирует ваше спокойствие. А я знаю толк в людях.

Гордеев промолчал.

— Думайте, думайте, Юрий Петрович, — поощрил Орлов. — А кстати... — Он хмыкнул. — Извините, вы правильно заметили, люблю это словцо. Так вот, человечество, между прочим, давно изобрело отличный способ для ускорения мыслительной работы. Знаете какой?

— Кнут, вероятно?

— И пряник, Юрий Петрович, — довольно зарокотал генерал. — Большой и очень вкусный пряник. Кнут — это для дураков. И вряд ли человек разумный выберет такой стимул для себя. Ваше мнение?

— Во всяком случае, предмет, возможный для обсуждения... В философском плане, — тут же охладил Орлова адвокат.

— Философия — мать всех наук, как нас учили, — изрек генерал. — Одним на пользу, другим...

— Да что ж это вы все противопоставляете, Виталий Борисович? — рассмеялся и Гордеев. — Это — одним, а то — другим.

— Жизнь такова, Юрий Петрович, — неожиданно жестко ответил Орлов. — Усвойте это и вы наконец.

— Подумаю. Но не обещаю перестроить свой организм на новую пищу уже, скажем, завтра. Или послезавтра. Но повод подумать есть... А зачем вы мне какую-то хреновину в телефонную трубку засунули?

— А это чтоб вы побыстрей принимали решение, — добродушно ответил генерал. — Нашли, что ли? Сами? Или кто подсказал?

— А то вы не знаете! Не перевелись умельцы — и поставить, и снять.

— Неужели есть такие? Адресок не подскажете? Для собственных нужд.

— Ишь, какой вы хитрый! Мы для этого слишком мало знакомы.

— Так за чем же дело?

— А вот это предмет следующего разговора. Извините, я с вами несколько заговорился, Виталий Борисович, а дела стоят. Да, не скажете ли, с Эдуардом Владимировичем я мог бы встретиться в самое ближайшее время?

— Я и сам мог бы вам объяснить все неясности.

— Нет, тут вопросы скорее личного характера.

— Думаю, он должен появиться в Москве на этой неделе. Но он будет очень занят. Поэтому, если хотите, можете позвонить заранее, договориться о встрече. У вашего коллеги Вадима Андреевича есть все необходимые телефоны, поэтому не затрудняйтесь запоминать или записывать.

— Благодарю за совет. Постараюсь им обязательно воспользоваться. Всех благ!

И Гордеев отключился, не желая и дальше вешать лапшу на уши генералу, который наверняка уже подумывал, что с адвокатом Гордеевым, как говорилось еще совсем недавно, намечается консенсус. Да и время уже подходило к черте.

Нет, не знал генерал, где во время разговора находился его абонент, иначе от благодушия и следа бы не осталось... Пусть он «полагает», что его очередная попытка дала-таки наконец свой результат:

дрогнул клиент. Ну а раз дрогнул, — значит, его можно теперь не торопясь дожимать, доводить до нужной кондиции. Все сделал для этого Юрий Петрович. Потому что единственным и самым главным аргументом было здесь время. Время сейчас должно было работать на него, а не на семейную фирму Орлова — Поташева.

И еще одно обстоятельство заботило Гордеева, было ему непонятно. А все непонятное всегда у заинтересованного лица вызывает подозрение. Впрочем, этот вопрос он обдумывал, уже сидя в салоне комфортабельного лайнера, принадлежащего какой-то частной компании с «ойл» в конце названия. Явно нефтяной. И народу летело немного — человек пять, не больше. Все они были знакомы между собой, а на чужого не обращали внимания, Новосибирск, как сказала ему миловидная стюардесса, был промежуточной посадкой для дозаправки. Хороший рейс предложил Грязнов-старший.

Так вот, размышлял Юрий Петрович над тем, почему Дмитрий Ступников, следователь, которому в деле Невежина было все предельно ясно, не оформлял его соответствующим образом и не передавал в суд? Оставалась еще какая-то неуверенность? Или они все ждали, какие шаги предпримет адвокат обвиняемого, чтобы немедленно сделать встречные телодвижения? Или же наконец именно так и была поставлена перед следователем задача: тянуть, насколько это возможно? Но если принять во внимание последний вариант, значит, у семейки действительно больше нет никаких аргументов, кроме весьма шатких. И они тоже понимают, что в судебном разбирательстве сидят не дураки и скоро поймут, что все обвинения шиты белыми нитками. Так что же брать за основу? Максимально ускорять передачу дела в суд или разваливать его на корню в процессе следствия?

Разговор со следователем о шаткости его строения уже был. Может, он и в самом деле задумался, а теперь не знает, как выбраться из щекотливого положения? Тогда надо ему немедленно помочь! Иначе зачем же тогда Юрию Петровичу его старые связи и знакомства, зачем люди, которых он не без гордости называет своими учителями? Зачем заместитель генерального прокурора Константин Дмитриевич Меркулов? Зачем Саша Турецкий — старший следователь по особо важным делам при генеральном прокуроре?

«Это мой личный золотой запас», — сказал себе наконец Гордеев и закрыл глаза. Ночью надо спать. Хоть немного. Он ведь летел навстречу времени, сокращая тем самым свою жизнь на несколько часов.

ВРЕМЯ РАСЧЕТОВ

Человек в кепке и застегнутой куртке встретил Гордеева у трапа самолета и спросил скорее утверждающе:

— Юрий Петрович?

— Так точно, — улыбнулся Гордеев.

— Прошу! — Встречающий, поеживаясь от весьма прохладного утреннего ветра, овладевшего аэродромом, показал на стоящую в стороне черную «Волгу».

Они прошли к машине, встречающий предупредительно открыл заднюю дверцу, захлопнул ее вслед за Юрием, а сам сел рядом с водителем.

Хорошо встретили, приятна такая забота. А если бы летел по собственной инициативе, так встречали бы? Да ни в какие времена! Это встречали генерала Грязнова, точнее, его посланца. Но все равно приятно.

Первым вопросом другого генерала — начальника Управления уголовного розыска был: «Как долетели?» Затем он с согласия Юрия Петровича распорядился принести кофе, после чего они перешли к делу. Этого момента в приемной ожидали начальник отдела и двое следователей, которым достались «самоубийцы». Поскольку события произошли в разных районах города и никак не могли быть, по мнению местных товарищей, между собой связаны, то и занимались ими разные люди, не подозревая, что одно из дел является результатом и продолжением другого. Ну а теперь пришла пора соединять их в одно производство. Гордеев же, по существу, был той ниточкой, которая связывала эти дела с тем главным, которое находилось в производстве у следователя Ступникова.

Интересная взаимозависимость: адвокат Гордеев помогал самолюбивому и упрямому следователю Ступникову принять единственно верное для него решение: взять на себя смелость и прекратить одно дело, чтобы возбудить другое, истинное. И тем снискать себе если не славу, то уж точно известность как юриста неподкупного и перспективного. Впрочем, так ли уж перспективна неподкупность?

Может, как раз этот вопрос и мучает больше всего Дмитрия Константиновича?

Гордеев изложил своим коллегам по бывшей профессии соображения по поводу этих двух случившихся последовательно, друг за другом «самоубийств», как они это обсуждали и сформулировали в МУРе, у Вячеслава Ивановича, выложил имеющиеся факты. Особый интерес у местных товарищей вызвала фотография Киры Бойко и отпечатки ее пальцев.

Имейся они на тюбике с помадой, забытом под подушкой в постели Котова, это подтвердило бы факт пребывания женщины в номере «самоубийцы»-киллера, против чего категорически возражал весь гостиничный персонал. А окажись они еще и на пистолете, вопрос о самоубийстве вообще отпадал бы. Соответственно фотографии и той и другого, предъявленные соседям Седовой, по матери — Перетерской, узнай они кого-нибудь из двоих, развеяли бы также миф и о самоубийстве несчастной одинокой женщины.

Сколько времени займут оперативные мероприятия, Гордеев не мог и предположить, но его пребывание в Новосибирске полностью от них зависело. Как и дальнейшая судьба Киры Бойко. Если только Орлов с Поташевым не заподозрили интереса к ней со стороны своих противников и уже не приняли меры собственной безопасности. А что это за меры у людей, напрочь лишенных совести и обычной человеческой жалости, можно было и не спрашивать. Тут уж вся надежда, что сотрудники Дениса не дадут маху.

...Поташев спешил. Отказ надежнейшего до последнего времени партнера Олега Булгака участвовать в афере — он так прямо и сказал в лицо Эдуарду Владимировичу — по ликвидации российской фирмы «ВДП» очень сильно ударил по его планам. Совершенно естественно, что Эдуард Владимирович изобразил непонимание и обиду, но дело-то ведь от этого не менялось. Более того, неожиданно сжавшееся время поставило под вопрос вообще всю операцию по переносу производства перлара в Германию — как первоначально планировал свои действия Поташев. А ведь он под будущие баснословные прибыли уже взял пару серьезных кредитов. Ну что касается, скажем, Инкомбанка тут особой спешки нет, подождут, ничего не случится, тем более что он, этот кредитор, и так на ладан дышит. А вот с Дойче-банком шутки плохи: немцы не любят, когда их надувают. Впору подумать о том, стоит ли вообще связываться с Германией.

Словом, денежные дела были скверны. А тесть-генерал, обожающий давать мудрые советы, чему обучился еще на службе в КГБ, в финансовых делах ни черта не смыслит, зато плетет такие интриги, от которых даже Эдуарду, далеко не новичку в подобных делах, иной раз становится тошно. И еще одна, ну просто убийственная деталь: при всем своем гадюшном прошлом тесть, оказывается, все еще мнит себя патриотом Отечества. И огромные средства, которыми он распоряжается и о величине которых Поташев мог только догадываться, генерал Орлов, отметая в своем чине приставку «бывший», определял как действующую силу будущей России — без демагогов и демократов.

Вот такое, понимаешь, раздвоение. И зятю он помогает, обеспечивая безопасность в проведении тех или иных финансовых комбинаций, благодаря которым та же Россия теряет сотни миллионов долларов, и рассуждает о том скором времени, когда новая Россия всему миру нос утрет. И то и другое всерьез. Методы, которыми при этом пользуется отставной генерал, без всякой натяжки можно назвать уголовными, но тут ничего уже не поделаешь — таков основной контингент его кадров. А в этой среде действуют лишь два фактора: крепкий крючок и деньги.

Не хотел, конечно, Эдуард Владимирович, чтобы его тесть узнал о Кире Бойко — не в роли жены Федора Невежина, а в другой, главной, но ведь от этих распроклятых чекистов ничего не утаишь. И когда Поташев сам узнал, как ухитрился генерал использовать его любовницу, дело чуть до разрыва не дошло. Словесного, разумеется. Поскольку генерала меньше всего интересовали моральные воззрения зятя. А дела перспективной фирмы не могли быть разрушены из-за какой-то шлюхи, подсунутой затем в качестве жены своему приятелю. И место этой шлюхи давно уже было определено генералом, поэтому опоздал, парень, она уже вся — с ног до головы — повязана.

Но теперь именно с ней и возникла проблема. Причем очень опасная. Орлов, задействовавший Киру в операции с Котовым, бывшим теперь уже собственным осведомителем и даже прямым участником одной хитроумной комбинации с валютой, приготовленной для выкупа заложников, поначалу хотел ее просто убрать подальше от зятя. На кой ему черт было наблюдать страдания родной дочери, вызванные холодностью мужа! Да и с Котовым, использованным дважды в деле с фирмой «ВДП», тоже пора было кончать — малый обнаглел, стал требовать своей доли, поскольку решил отойти от дел и заняться собственным бизнесом. Позволить ему это, конечно, генерал не собирался. Нужно было убрать, но тихо и без последствий. Эта шлюха Бойко как нельзя лучше подошла для этой роли. Тем более что переспать с мужиком, а потом его же и шлепнуть для этой оторвы — пара пустяков. Давно уже увязла птичка, и судьбу свою она тоже определила довольно четко. В планах Орлова, разумеется.

Разговор между родственниками возник за завтраком, когда они остались вдвоем.

— Появилась проблема, — как бы между прочим бросил генерал.

— С чем связана? — так же нехотя отозвался Поташев. Он обдумывал, как сказать тестю, что ему необходимо срочно выехать во Франкфурт-на-Майне, где он присмотрел одно малодоходное химическое предприятие, которое можно было бы легко перепрофилировать на производство перлара. Но для этого требовались деньги, и немалые. А тесть, как известно, транжирить средства не любил, и еще больше не нравились ему заграничные вояжи зятя. Не верил генерал ему, это было видно. Наверняка боялся, что Эдуард однажды «кинет» его и останется на Западе со своими вкладами и любовницей. Кто знает, может, он был и не так уж далек от истины?.. Подумывал об этом Эдуард, и не раз...

— Мне доложили, что у твоей курвы, — в разговорах один на один генерал Киру иначе не называл, — хвост появился.

— В каком смысле? — насторожился Эдуард.

— В прямом. Слежку заметили. Причем очень аккуратную. Но у меня ж тоже не лопухи работают, вычислили. Знаешь, о чем это говорит?

— Ну?

— Гну! — зло бросил генерал. — Значит это, что и те ее вычислили. И ведут. Поэтому надо принимать жесткое решение. И я хочу, чтобы ты его принял сам. Хватит мне за тебя на старости лет телегу тянуть!

«Ишь как вдруг заговорил!» Поташев лишь укоризненно покачал головой.

— Можно подумать! Мы с вами, Виталий Борисович, кажется, давно договорились и разграничили сферы ответственности. Я отвечаю за дела фирмы, а вы за ее безопасность. Вот и занимайтесь своими делами. А в мои личные не надо... не надо, генерал. Что же касается Киры, то я ее сегодня же отправлю в Германию. Это не ваша забота. Мне, между прочим, и самому надо будет вылететь во Франкфурт. Пора уже ставить точку с тем заводиком, о котором я вам как-то говорил...

Удачно получилось — не надо было усложнять ситуацию.

— Ты что, совсем поглупел? — изумился Орлов. — Она ж свидетелем проходит! Да они ее из-под земли достанут!.. — И вдруг бархатисто рассмеялся. — Вот как раз, кстати... из-под земли она им совершенно не будет нужна. Понял идею?

— Вы что... — обомлел Поташев. — Вы хотите...

— А что тут ужасного? Кстати, и ты освободишься от груза, который давно висит у тебя... ха-ха, на яйцах!

— Виталий Борисович, я, конечно, понимаю, что у каждого в жизни вырабатывается свой метод общения с окружающими в зависимости от... характера. И то, что вы использовали именно свидетельницу по делу Федьки по собственному усмотрению, не посоветовавшись и не взглянув в перспективу, это огромный ваш минус. Но я готов об этом, черт возьми, забыть, если...

— Он готов! — перебил Орлов. — А кто тебя спрашивать-то будет? Они ее сейчас возьмут и так «кинут», что она сразу свое хлебало раскроет! А тогда, извини, я тебе не попутчик. Это хоть ты соображаешь? Финансист хренов!..

— Я попросил бы вас, Виталий Борисович!

— И думать не моги. — Голос Орлова снова стал вкрадчивым, почти ласковым. — Ты лучше мозгами пораскинь. Ну исчезнет она совсем, и что случится? Нету двоих свидетелей, и все. Они что же, по-твоему, сразу Федьку на улицу выкинут? А дурачок из межрайонки на что? Улита едет, когда-то будет! Зато у тебя люфт во времени! Ты об этом лучше думай... А с заводом тем, я тоже считаю, может, пора уже завершать. О финансах мы еще поговорим, есть у меня кое-что...

Поташев понял, что генерал пошел ему навстречу, но лишь в одном вопросе. Правда, самом главном. Но за это придется крепко заплатить. А какой еще выход?

— А что касаемо курвы этой, ты меня извини, Эдька, ну разве не надоела уже она тебе самому? Да помимо всего, висит на ней мокруха, а что это — объяснять не нужно. Если же тебе без актриски какой-нибудь никак не возможно, я мужик, тоже молодым был, понимаю, так займись лучше певичкой адвоката нашего, Гордеева. Вот это, брат, штучка! Я видел. Сам бы съел, кабы зубы были... В общем, ты должен решить. Чтоб потом на меня собак не вешать.

«Вот как вопрос поставлен! Своими, значит, руками...»

— До вечера терпит, Виталий Борисович?

— Терпит, — равнодушно пожал плечами генерал. — Если скажешь «да». А если «нет», можем и опоздать.

— Да что ж вы меня ставите в такую ситуацию?! — почти взорвался Поташев.

— А это не мы, а обстоятельства, — спокойно парировал Орлов. — А ты не нервничай. Такие дела требуют холодной головы...

— Ага, и чистых рук!

— И горячего сердца. Значит, да?

— Да! Будьте вы неладны!

— Нервы, нервы, Эдька! Вот мы и пришли к полному согласию. И ты наконец усвоил истину... Знаешь, чем она хороша?

— Ну?

— Да брось ты свое дурацкое «ну»! Баранки гну! Тем она и хороша, истина, что конечна. Второй быть не может.

— Вы еще и философ?

— А как же! С такими, как ты, всю жизнь общался...

В наряде были Игорь с Сергеем, достаточно опытные сыщики из «Глории». Они сидели в неприметной бежевой «Ладе»-«восьмерке», которую давал Гордееву во временное пользование Денис Грязнов.

Было около двенадцати дня, но мадам Бойко из дома еще не выходила. И было неизвестно, собирается ли она куда-нибудь ехать сегодня. Ее «Жигули» стояли в открытой ракушке.

Квартира у Федора Невежина, обретающегося сейчас в стенах Бутырок, была в хорошем старом доме на Большой Дорогомиловской — тут уж его супруга Кира Бойко лично постаралась. Для себя все-таки!

Сыщики курили, переговаривались. Время тянулось томительно медленно и бессмысленно. Зевали, тянуло в сон. Самая жара. Внимание привлек большой черный «БМВ», почти бесшумно вкатившийся под прямоугольную арку с улицы и остановившийся у подъезда, где проживали Невежин с Бойко. Из машины спустя короткое время вышел типичный «качок» — здоровенный, почти наголо бритый, в спортивных штанах и майке. Плечи его были покрыты замысловатой татуировкой. Цепь на шее, браслет на правой руке — все как в лучших домах...

Он постоял, поглядел наверх, нагнулся к машине и что-то сказал. С другой стороны вылез тоже крутой парень, но одетый вполне прилично — в костюме и при галстуке. Эти двое о чем-то поговорили, и тот, что был в галстуке, отправился в парадное.

— Держу пари, это к ней, — сказал Игорь, сидевший за рулем.

— Поглядим, — ответил Сергей и набрал по сотовому номер. — Денис Андреевич, тут такая ситуация... — И он кратко изложил увиденное.

— Если вы поймете, что это захват, действуйте, — ответил Грязнов-младший. — И постоянно держите меня в курсе дела.

— Тогда не отключайтесь, — вздохнул Сергей. — Мы думаем, что ситуация будет развиваться очень быстро. — И, положив трубку в специальное гнездо, достал и передернул затвор своего «макарова». То же самое сделал и Игорь. На всякий случай. Может, стрелять вовсе и не придется. Они имели разрешение на право ношения оружия, а охрану объекта осуществляли с разрешения начальника МУРа.

Кира в сопровождении приличного молодого человека вышла из подъезда и огляделась. Взгляд ее упал на «БМВ», потом на бритоголового «качка». Она повернулась к сопровождающему, словно желая о чем-то спросить, но тот, вместо того чтобы вежливо выслушать, крепко взял ее за локоть и довольно сильным толчком отправил в объятия «качка», уже открывшего дверцу машины. Все было бы у них удачно, если бы Кира не споткнулась — подвел высокий каблук. И она упала. Оба парня кинулись к ней.

— На связь! — крикнул Игорю Сергей и сунул телефонную трубку, а сам выскочил из машины и бросился к «БМВ», прикрываясь стоящими у тротуара другими машинами.

— Что у вас? — встревожился Денис.

Игорь сказал.

— Забирайте ее, ребята, и везите сюда. Можете не стесняться, но оружие лучше не применять.

Игорь бросил трубку на сиденье и выпрыгнул из машины вслед за Сергеем.

Похитители между тем уже подняли женщину на

руки, она брыкалась и выворачивалась из их рук, но парни упрямо пытались запихнуть ее в машину.

— Стоять! — закричал Сергей, вытягивая в их сторону обе руки с пистолетом.

— Уголовный розыск! — гаркнул, подбегая с пистолетом в руке, Игорь. — Отпустите женщину! Руки на машину! Стреляю без предупреждения!

Похитители раздумывали короткое мгновение, но Сергей успел налететь и врезать «качку» пистолетом по шее. Второй тут же отпустил женщину, и та снова упала на землю.

— Кира, в машину! — мотнул головой Игорь в сторону своей «Лады». — Бегом! А ты, — он ткнул второго похитителя между лопаток, — на капот!

Парни послушно выполнили команду и улеглись физиономиями на крышу и капот «БМВ».

Сергей ощупал одного и второго — оружия у них не было. Игорь же тем временем усадил Киру в «Ладу» и вернулся к похитителям.

— Это та, о которой говорила Татьяна? — Он кивнул на машину.

— Похоже, она. — Сергей подошел к смирно сидевшему за рулем водителю. — Ну, значит, вам уже не привыкать. Ключи сюда! — Тот послушно протянул ключи от машины. Сергей сунул их в карман. — Учишь вас, учишь... а все без толку! Интересно, кого из них Таня кверху жопой поставила?

— Вон того, наверно, — указал Игорь на татуированного «качка». — Большой, говорила, и тупой, как колун. Ну поехали?

Парни покорно молчали, глядя, как их жертву увозили прямо у них из-под носа.

Сыщики уже выехали на Большую Дорогомиловскую, когда зазвонил сотовик.

— Все в порядке, Денис Андреевич, — доложил Сергей и обернулся к сидевшей на заднем сиденье и еще не пришедшей в себя женщине. — Потерь нет. Оружие не применяли.

— Отлично, ребята. Тогда задание несколько меняется. Спасенную, а правильнее будет сказать — задержанную везите на Петровку. Я разговаривал только что с начальником. Из Новосибирска пришла оперативка. Подозрения подтвердились. Вячеслав Иванович дал указание службе оформлять задержание. Даму в известность об этом ставить пока не стоит, сама скоро все узнает. Это во избежание, понимасте?

— Так точно, Денис Андреевич, — подтвердил официальным тоном Сергей. Отключил аппарат и кивнул Игорю: — Как обычно, домой, на Петровку.

Тот молча кивнул, он все понял.

— Кто вы такие и куда меня везете? — прорезалась наконец Кира. Она пришла в себя и теперь явно нервничала, выслушав сказанное Сергеем.

— Едем мы на Петровку, 38, в Московский уголовный розыск. А кто мы? Скажу так: нами были получены сведения, что вас, как свидетельницу, выступающую по делу Невежина, собираются похитить и убить. Очевидцами чего мы только что и оказались. А вот почему вы согласились добровольно — или по принуждению — поехать с этими откровенными бандитами, об этом вас спросят те, кому это положено. В смысле — задавать вам вопросы.

— Тот молодой человек, который позвонил в квартиру, — начала рассказывать Кира, хотя ее об этом не спрашивали, — сказал мне, что меня вызывает следователь, чтобы задать какие-то вопросы или что-то уточнить. Вот я и поехала.

— Понятно, — кивнул Сергей. — Он позвонил вам, а вы и поехали. И даже не проверили у самого следователя?

— Нет. Мне до этого, еще утром, позвонили из прокуратуры и сказали, что надо будет подъехать.

— Кто позвонил?

— Не знаю. Кто-то... А если они бандиты, тогда почему же вы их не задержали? — Она правильно мыслила, эта Кира.

— Нам не ставили такую задачу. За ними следят другие оперативные работники. Мы охраняли вас.

— Странно. А я вас не видела. И меня только что чуть-чуть было не увезли... в неизвестном направлении.

— Не увезли же.

— Все равно непонятно.

— А вы не торопитесь, придите в себя, скоро вам все объяснят.

Дальнейшая поездка прошла в молчании. Кира Бойко нервничала и беспокойно вертела головой, словно боясь, что ее завезут в какую-нибудь глухомань и там прикончат. Или, не дай бог, что похуже...

Она даже усмехнулась своей нелепой мысли: что может быть хуже смерти?!

Когда ей позвонили и сказали, что Эдуард Владимирович вернулся из-за границы и хочет ее срочно видеть, она решила, что Поташев просто придумал такой вариант для тайного свидания. Ни в какую заграницу он не уезжал, это она твердо знала, ибо совсем недавно, почти сразу после возвращения из Новосибирска, провела с ним ночь на одной из его квартир. Он говорил, что соскучился, и уверял, что в самое ближайшее время постарается повторить свидание. Просто он не хотел, чтобы об их встречах стало известно генералу Орлову, тестюшке поганому. Ах, если б он только знал, что господину отставному генералу известен каждый его шаг! И еще если б знал, в каких поистине ежовых рукавицах находится она сама у этого проклятого генерала! Но самое главное, чего Кира не забывала даже во сне, — это ее молчание. Пока рот ее на замке, она жива. Впрочем, именно ее рот в качестве инструмента более всего устраивал впадавшего в импотенцию генерала. Тут уж точно ничего не поделаешь — влипла, как та муха — всеми лапками сразу...

Эдуард использовал ее, чтобы знать, о чем думает его бывший друг Федор, а Орлов — с той же целью, но уже против Поташева. И используют, и употребляют, и...

Когда утром позвонил Орлов и велел срочно приехать к нему — он обещал прислать машину, — Кира отчего-то вдруг испугалась. Может быть, того, что в тоне генерала отсутствовала привычная для него мягкость. А вторично испугалась Кира, увидев глаза посыльного — холодного и вежливого молодца, какими обычно бывают наемные убийцы. Как

Майор, которого она без особых угрызений совести отправила на тот свет. Она бы, может, и не решилась, если бы не увидела висящую в петле толстуху Седову. Орлов приказал ей проверить исполнение задания, а затем убрать Котова.

Ну а у подъезда, увидев еще и здоровенного «качка», она поняла, что это за ней. И ни к какому генералу ее сейчас не повезут, а вытащат куда-нибудь за кольцевую и там прикончат. К счастью, этого не произошло...

Машина действительно свернула с Садового кольца на Петровку, затем — в переулок и въехала во двор через служебные ворота. Их ждали. К машине подошли двое в милицейской форме, осведомились:

— Кира Николаевна Бойко?

— Да, это я, — севшим голосом тихо сказала Кира.

— Пожалуйста, пройдите с нами.

— Куда? — Она беспомощно окинула взглядом тех, кто ее привез, но Игорь с Сергеем дипломатично молчали.

И она вышла. Один шагал чуть впереди, второй — сзади. Так они вошли в здание, лифтом поднялись на нужный этаж, затем миновали коридор и попали в приемную. Один из сопровождавших постучал в дверь начальника и вошел. Затем, открыв дверь, жестом пригласил пройти и Киру. Второй сопровождающий остался в приемной.

Навстречу Кире из-за широкого письменного стола поднялся крупный мужчина с рыжеватой шевелюрой, в мундире с погонами генерала милиции.

Жестом показал на стул, стоящий перед приставным столиком, и тоже спросил:

— Кира Николаевна Бойко?

Она лишь кивнула, почувствовав тяжесть в ногах.

— Садитесь, — сказал генерал, — я начальник МУРа Вячеслав Иванович Грязнов. Нам надо поговорить, чтобы выяснить некоторые детали вашей недавней поездки в Новосибирск.

— Я там никогда не была! — воскликнула Кира.

— Запамятовали, Кира Николаевна. Вас там опознали более десятка абсолютно посторонних людей. Вот поэтому мы и решили пригласить вас сюда, чтобы ознакомить с этими показаниями и свидетельствами.

— Ничего себе — пригласили! — Похоже, к Кире стал возвращаться ее гонор.

— Вы предпочли бы, чтобы вас обнаружили где-нибудь в лесу за Одинцовом? В виде разложившегося на жаре трупа?

— Фу, генерал! Вы же разговариваете с женщиной!

— Я очень надеюсь, что разговариваю с женщиной. Поэтому перейдем к делу...

Вечером смертельно уставшую от непрерывного допроса Киру Бойко увезли в Печатники, микрорайон такой есть в Текстильщиках. А в этом микрорайоне — женская тюрьма, которая называется СИЗО № 6. Большое пятиэтажное здание, облицованное белой кафельной плиткой.

Всю дорогу до Текстильщиков, а затем во время медосмотра и заполнения документов Кира жила только своими мыслями, почти не обращая внимания ни на что окружающее. Отвечала, когда спрашивали, чисто механически. А сама все думала: как же все это произошло?! Почему она наделала столько глупостей, оставила столько следов? Ведь чему-то же ее учили, отправляя с документами почившей в бозе Натальи Михайловны Свинаренко... И все она делала правильно. Киллер сам на нее клюнул...

Она так верила в свои артистические способности! А вот, выходит, они-то ее и подвели. Незаметной надо было стать! А она словно чужую роль играла. Вот и запомнили ее повсюду, где только можно было...

Но больше всего ее испугало то обстоятельство, что на глушителе пистолета Котова, который она так ловко достала из сумки киллера, оказались четкие следы ее пальцев. Тут уж, что ни придумывай, никто не поверит. Слишком веская улика. И она, как сказал ей следователь, который вел допрос в связи с постановлением новосибирского прокурора о возбуждении производства по двум делам о самоубийствах граждан Седовой и Котова по вновь открывшимся обстоятельствам, тянет на сто пятую статью Уголовного кодекса. Следователь из Новосибирска должен прилететь в самое ближайшее время. Что это за статья и какое по ней предусмотрено наказание, Бойко не знала, поскольку никогда, даже в шутку, не имела дел с Уголовным кодексом. А стоило бы...

Она и на вопросы отвечала рассеянно, продолжая думать лишь об одном: имя генерала Орлова, о чем тот ей не раз говорил в самой грубой форме и прямо в глаза, никогда и ни при каких условиях не должно фигурировать в ее разговорах. С кем бы то ни было! Ни-ко-гда! Потому что соблюдение одного только этого условия может спасти ей жизнь. Раскроет рот не по делу, вякнет что-то — и, считай, кончилась ее биография. Поэтому она больше всего теперь боялась, чтобы с ее уст не слетело это проклятое имя.

А вот Поташев, который ее предавал не раз, как предал и теперь, уж он свое съест! По тому, как выражался иной раз о нем генерал, Кира понимала, что Эдуард никаким особым расположением у Орлова не пользуется. Тоже необходимая пружина в сложном механизме генеральской машины. Он — пружина, а она — малый винтик. И раз так, то пусть предатель сам попробует отрицать, что все ее задания исходили не от него.

Странным показалось ей то, что ее никто из допрашивающих так и не спросил ни о чем, связанном с мужем, с Федором. Как будто и дела такого не было. А ведь те парни, которые вырвали ее из рук бандитов и привезли на Петровку, говорили именно об этом. О том, что она свидетельница по делу Невежина. Впрочем, тогда, в первый раз, ее допрашивал совсем молодой следователь, который, как ей показалось, заранее знал обо всем и верил каждому ее слову. Все записывал. Всю ту туфту, которую буквально надиктовали ей и заставили заучить и Орлов и Поташев. Каждый, разумеется, в отдельности. Но говорили они об одном и том же, конечно — договорились заранее. А ее просто кинули на съедение. Но генерал в этой истории — фигура умолчания, Эдик же — обойдется, пусть отвечает за все, в чем ее обвиняют...

Так решив, Кира уже не отступала от своей цели.

Странно, что о Федоре никто так и не спросил. Будто всем им до него не было никакого дела...

Уже в камере, куда ее поместили и где у нее сразу закружилась голова, отчего она едва не грохнулась в обморок, позже, когда все успокоились, к ней подошла старшая, так она отрекомендовалась. Эта женщина с глазами, очень похожими на те, что были у парня, который за ней приехал, чтобы якобы отвезти к генералу, отвела ее в сторону и негромко сказала, что с воли передали: «Запретное имя не вспоминать. Хлебало не разевать. Это — единственный шанс». И Кира все поняла: и тут ее достали. Значит, она поступила правильно... Подошло время расчетов, но она снова оказалась крайней.

ДОМ УПАЛ

Эпилог

Гордеев ожидал вылета из Новосибирска. Керосиновый дефицит вывел из строя половину сибирской авиации. А коммерческого рейса не предвиделось. Точнее, может, они и были, но на Сибирь власть генерала Грязнова не распространялась. И приходилось ждать.

Юрий Петрович особо и не нервничал. Он был на постоянной связи с Денисом Грязновым и Вадимом Райским, который в его отсутствие уже успел составить соответствующие ходатайства в прокуратуру. Производство по делу Невежина, по убеждению адвокатов, следовало прекращать за отсутствием состава преступления — на основании статьи пятой Уголовно-процессуального кодекса Российской Федерации. А по части составления всякого рода протестов, обжалований и ходатайств равных Вадиму было немного. Спец в этом отношении он был великий. И Юрий Петрович в какой-то степени даже обрадовался, что переложил на плечи коллеги не особо любимую им писанину. Главное, чего им в конце концов удалось добиться, — это доказать невиновность своего подзащитного и добиться постановления о прекращении дела на основании статьи двести девятой все того же УПК России. Иными словами, уголовное дело и освобождение Федора Невежина из-под стражи произошло в стадии предварительного расследования.

Не удалось блеснуть в судебном заседании убедительной речью. И не надо. Зато человек на свободе. Вадим посетил его в следственном изоляторе накануне освобождения и сказал Юрию по телефону, что тот отреагировал как-то странно. Будто его это ни в коей мере не касалось. Но очень огорчился, узнав, что его супруга Кира Николаевна находится в тюремной камере. Спокойно выслушал известие о том, что против его лучшего друга в свою очередь возбуждено уголовное дело, но самого друга задержать не удалось, поскольку он выехал в служебную командировку и должен будет в связи со своими планами посетить ряд стран, а потому о сроках его возвращения на родину никому ничего не известно. Ни супруге, ни фактическому руководителю фирмы «ВДП» на сегодняшний день Виталию Борисовичу Орлову.

И кстати, имя исполнительного директора и вице-президента фирмы абсолютно нигде не фигурирует в показаниях обвиняемой Бойко. Создается ощущение, что во всех бедах фирмы, во всех преступлениях, связанных со смертью ее сотрудников, виноват один человек — зловещий Поташев, черная тень светлой личности Невежина. Впрочем, в современном российском бизнесе возможно даже невозможное.

Судьба улыбнулась Юрию, когда он, устав слоняться по переполненному аэровокзалу Новосибирска, начал подумывать, не сдать ли билет и не отправиться ли привычным поездом. Он в последний раз позвонил гостеприимным хозяевам, поблагодарив за помощь, затем связался с Москвой, чтобы уточнить с Вадимом время встречи в Домодедове, и... через короткое время облегченно застегнул ремни, поскольку ну очень симпатичная стюардесса лично попросила его об этом одолжении и даже собственноручно проверила, насколько плотно они держат.

Помнится, Вадим намекнул насчет гонорара. Этот вопрос был оговорен в соглашении на защиту. Но... какое-то странное чувство испытывал Гордеев. Не о судьбе того же Невежина думал он. Адвокаты сделали свою работу, она должна быть оплачена, и нет здесь ничего сверхоригинального. Однако если по большому счету, оплачиваться должен труд создателя, строителя чего-то. А тут разрушение. Правда, Юрий Петрович предупреждал ретивого следователя Ступникова, что поднятое тем строение рухнет. И дом упал. Ибо по тому же большому счету он и не мог, не должен был стоять...

А на что это, интересно, намекнула проказница стюардесса, игриво заметив, что ремни вполне надежны? Может, попробовать отвязаться, как тот дворовый Барбос, и — хвост трубой? Да, заманчиво... А где-то плывет пароход, и на нем весело играет оркестр и поет красивая женщина...

С этой успокаивающей мыслью, что каждому в этом мире свое, Юрий Петрович Гордеев и заснул, закрывшись шторкой иллюминатора от слепящего солнца.

ОГЛАВЛЕНИЕ

Литературно-художественное издание

Незнанский Фридрих Евсеевич

Месть предателя

Редактор В. Вучетич

Художественный редактор О. Адаскина

Компьютерный дизайн: С. Барков

Технический редактор Н. Сидорова

Корректор М. Козлова

Подписано в печать с готовых диапозитивов 30.09.99.
Формат 84×108$^1/_{32}$. Печать высокая с ФПФ.
Бумага типографская. Усл. печ. л. 24,36.
Тираж 25 000 экз. Заказ 3761.

Налоговая льгота – общероссийский классификатор продукции
ОК-00-93, том 2; 953000 – книги, брошюры

Гигиенический сертификат
№ 77.ЦС.01.952.П.01659.Т.98 от 01.09.98 г.

ООО "Фирма "Издательство АСТ"
ЛР № 066236 от 22.12.98.
366720, РФ, Республика Ингушетия,
г.Назрань, ул.Московская, 13а
Наши электронные адреса:
WWW.AST.RU, E-mail: astpub@aha.ru

"Олимп". Изд. лиц. ЛР № 070190 от 25.10.96.
123007, Москва, а/я 92
E-mail: olimpus@dol.ru

При участии ООО «Харвест». Лицензия ЛВ № 32 от 27.08.97. 220013, Минск, ул. Я. Коласа, 35-305.

Ордена Трудового Красного Знамени полиграфкомбинат ППП им. Я. Коласа. 220005, Минск, ул. Красная, 23.

Незнанский Ф.Е.

Н44 Месть предателя: Роман. — М.: "Олимп"; ООО "Фирма "Издательство АСТ", 1999. — 464 с. — (Господин адвокат).

ISBN 5-7390-0916-2 ("Олимп").
ISBN 5-237-03605-8 (АСТ).

Преступник совершил заказное убийство — и был арестован. Преступник ждет суда. Все просто. Все ясно? Но почему же тогда от «господина адвоката» требуют, чтобы он отказался защищать этого человека? Кто стоит за этими просьбами и угрозами? Что-то заложено в этом деле — пока еще непонятное. Что-то здесь — не то, чем кажется. «Господин адвокат» начинает задавать вопросы — и очень скоро понимает: ответы — последнее, что он может узнать в жизни...

УДК 882
ББК 84(2Рос-Рус)6